U0961263

国家出版基金项目
NATIONAL PUBLICATION FOUNDATION

《三联经典文库》

第二辑

2012年国家出版基金项目

《三联经典文库》编辑委员会名单

学术顾问：吴敬琏　金冲及

编委会主任：樊希安

编委会副主任：李　昕　潘振平　翟德芳　常绍民　张作珍

编委会成员（按姓氏笔画）：

王忠义　尹昌龙　石晓光
卢　岳　叶　彤　田文生
曲柏龙　朱利国　刘　强
刘　靖　孙　漩　李　昕
李　峰　李永臻　李国庆
李学军　李湛军　吴文胜
张　荷　张作珍　陆　皎
林疆燕　罗　勇　周　斌
郑　勇　郝大超　袁淑芹
唐思东　涂　华　曹永平
彭　云　舒　炜　詹那达
蔡立国　翟德芳
樊希安　潘振平

三联经典文库

127

列强军力论

[德]马克斯·威纳尔 著　　宾符　仲持　梅益　等译

生活·讀書·新知 三联书店

Chinese Copyright © 2014 by SDX Joint Publishing Company.All Right Reserved.
本作品中文版权由生活·读书·新知三联书店所有。未经许可，不得翻印。

图书在版编目(CIP)数据

列强军力论 / (德) 马克斯·威纳尔著；宾符等译. -- 北京:
生活·读书·新知三联书店, 2014.1
(三联经典文库第二辑)
ISBN 978-7-108-04652-9

Ⅰ. ①列… Ⅱ. ①威… ②宾… Ⅲ. ①军事实力-研究-世界
Ⅳ. ①E15

中国版本图书馆CIP数据核字(2013)第246801号

127 列强军力论

责任编辑	胡群英
封扉设计	蔡立国
责任印制	李思佳
出版发行	生活·讀書·新知 三联书店 (北京市东城区美术馆东街22号)
邮　　编	100010
经　　销	新华书店
印　　刷	北京市松源印刷有限公司
版　　次	2014年1月北京第1版　2014年1月北京第1次印刷
开　　本	787毫米×1092毫米 1/32　印张 16.875
字　　数	239千字
定　　价	61.00元

《三联经典文库》出版缘起

适逢生活·读书·新知三联书店八十华诞，为弘扬传统，接续文脉，回报读者，服务社会，我们决定策划出版《三联经典文库》。

1932 年 7 月，生活书店在上海创办，此后，读书出版社和新知书店相继成立。本文库第一辑、第二辑所选图书，来自于这三家出版单位及其分支机构，以及 1948 年生活·读书·新知三联书店成立后的出版物，始于 1932 年，截至 1951 年，两辑各一百种。此为第二辑，涉及政治、经济、社会、军事、思想文化诸领域，涵盖专著、文集、散文、小说、诗歌、传记、报道等体裁，既有直面现实、追求真理、讴歌真善美、抨击假恶丑的原创作品，又有引介世界各国先进文化、传播新知、开启民智的迻译之作，真实记录了那一代知识分子的思考与探索、理想与愿景和对中华民族文化传承与创新所做出的努力与贡献。

本文库所辑入各书，多为名家名作，在版本方面，以初版一印本或经著译编者审定、修订、增订过的版本为首选，因此本文库又具有较为珍贵的版本价值和收藏价值。

本文库还将编选续辑，使之成为恢弘文化工程。诚挚希望读者给予批评和指正，帮助我们完善编选工作，再现三联经典作品之风采。殊为遗憾的是，由于年代久远，一些原著译编者及其后人未能取得联系并奉付稿酬，诚盼版权所有者与我们联系。祈愿三联前辈所创造的精神财富能薪火相传，为中华文化的伟大复兴增光添彩。

《三联经典文库》编辑委员会

2013 年 8 月

凡　例

一、本文库为重排本，由繁体字竖排版改为简体字横排版。

一、以忠实于原作、整旧如旧为编辑原则，对当时使用的专有名词、外文译名，以及民国时期的语言和特色予以保留。

一、原书注释如旧，编者所出的注释，均以“编者注”标明，以示与原书注释的区别。

一、对原书残缺或字迹漫漶之处，以□示代。

一、对繁简文本转换时的“如右”、“见左”一类，对应改为“如上（前）”、“见下（后）”。

一、对原书中各种错讹脱衍之处，直接订正，不再以其他符号标示。

一、对数字、标点符号的用法，在不损害原文语义的情况下，做必要的规范。

一、本文库各书均前插原书书影、原书版权页和文库版“本书出版说明”。

一、本书出版说明的撰写，以客观中立为原则，扼要介绍本书的内容、版本流转、著译编者的情况。

本书出版说明

本书最初名为《走向第二次世界大战》，重点分析了 1930 年代的国际军事形势，深切预感到又一次重大世界战争的威胁。全书共十五章，详述了苏、德、法、英、意、波兰、美、日等国在 1914-1939 年海陆空军事力量的发展和军力消长情况，各国的军事战略和战争准备，以及重要国家的战略地位和战略价值等。不同于当时常见的偏重于叙述的军事著作，本书观察深刻，预见性强，很多材料都是首次为人所知，有助于从国际军事的探究中去认识世界政治的动向。

本书最初为德文版 *Der Aufmarsch zum Zweiten Weltkrieg*，由 Brant 出版社初版于 1938 年。后经斐茨吉拉尔翻译成英文版 *The Military Strength of The Powers*，由英国 Victor Gollancz 出版社出版于 1939 年。冯宾符、胡仲持、梅益等于 1939 年 11 月据英译本翻译成中文。中文版《列强军力论》由生活书店初版于 1939 年 12 月。

此次出版，即以1939年中文版为底本。

马克斯·威纳尔（Max Werner，1901-1951），真名Alexander Schifrin，乌克兰哈尔科夫人。十月革命后流亡国外。1923-1933年定居在德国，是德国社会民主党报纸《曼海姆人民呼声报》的著名编辑。1933-1939年生活在法国，纳粹德国入侵后逃亡美国，并以马克斯·威纳尔的名字从事写作，1951年逝世。

冯宾符（1915-1966），原名贞用，字仲足，浙江慈溪人。早年任商务印书馆校对、生活书店特约编辑，1934年始发表译著和评论文章。译有《西行漫记》（合译）、《战后苏联印象记》等。

胡仲持（1900-1968），笔名宜闲，浙江上虞人。1919年开始发表作品。1920年后历任上海《新闻报》、《商报》、《申报》记者和编辑等。译有《忧愁夫人》、《世界文学史话》、《忆列宁》等。

梅益（1913-2003），原名陈少卿，广东潮州人。1929年考入上海中国工学。1935年加入“左联”。著有《梅益论广播电视》、《梅益论百科全书》等。

生活·读书·新知三联书店

2013年8月

生活书店 1939 年 12 月初版书影

列強軍力論

每冊實價國幣壹圓陸角
外埠酌加寄費

著者 MAX WERNER

譯者 賓符·仲持·梅益·等

發行人 徐伯昕

發行者 生活書店

重慶 成都 昆明 貴陽 衡陽
桂林 柳州 梧州 南寧 鬱林
曲江 梅縣 南平 立煌 西安
蘭州 香港 星洲 赤坎 上海

印刷者 生活印刷所

版權所有 ◆ 翻印必究

中華民國二十八年十二月初版

原书版权页

目次

第一章　武装的欧洲

一　军备影响外交

当外交家谈判的时候，战争工业的机器开足速率转动着。欧洲危机有它军事的一面，而这是很重要的一面。军备已发展到这样的高度，它们现在代表着欧洲外交政策一个决定的因素。它们以可怕的压力施于欧洲外交政策，逼迫它趋向战争。在现行危机中，欧洲列强的重要性为它们的力量所决定，为它们政治和经济的力量，总之，为它们的军事力量所决定。今天，每一个欧洲国家的权力是由它的军事力量决定的。唯一的例外是英国。外交政策日益受军事因素的主宰；它日益变成了军事的政策。在事实上，它的决定的问题，也可以说是它现在唯一的问题，就是军事同盟的问题。军事的因素是日益进展到欧洲政策的最前面了：德国的装甲部队，红空军，马其诺防线，不列颠海军。它们形成了外交估计的根据，当合纵连横进行的时候，它们是常被考虑到的。在一九三二年，欧洲形势还维持着巩固和平的诺言；自此以后，它就遭到一个军事上的事实的破坏：德国重整军备了。今天欧洲国际政治的决定问题，也是一个军事的问题：纳粹德国大规模而加速的扩军，是否能允许它在中欧和西欧树立军事的霸权呢？

由于《慕尼黑协定》的结果，欧洲的扩军现在已达到了极度。事实上，它已经近乎完成了。不久后，至少在德国和苏联，它就快达到最高的可能点，即军事设备的最大限度或饱和点，超过了这点，军事行动的自由就将受妨碍。在今天，法西斯列强备战所加于国际政治的压力，要比一九一四年的同样压力来得大，因为军备本身的规模更大，而军事技术也更形完备了。目前军备竞争的全部影响，可以根据今天的军备以及一九一四年以来现代军事技术的变更来估计。欧洲的疆界不复是政治和种族的分界线了；它们是建有强固堡垒的战线，并且发展成了广大的作战根据地。现代战争的武器，已曾在义大利侵阿战争中，在西班牙内战中，以及在日本侵华战争中试用出来；而在阿比西尼亚，空军还决定了义大利的胜利。现代战争不复是一种恐怖的空洞幻想；它的方法和技术已为大家所熟知。

在一九三二年，军事形势极有利于维持和平与裁军。没有一支陆军准备进行挑战或受了侵略精神的训练。英国和法国都实行某种限度的裁军，这还开启着新的可能。英国陆军确乎把它军备的水准降到很低，而法国陆军和红军也发展着一种很确定的民军的性质。自然，一九三二年的军事技术比一九一四年处于更高的水准，但到处却没有任何扩充军备的愿望。相反的，那愿望倒是更进一步的裁减军备，军备中的技术因素几乎是在停滞中；军事技术的进步是有的，但主要是实验的性质，而它的结果也只是作为几种模型的试验。在德国一直解除武装的时期中，任何军备竞争就没有理由，虽然军事技术比一九一四年来得进步，但却没有一个欧洲强国定有任何战略进攻的计划，而在一九一四年，却至少有三个国家，德国，法国和俄国，曾拟定了欧洲规模的战争计划。

跟一九三九年比起来，一九三二年的欧洲军备在质量上几乎像玩具。在一九三二年和一九三九年间，发生了军事技术上最大的革命，和世界上从未见过的最剧烈的军备竞争。这不仅是一个堆积军备的问题；自从一九一四年后，军备曾发展了一个完全不同的性质。今天，一国的军备以它全部的战争潜在力（War Potential）的动员为基础，这是一九一四年所不知道的事情。

二　战争潜在力的因素

战争潜在力的概念常被误解。一国的战争潜在力是由三种因素构成的：它的人力后备，它的经济资源，以及两者军事化的程度。这三个因素互相隶属着，而所有三者的并合，决定着一国真正的军事力量。单只人力的后备自然是不够的。巨大的人力，只有跟一种有效的经济制度配合起来的时候，才产生军事的价值。沙俄在大战中的崩溃，证明了一个拥有广大人力而经济脆弱的国家，是不能持久作战的。战争潜在力的基础是经济的潜在力：支持现代战争的经济能力。一国的经济潜在力比它的工业潜在力来得大，因为后者只不过是它构成的一部分。经济潜在力包括着食物和原料的资源。

“那高度摩托化的和运用化学兵器的机械化陆军，较之大战时的陆军是更靠赖原料的供给。”[1]

举例说，德国有着很大的工业潜在力，但由于粮食供给的困难，和工业原料资源的不足，它全部的经济潜在力是不充分的，现代战争需要巨大的原料资源。

当两个国家有着同等强大的工业潜在力，那拥有较大人力和较富资源的一个，就有更强的战争潜在力和更大的战争持久力。苏联工业的发展，使它强过了德国，便是因为它有更大的人力，和优越的原料资源。事实上，苏联几次五年计划的实施，已完全变更了欧洲军事力量的关系。

然而，在任何情形之下，经济潜在力却并非就是战争潜在力。不错，人力和经济资源的并合，最后决定了作战的可能，但这却未必决定一国在决战阶段中的力量。物质上和精神上的备战，也是战争潜在力的一个因

---

[1] 梅区将军语，见其所著《新战争的外观将是怎样？》(*Wie Würde ein Neuer Krieg Aussehen*？)，一九三九年。

素。现代战争在战事爆发时，就需要军用品和有训练士兵最大可能的集中，而不像大战时的情形，只在战争中或快结束时才进行集中，当时大炮实际上的重集和飞机的大量应用直到一九一七——一八年才开始。在一九一四年八月，德国一百师陆军所有的机关枪只有二千五百架，并不比今天德国五师陆军所有的数目多。自从一九一四年以后，情形可大变了。

上面我们曾引述到的梅区将军（General von Metzsch）说：

“一国经常的备战，特别是后备兵的训练，以及马上可以应用的军用品，在战事初发的战役中有着决定的重要性。”[1]

还有斯维钦（Svietshin），沙皇陆军的智囊之一，现在是苏联著名的军事理论家写着说：

“现代兵器必须马上大量投到战争中去。它们代表着一种力量。是不应该零零碎碎消耗的。在这点意义上，战争是不能讲求‘经济’和试验的。”[2]

---

[1] 梅区将军：《新战争的外观将是怎样？》。

[2] 斯维钦：《战略论》（*Strategy*），俄文版，一九二七年。

换句话说，经济制度和一切可用人力的军事化，应该在备战时期中实施，而不是在战争发生的时期中。这样，列强的军力现在已远胜一九一四年（且不说军事技术的猛进，只说数量吧），因此，军力的充分发展已成了战前时期中的事情，事实上，这是战争潜在力一个决定的因素。现代的战争潜在力，也包括着时间的因素。据法国现存最伟大的权威战略家库尔曼（Culmann）——也是一个军事技术的专家——的报告，当大战时候，最简单的军用品如炮弹等的大规模制造，需要六个月的时间，而同样规模的大炮制造，则需要一全年。[1]法国飞机的大量生产，在一九一六年，即战争的第三年才开始。今天流行的理论却认为一次歼灭战，将立刻耗尽平时所生产的军需品，因此任何进攻战略的先决条件，是巨量军需品的预先屯积。

平时的军事化，对于经济制度发生两种影响：第一是建立了最大可能的军需工业，其次是全部工业和一般的经济制度都作战争动员的准备，即甚至在平时，也把经济制度适应了战争生产和战争的要求。完全战争经济

[1] 库尔曼：*Strategie*，法文版，巴黎，一九二四年。

的组织，今天已经建立起来，准备着战争的爆发。讲到人力，军事化就是把最大可能数目的后备兵，加以彻底的训练，特别包括机械化部队的高级技术人员：如空军、坦克队等。因此，战争潜在力不像经济潜在力一样，它不仅为军事力量发展可能所决定，同时也为实际备战的程度所决定。举例说，美国的工业潜在力是巨大的（要比苏联或德国强过两倍），但它作为一个大陆强国的备战程度却是有限：薄弱的战争工业，全部工业很少作战争动员的准备，以及极少数有训练的后备兵。所以，德国或苏联的战争潜在力，要比美国的大得多。还有，英法联合的工业潜在力，并不比德国小，但他们联合的战争潜在力却不及德国，因为他们在备战上，在它们战争工业的发展上，在他们全部工业的准备战争动员上，以及在他们人民的军事化上，都落后于德国。在工业潜在力相等的地方，那备战较紧和战争潜在力较为发展的国家，总是占着便利。谁要是在军备竞争中获胜，就很可能在战争中获胜。一个备战充分的侵略者，可能打败一个经济上跟它同样强的国家，如果当后者还来不及把它的工业力量发展为战争力量之前。

三　时效战

战争潜在力最高度的可能发展是时效战（Time-table War）。这意思就是准备战争，以在预先决定的一天突然发动。因此，侵略国家堆积了最大可能的原料贮藏，和最大量的军需品，以准备战争的爆发，同时从事军需品的大量生产，并把它的全部工业适应战时的动员。由于一定时期准备的结果，它在物质的质量上大大胜过了敌人。侵略国家一开始就能有最新和最好的武器的大量生产，而且战争开始时，它不仅有着比敌人更有力的军备，而且还有已经充分动员的战争工业，自始就在准备供给战争的需要。在另一方面，被侵略者当开始时却只有较少的军备，在它把自己的战争工业组织起来以前，许多时间已经过去了。战争一开始，被侵略者就将受到敌人最大军备的全力打击，因为它有着战时工业的全力支持啊。

时效战（Time-table Warfare）的理论，是因现代战争技术的要求而产生的。现代战争技术在一九一四年并不存在，因此这方法也不知道。前法国参谋总长德本尼将军（General Debeney）说，“现代战争产生了时效战”，在一九三三年初德国重整军备之前，他就预言这种备战的方法，已为德国参谋部所活动进行了。这种方法的新因素，是侵略者运用它的整个经济制度的全部力量（已经发展为战争的力量），乘战争刚开始来打击它的敌人。一个法国军事作家指出这是一种拿一国的全部经济力量来进行的战略，这使得一种完全新性质的突然不备的进攻成为可能。在未来大战中，战争潜在力的充分发展，将在战争开端时实行，而不像大战时的情形，直到战事终了才开始。

时效战的准备，加紧和加速了军备竞争，因此，现代的战争技术，发展了一种自动挑发战争的倾向，自然因为这种新方法也为一切国家所知道，而不能仍是德国的一种独占了。相反的，它将成为国际军事政策的一个原则。依照战争潜在力的战略上的可能，实际的进程是有不同的：纳粹德国准备着时效的侵略战，那些主张维持和平的列强却准备着时效的防御战；苏联准备着时效的反攻（Time-table Counter Offensive），而英法则准备着时效的防御（Time-table Defensive）。

四　军事列强的力量

现行欧洲政治军事形势的特点，就是新的军事强国（Military Power）的出现。纳粹德国和苏联跟英法等旧的军事强国是不同的，无论在他们的军备形式上和他们的陆军机构上。他们的军事力量是基于充分发展的战争潜在力，基于战争技术能力最高可能的水准，以及基于进攻的战略。在一九三〇年和一九三五年间，凡尔赛列强的军事霸权结束了。今天，最大集中的军力和最大量的军备，不在西欧而在中欧和东欧。这两个新的军事强国的政治目的，是截然不同的。军备本身未必就是挑衅的侵略。军事上进攻的准备，也完全与政治的侵略不同。军事的进攻，尽许是一种政治防卫的武器。苏联的军备，跟纳粹德国的军备不同，主要是在政治目标上自卫的。苏联原于一九二〇年遭波兰的攻击，一九三一年以来又不断受日本的威胁，而一九三三年以来，也受德国的威胁。它采取着政治军事上的防卫处置，而这正在以最积极有效的方法实施着。

新军事强国的德国和苏联，比之旧军事强国的英法，占了三种优势：

首先，它们在自然和物质因素上占着优势；它们是欧洲人口最多的国家，它们各有着很强大的工业潜在力。

其次，它们在时间以及在工业和战争技术设备的质地上占着优势。德国和苏联，都受它们工业的现代设备的益处，特别是它们的战争工业。所有的武器，它们都是用最新式的。一个例子就足够了：有许多一八九〇年式的大炮，至今还在法国应用，而在一九三二年到一九三八年间，德国和苏联却已把最新式的大炮普遍应用于它们的军中了。新军事强国的唯一原则，就是预计到作战艺术上最新的技术进步。

最后，德国和苏联在它们备战的规模上占着优势：可惊的大量军备，以全国的所有富源和战争潜在力的充分发展，进行全体性战事（Totalitarian Warfare）的准备。

这里，我们得到了一个新的军事组织的基础。

在所有军事强国的最前面，是两个经济上强大的国家，它们同时有着最高度发展的战争潜在力：德国和苏联。这两个中间，苏联无疑强过了一手，因为它有德国同样强的工业潜在力，但它却在人力和资源方面占着优势，它还有时间上的便利，因为苏联的扩军，比德国开始得更早。苏联有着一种充分发展的普遍的战争潜在力，所有它的因素都同等坚强地发展着。它有着欧洲最大的人力后备，而这些后备，大部分经过了现代武器的训练；它有着欧洲最大军需原料的资源，和一个强有力的工业，包括了高度发展的战争工业；它整个的经济制度，已广泛作战争动员的准备。一切这些因子，代表着各种军力要素无比的结合：自然和物质的因素，人力和经济的资源，一切这些，由于军事化的结果，都已能够担当很高水准的军事任务了。

在第二组列强中，是那些经济上强大，而它们的战争潜在力没有充分发展的国家：英国和法国。这一组的显著特点，就是强大的经济潜在力和比较不甚发展的战争潜在力间的不平衡。这些列强的人力和原料资源的潜藏是很大的，特别是把它们的殖民地算了进去，它们的工业也高度地发展着。然而，英国人力的潜藏还不曾经过军事的开发，而英法的经济制度，也没有军事化。

在第三组列强中，是那些经济上脆弱而已高度军事化的国家：义大利和日本。后者成为欧洲政治的因素，是由于它跟德国的联盟，而它战事潜在力的机构，又多少跟义大利的相像。在这两国中，我们都可以看到脆弱的经济潜在力和高度发展的战争潜在力间的不平衡，或正跟英国和法国处于相反的地位。原料资源的缺乏和工业潜在力的脆弱，限制了义大利和日本的战争潜在力的继续发展。这两国现行的军事力量是很大的，但如果大战发生，两者都有马上涸竭的危险。因了侵略政策和它的军力有备的缘故，义大利终于吓倒了英国，当英国表示有干涉墨索里尼侵阿（比西尼亚）意向的时候。但在长时期中，经济雄厚的西方列强，必将打击经济脆弱的列强，无论是军备竞争或战争。英国和法国都能使它们自己军事化，并增加它们的战争潜在力，而义大利和日本却不能这么容易增加它们的经济力量。今天跟在大战中一样，英国和法国是能够支持长期战争并采取一种消耗战略的，但如果义大利和日本一旦跟经济雄厚的列强交战时，它们却不能支持长期的战争。

最后是第四组的列强，包括了那些工业潜在力薄弱的东欧国家，拥有着全部设备简陋的中型陆军：波兰、罗马尼亚和南斯拉夫。它们的强点是：在德国或义大利的进攻中，处于比较有利的战略地位（罗马尼亚和南斯拉夫；当然不是波兰），陆军高度战斗的素质（南斯拉夫），以及数量上相当强大的陆军（波兰）。

在欧洲军备竞争的现阶段中，发生了两种相反的倾向：第一种是一等强国间力量的趋于对等，第二种是一等强国与落后小国间军事力量的日趋悬殊。英法正在努力达到德国军备的水准。义大利正在努力完成它的军备。所有一等强国都在竭力使它们的陆军装备最新式的武器，那些还没有完成它们军备计划的列强，则正在竭力赶上为首的军事国家。德国的经济困难和粮食原料供给的薄弱，也许便利了别的大国赶上它的企图。同时，一等强国对于二等强国的优势是日形扩大了。现代战争的技术和巨量的军备，已产生了比一九一四年更大的军力差别的结果。在一九一四年欧洲列强陆军唯一重要的差别（如德国和俄国）是在于大炮方面，力量的对比大约在一点五对一和二对一之间，德国占了上风。但在今天，各国的军力却不再仅为炮厂所决定，而也为现代的进攻武器所决定：飞机和坦克车。在这方面，差别常是很大的。红军和波兰陆军现代武器力量的对比，以及德国陆军和罗马尼亚陆军的对比，约为十对一，红军和德军占优势。在这样情形之下，如果冲突发生了，是不会有什么战争的，有的只是那压倒的强国，干脆占领了敌人的领土。

五　军备的数量和型式

现行的军备和备战，对于欧洲外交政策的压力是巨大的。战争史上没有什么历史的根据，可以供我们来比拟今天的军备。一九三九年的军备，无论在质或量的方面都不能拿一九一四年的军备相比。在今天，现代化的欧洲陆军有着比一九一四年多十五倍到二十倍的机关枪，三倍多的大炮，以及许多当时完全不知道的进攻武器，如化学兵器、飞机和坦克。今天的军备，跟一九一八年十一月大战终了时的军备水准，也许还可以相比，但即使当时，那比较也只是很有限的，举例说，这只能限于机关枪和大炮的强度。在另一方面，今天坦克的数目，比一九一八年约多八倍至十倍，此外还有许多当时完全不知道的武器，如自动大炮。在质的方面，更极少比拟的可能，因为现代化军器的效能是大大增加了。大炮的射程几乎增加了两倍，我们必须记住大炮还是一种比较保守的军器呢。一九一八年坦克车的速率，是每小时三四哩，活动范围是十八哩至二十五哩。在一九一八年，飞机的速率是每小时七十五哩至一百哩，活动范围是一百五十哩至一百八十哩。一九三九年坦克车的速率是每小时三十哩至三十五哩。一九三九年飞机的速率是每小时二百五十哩至三百哩，活动范围为七百哩至二千哩。

除了技术的效能以外，现代化进攻武器的战略效能也大大地增加了。今天欧洲的巨型陆军多有着二万五千架飞机，三万辆坦克，五万架大炮和二十万支机关枪等，因此，即使在平时，它们的火力和流动突击力的程度，也远胜过一九一八年陆军的能力，那时它们的力量已算发展到极点，而它们的战争潜在力也到达最大的限度。军备如此，战争潜在力也是如此。今天欧洲的战争潜在力，在战争最初几个月中，可以制造一九一八年年底所能制造的同等数量的军需品，但它却有更大的破坏力。现在还不能估计战争潜在力在长期战争中最高发展的程度。像苏联这样一个有着广大资源和高度工业潜在力的国家，一旦它的经济制度在长期战争中完全军事化的时候，要估计它战争生产的最大限度是不可能的。

战争艺术的技术上进步，也影响了军队组织的变化，各式兵器的关系和技术的应用是都变更了。所有巨大的欧洲陆军，现在都由那负有各自作战任务的独立空军辅助着。摩托的进步，变更了陆军的组织。机械化和摩托化产生了新的军事部队。机械化是用摩托作为兵器的一部，例如坦克，摩托化大炮等。摩托化是利用机械输送军队。摩托机械化（Moto-mechanisation，一个实际产生的名词，已为苏联军事学上所采用）则是机械化兵器的混合，再加以摩托化军队的辅助。这些摩托机械化的部队在组织上是有许多不同的。有那仅辅以摩托化大炮的坦克队，有正式的摩托机械化部队，依照它们的任务和所用坦克的型式而组成轻的和重的部队，其中坦克队有着摩托化步兵或骑兵的辅助，还有特别的流动部队。其中坦克是辅有摩托脚踏车队，脚踏车队或骑兵中队的。

摩托对于一切武器的普遍用处，造成了“似乎矛盾”

的形势：现在有不骑马的骑兵队（摩托化骑兵），步兵不再是步行，而坐在摩托车上，比从来的骑兵快。现代的步兵甚至还飞行，在红军中，有整师特别的空中步兵和空征队。这还不算：在大战时候，大炮是一种很笨重的武器，但在今天，它却已成为流动的了，有几种型式的大炮，甚至可以跟步兵一同前进去应用。德本尼将军相信未来战争的主要原则，是在于各种兵器的混合。在步兵和大炮的关系中，这种原则已成了法律，德国《军事周刊》（*Militär Wochenblatt*）说："大炮的火力日益步兵化，步兵的火力日益大炮化。"这两句话是都对的：大炮在步兵中应用的范围日形扩大，而步兵对于大炮的关系也密切到了这样的程度，就是那步兵人员已有成为轻型的流动大炮炮手的趋势了。

这种兵器的演变，必然影响到未来战争的性质。高度流动性和火力的混合，已成了战争最高的法则。世界大战中两种决定的武器，已发生了最大的变革，步兵配备了无数的坦克，有机地附着于步兵队伍，而大大地增加了他们的火力和攻击力。步兵又配备了摩托化的运输，这使它成了最流动和最迅捷的武器，它也有自己的轻型和流动的大炮。大炮在今天已不再是阵地战的笨重武器了。大炮已成为流动的，并依照它新的任务而变化，例如高射炮队和对坦克炮（Anti-tank）队等。由于它们增大的火力，步兵和大炮是颇适于速决的运动战的。

六　空战和坦克战

在军事技术革命最前列的有两种武器：飞机和坦克车。现代军队进攻力量的重心就在于这两种武器。

当大战时候，空军的破坏力是并不很大的，它的技术能力低下，它在战略上的重要性也不显著。它并非在于决定任何战争的地位。由于它很小的活动范围，空军的效力只限于前线和前线附近的根据地。那些对敌人后方镇市的攻击，是全然无效的。当一九一八年，德国飞机空袭巴黎，投了十五吨炸弹，约共死伤八百六十九人。[1]对英国镇市一百十一次的空袭，结果死伤了四千八百人。[2]从此以后，空军就经过了一番技术上巨大的

[1] 罗吉龙（Rougeron）：*Aviation de Bombardement*。

[2] 孚拉将军（General Fuller）文，载 *Army Quarterly*，一九三五年。

发展，每一个欧洲国家，全国的任何地方，都有遭敌人空军轰炸的可能，只除了苏联。布罗上校（Colonel von Bulow）说：

“在任何国家中，是没有一点能够不受邻国空袭的轰炸的。”[1]

现代飞机有着每秒三百到五百呎的发射的速率，飞行的准确和轰炸的精密，使得德国的军事专家们认为现代飞机是“一种长程征服空间的发射物”（A Long-range Projective Vanquishing Space）。自从大战以后，空军的破坏力是大大增加了。据法国专家罗吉龙（Rougeron）的估计，空中轰炸对于物质破坏的某种范围，是可以确定的。一百磅以上的炸弹，足够炸毁一个工厂，二百五十磅的炸弹，可以使一公顷（Hectare）范围中的大部分工厂都归毁坏。一个大市镇建筑紧密的空间，有着较大的抗力，在这样情形之下，每一公顷的地方，必须投下一吨到二吨的炸弹，才能达到完全的毁灭。

现代空军的强度和潜在的破坏力是怎样呢？义国军事专家杜埃将军（General Douhet）认定空军是现代战

[1] 见《军事学评论》（*Militärwissenschaftliche Rundschau*），Dec. 1936。

争决定的武器，以为一个国家如拥有一千架的轰炸机，就足够在空中制胜它的敌人了。英国专家格洛夫斯将军（General Groves）也说五百架的轰炸机，就足使德国西部的全部战争生产，陷于完全混乱。

在今天，杜埃的估计一般是太低了。从空军在战时所要破坏的许多不同目标看来（工厂、铁路、油池、飞机场、大市镇、敌人交通线以及敌人的部队），一千架的轰炸机似乎不能发挥这样大的破坏力。无论如何，一千架的轰炸机还不能代表现代空军的最高限度，虽然在一九三七年的初期，两大西方强国还没有达到这个数目。今天，法德和苏联的军事家意见，却都认为一万架飞机的空军是可能的，而且甚至是普遍的现象，在这样规模的空军中，三千架到四千架都将是轰炸机。这种空中的武器，总共载重是五千到七千吨，也许还要多一些。如今欧洲的军备，是正在作大规模空战的准备。

今天的空军可以说是一种新武器，因为它能担当大战时所不能的作战任务和战略的效果，因此，那空战的战略已成为一桩异常重要的事情。杜埃主义今天在西欧是被反对的；这并非因为它注重空军的重要，乃是因为它单只宣传空战而否认了陆战的重要性。比较更近真实，但仍是一面的，是孚拉将军（General Fuller）的理论。他认为飞机是第一重要的，但陆军则担任了辅助空军的任务，并防止敌人对它的袭击。这样的陆军也许很流动的，高度机械化的而且能够实施攻势的，但它的作用却至多只是辅助空军所担任的决定的打击。孚拉将军的这种理论是特别有趣的，因为他常是机械化战争的理论家，譬如坦克车，他曾以为这将是现代战争的决定武器，但现在，他却又归结说飞机而不是坦克，将担负决定的任务了。

现在，坦克是比飞机更大量地生产着。当大战时候，西方列强所有的坦克比飞机少，虽然那坦克的战略效果要比飞机来得大。一九一八年八月八日，几百辆坦克车——确数为四一五——在亚眠附近冲破了德国的阵线，这一役是德国战败的序幕。在今天，这个数目只代表了一个坦克师的力量，而只占任何强国的坦克军总数的十分之一。毫无疑义地，坦克现在已成了所有欧洲强国陆军的核心；它给他们以更大的流动性和更大的攻击力。上面所引过的德国《军事周刊》杂志曾经说，今天欧洲各国参谋部所碰到的主要的实际问题，就是怎样尽可能的组织大规模的摩托部队。那组织大规模机械化部队，包括十个坦克师，五千辆坦克车的坦克军，和派遣它们去配合作战，以及极度集中的问题，自一九三四年以来就讨论着。兰肯上校（Colonel Lancon）在法国参谋部的机关杂志里，论到坦克车在现代战争中的效能说：

“任何强国，应当战争一爆发就能开拔八师到十师的机械化部队去应战，那么，它必可展开一种打击的力量，现在是还无法阻挡的。假使这样，‘那战争的开端’，也许很快就可结束。”

照这个法国专家的意见，巨大的坦克军，可以发展为一种惊人的力量，扫除一切的障碍；这种创建坦克军的计划，至少有两个国家在实施：德国和苏联。奥国爱曼斯贝格将军（Gen. Eimannsberger）的理想，已在战略上和技术上实行了：以十个坦克师，建立一个突击军的核心。在未来，亚眠的坦克战，也许会以十倍的火力来重复的。

有人说，现代的进攻武器，坦克和飞机，在西班牙已证明失败了，这话是不准确的。跟列强在下次战争中可能运用的强度和数目相比，它们在西班牙被用到的确乎很少，但即在当时，也证明了它们在战略上决定的重要性。一九三六年九月至十一月间，弗朗的突近玛德里，全由于他优势的空军力量，比尔波的攻克和一九三八年三月的大战，也由于同样的原因。同样地，西班牙政府军在瓜达拉迦拉（Guadalajara）一役的获胜，也是空军的力量。西班牙政府国防部长帕里妥（Indalecio Prieto）说："西班牙的内战，证明了空军在进攻和防守上的优越性。"在一九三六年十一月，玛德里是由坦克车保卫的。没有坦克车的支持，交战双方在战争中都不能有任何重要的发挥。

七　速决问题

未来大战的准备，将决定它的性质。我们已能从欧洲陆军的构造中，从他们军备的累积中，寻出它主要的特质来。关于战争的进程，战争发展的速度，以及速决的可能等问题，可以从备战进程的考察中获得部分的解答。重要的新因素启示着，未来战争将看到一种速战速决的情形。这些话原曾在一九一四年说起过，但新的军事技术展开了新的可能而要求新的战略。

在大战的开端，进行的是一种运动战，消耗着很适度的物质，虽然那玛伦（Marne）之战和丹能堡之战（Taunenberg）都是在第一阶段打的。直到一九一七年和一九一八年，战争快要结束，各处前线都趋于稳定之后，战争才发展为双方兵器的巨量消耗。另一方面，在未来战争中，作战的准备将以巨大的技术资源来进行，而在这次运动战的最初几仗中，也必将造成兵器的巨大消耗。现代军事技术有着可以摧毁稳定战争的资源，梅区将军告诉我们说：

“像大战时在所有各线进行的阵地战的理想，是必须完全放弃了。铁丝网不复是一种无法克服的障碍。地雷在它成为危险之前就可以被发觉。堑壕间充满了弥漫的毒气。临时防毒设备的价值是大成问题的。总之，由于交战列强的军事技术和化学资源的充分发展，一九一八年式的阵地战在未来战争中是很少机会了。”

运动战的所以可能，不仅由于消极的克服许多阻碍的便利，同时也因为现代战争最有力的进攻武器——飞机和坦克车——就是运动战的武器的缘故，这个事实改革了军事上的策略。欧洲所有的参谋部，德国的，苏联的，法国的，波兰的以及甚至英国的，都在准备着运动战。梅区将军说：

“现代战争跟一九一四——一八年的战争是不同的。现代战争的主要原则，是陆上和空中的极度流动性。这样的战略就是突然把巨大力量集中于一点，以取决胜负。像丹能堡和多尔弥（Tolmein）的战役，以及像罗马尼亚和塞尔维亚的作战，也许还要重演，但像索谟（Somme）和法兰德斯（Flanders）之战，却不会再发生了。因此我们可以说，现代的运动战，比那过去大战中消耗巨量兵器的阵地战，还更可能取得决胜。”

法国著名军事专家阿里霍特（General Allehaut），也认为一九一四——一八年的固定的阵地战，是一种特殊的现象，而不致再在未来发生的。

有一种说法以为西班牙内战证明了阵地战的不可避免性和运动战的不可能性，那是错误的。未来战争的性质，并非为现代武器的发展所抽象地决定的。相反地，它有赖于两种实质的环境：有赖于大批现代武器的压倒防御力，有赖于地域的条件。在东欧那里没有马其诺防线，所以比西方更有采取流动战术的可能。

流动战必将缩短战争的进程，并加强它的活动。俄国军事史家高洛文（General Golovin），在一九二六年就预言到这点：

"未来战争的特点是流动性。在未来战争中，军事动员的阶段必将比它在大战时候长，而且很可能当这个阶段还没有结束，交战的一方就已能逼迫敌人求和了。"

这样，未来战争中的流动战阶段，似乎比大战时的同样阶段更长些，而且战争本身也可能在这个阶段中决定了。那位著名的坦克战理论家爱曼斯贝格甚至大胆估定了未来战争中各个阶段的长度：

"如果我们要估计欧洲新战争的可能的时期，我们可以说，在最初六个月中，它不至进入决战的阶段，但此后，它也不能再延长至六个月以上。在整个战争中，也许有三个显著的战争阶段：第一是六个月之后，第二是十个月之后，而最末是战争第一年之后。"

现在所有的著名军事专家，都同意未来战争的性质，将为迅速，突击和流动的诸因素所决定。在介绍了德国人，俄国人和奥国人之后，现在让我们来听听波兰人和法国人的意见：

“现代战争包含着出其不意的严重危机，将使交战团体之一趋于溃败。”

法国的专家苏齐（Sozey）说：

“那些突然被击溃的是不会再有玛伦（Marne）之战了。”

然而，未来战争流动的性质，是并非仅由现代的军事技术决定的，斯维钦说：

“所有的中欧国家，如德国、波兰等，在它们的环境中要进行普通防御的阵地战是不可能的。”

他更详细的指出，所有中欧、东欧和东南欧的国家，是都处于这样的环境中，或由于它们疆界的划定，或由于战场本身的特殊性。在西方，马其诺防线方面的战斗也许将阻滞流动战争的速率，但在东欧和中欧，在普里贝脱（Pripet）河和易北河之间，在都那（Duna）河和奥得（Oder）河之间，却没有马其诺防线。在这个巨大区域中，流动战争可以毫无阻碍的发展，因为它有着现代军事技术的支持，而又在最适于流动战的疆土上。目前，苏联拥有着最强的战争潜在力，最流动的陆军，和最有力的进攻武器。现代军事技术在东欧地域条件下的活动，必将予未来东战线的运动战以特殊的激刺，同时还将促进整个欧战的速决。

第二章　苏联的军事力量

一　一个争执的问题——红军

“苏联的军事力量，在欧洲列强关系中，是一个决定重要的因素。”

《两世界评论》（*Revue des Deux Mondes*）这样说，那是法国保守的领导杂志之一，在它的军事撰稿人中，有贝当将军，魏刚将军（General Weygand）和前法国参谋总长德本尼将军等。

这样重要的红军军力的存在，在欧洲形势中代表着一个完全新的因素。纳粹德国不过争回了战前霍亨索伦（Hohenzollern）德国的旧地位，而俄国突进到欧洲列强的最前列，却是历史上的第一遭。

如果我们要了解一些红军优良的素质，我们必须研究现在西欧方面进行着的关于红军战斗价值的争执。有三种原因很难形成一种关于红军的客观的判断：纯粹的无知，思想上的保守主义和简单的偏见。结果，欧洲的军事专家和他们的专门杂志都不能与苏联的军事发展相并进，甚至他们的情报也常是陈旧的。在一九三七——三八年，欧洲报章所发表的关于苏联军备的数字，大部分还是一九三五年初期的。这里我们有一个思想上保守主义的明白例子，显示着它跟不上现代军事科学迅速的发展。

义大利维斯康底·帕拉斯加（Visconti Prasca）将军说：

“军事技术资源意外迅速的发展，已超过了许多陆军的军略，而他们的理论家仍是墨守成规的。”

当军事专家和政治家们低估红军力量的时候，他们只是证明了他们自己对于现代军事知识的落后。还有一个妨碍对红军客观判断的因素，就是拿今天的红军和旧俄军队或内战时期的红军联起来的错觉。今天的红军，是存在于一个完全新的军事时代，它甚至跟第一届五年计划完成前的一九二九年的红军，也很少共同之点。从那时以后，红军是在一个经常的技术革命的时期中发展着。

我们可以说，从那时以后，红军几乎每隔两年发展为一种最新型的军队。谁要是不能认识这进步的速率，就必将得出错误的结论。至今流行的关于红军的普通错误，就是说它是只能适于防御的，而事实上，红军自一九二八年以来的技术进步，目标完全在创造一种现代的战争技术，这是能够把开始的防御战，发展为对侵略者的有力反攻的。

这样的偏见和误解终于渐渐被承认而且放弃了，因为事实本身究竟是最雄辩的。一九三五年初，法国议员（军事预算报告员）阿契波（Archimbaud）在下院辩论，力言红军的强度只能作为一种防御的武器，因此苏联根据《法苏公约》所能给予法国的军事援助，是并不很大的。因为一个同盟者的军事和政治的价值，是必须倚靠他的军队的进攻能力啊。后来，那位法国议会中最有势力的军事专家阿契波又修正了他的判断，一九三六年六月二十三日，他在下院中说：

“我已改变了关于苏联的意见，我现在相信苏联是有光荣履行条约义务的力量的。”

事实证明了红军有着比欧洲任何其他陆军更大的人力，有着最大量的军备和最有力的进攻武器。同时，他们还普遍地受过战略进攻的训练。跟德国的陆军一起，它是欧洲最现代的陆军之一。

二　红军的最近发展

红军在军事技术方面的迅速进步，是当苏联加速工业化的时期开始的——一九三〇年左右。军队的普及军事化和训练，比陆军技术现代化的日期还早。以前几年，普遍军事化是在比较落后的军事技术的基础上进行的。在一九三三年二月的演说中，伏洛希罗夫曾报告红军在技术现代化之前的情形如下：

“一九二四——二八年工作的结果，红军有了一个坚强的现代的组织。它的人力后备彻底地组织起来，服役的时期加以规定。现代的战地服役规程（Field Service Regulation）也被采用了。全体士兵都受彻底的训练，官员干部也经改组，并且建立了军训学校的网。一九二八年，红军已从组织落后的军队发展为组织健全的军队，并且学习了大战的一切教训。”[1]

伏洛希罗夫所说到的时间，可算是那以全国迅速工业化开始的发展时期的基础。最有趣的是红军的一个死敌，白俄流亡者庇亚聂资基上校（Colonel Piatnitzki），在讲到技术现代化之前的红军情形的时候，也表示了与伏洛希罗夫同样的意见：

“红军有着优越的战地服役和训练的规程，精密的完全现代化的组织，比较高度的技术资源，卓越的进步的战争理论，以及英勇的俄罗斯兵士。”[2]这是说，甚至当它开始崛起的时候，红军的军力也并不薄弱。

两年以后，一九三三年春天，红军已发展成为一种新型的军队。在一九三三年，它已有了现代的设备。技术上的进步也加以改正。在上引的伏洛希罗夫演词中，他又曾指出（特别是关于大炮的）：

“我们已使全部炮厂现代化了，并且增加了曲射炮的数目，以使它达到外国陆军的水准。我们制造自己的

[1] 伏洛希罗夫：《十五年来的红军》，俄文版，莫斯科，一九三三年。

[2] 庇亚聂资基：《苏联的红军》，俄文版，巴黎出版，一九三一年。

重炮，这在我国还是第一次。我们组织并实行制造自己的高射炮，对坦克炮和坦克炮。最后，我们还制造自己的小口径的大炮，这对于今天较小的步兵队，是异常需要的。”

当时，红军是迅速而普遍地造成摩托化，无数的坦克车队组织了起来。一九三一年八月四日，波兰军部的机关报 *Polska Zbroina* 说：

“自从一九二九年以来，由于五年计划和战争工业生产增加的结果，红军是在摩托化和机械化的进程中。谁都应该赞扬布尔雪维克党人从事红军摩托化和机械化的彻底态度，以及他们在这方面决心的努力。”

一九三二年，日本海军武官 Maede 在日本一个海军机关杂志中发表一文说：

“重要的不仅是大量的坦克车，事实上，多数的坦克车都是最新式的。红军的机械化，震惊了所有参与红军检阅的外国武官。”

同时，拥有同等有力的生产基础的空军也在建立着。当一九三三年夏天法国航空部长谷特（Pierre Cot）负了特殊使命访问莫斯科的时候（在这次访问中，他有着参观苏联空军的各种便利），他的结论认为红空军的力量至少与法国的相等（当时一般认为欧洲最强的空军），而且有几方面还超过它。据谷特后来的说明，甚至在那时候，苏联空军的优势，无论在数量上，在技术设备上以及在航空工业的生产能力上，已经是显而易见了。

这样，在一九三二年年底，苏联军备已达到了西欧的水准。甚至那时候，红军已达到了法国陆军（当时欧洲最强的）的水准，而法国有识的军事家，也认识了苏联的军事力量，足为《法苏公约》一个有价值的同盟者。这样，在红军现代化的开始，它就可说是欧洲最强的强国了，虽然当时欧洲陆军的军备发展是正在停滞之中。

接着是一九三三——三四年的第二个发展的阶段，军备更有了进步。从一九三三年到一九三四年，苏联的军事预算从十五万万卢布增加到五十万万卢布，军备支出的预算是军备水准多少可靠的测量。一九三四年上半年，巴拉底将军（General Baratier）在法国《时报》发表一文说：

“如果一旦动员，红军将证明是一个争取胜利的有力的兵器。红军拥有着大量机械化的兵器，比欧洲最精锐陆军所有的还多。”

下述几点，是这个时期的特征：在一九三四年，常备军从五六二〇〇〇增加至九〇〇〇〇〇人。整个陆军日形发展为工业化的性质，一九三四年初，伏洛希罗夫宣称，红军士兵有百分之五十以上是“各种程度的技术专家”，能够运用机械化的兵器；机关枪手还不在内。一九三五年初，红军有了一个巨大的摩托运输工厂，总共马力在一千万匹以上。这时期，官方也有关于苏联军备进步的报告发表，那就是一九三五年一月第七届联共大会中的公开报告。照该报告的数字统计，自一九三一年以来，军备增加的百分数是这样的：空军三三〇，豆形坦克车二五〇〇，重型和中型坦克车七五〇，机关枪二〇〇，坦克车、机关枪和飞机七〇〇，坦克炮和对坦克炮四五〇，重炮二〇〇。这些百分数的实际数目是多少呢？关于苏联空军，法国、德国和瑞典的专家曾举出多少相同的数目：在一九三五年初，第一线的飞机约为四千到五千架。这些数字曾发表于德国陆军部的机关杂志，瑞典军事专家所编刊的红军专册以及法国的报纸中。这些数字，只能作为一个最低限度，因为一九三五年五月一日举行五月节庆祝的时候，至少有三千架军用飞机参加六大城市的空中检阅。

华坦华坦尼基（J. Watyn-Watyniecki）在波兰的军事机关杂志中讲到红军坦克车方面的进步说：

“红军机械化和摩托化的迅速，使它决定采用新型的坦克，这种决定，又同样迅速地实行了，就是今天苏联军需工业对于坦克制造的‘弹性’，是异常的显著。这结果是今天红军在摩托化和机械化方面已经强过了欧洲的任何陆军。”[1]

在一九三五年的上半年，那现在指挥德国坦克车队的古德林少将（Major General Guderian）曾估计红军的坦克车总数为一万。

这种估计，完全符合苏联官方所发表关于红军坦克扩增的百分数，同时也符合坦克在现代战争中应用的标准。

这样，甚至当一九三五年的初期，红军在军备数量方面，在现代的进攻兵器方面，也占着欧洲军队中的第

[1] 华坦华坦尼基:《红军中的坦克车发展》，见 *Przeglad Wojskowo Techniczny*，一九三四年第六号。

一位。两年以前，苏联还只能跟法国相并，现在法国却反被超过了，而且不仅在数量方面。法国右翼记者的领袖代表克列里斯（Henri de Kerillis），也是一位有经验的军事家，曾经在考察的旅途中说，无论在数量上，在技术效能上，在现代设备和飞行能力上，红空军已大大地超过了法国。很明白，在纳粹德国集中的疯狂的扩军时期，一直到一九三五年的初期，它也不能在时间，技术进步和军备数量各点来抵消红军大规模的跃进。即在那个时候，红军仍有着维持欧洲军事领导的好机会。

现在我们再讨论到决定的第三阶段，一九三五年——三八年。为了认识红军的机构及其军事价值，我们必须从最近的军备成绩来考察它的力量。其他一切的数字，甚至一九三六年初期的，在质量上都已毫无价值了。一九三三年以来苏联军事预算的逐步增加，给我们对于军备现况以一个有用的测量：

1933 年	1.5（单位十万万卢布）
1934 年	5
1935 年	8
1936 年	14.8
1937 年	22.4
1938 年	34

一九三七年度的军事支出，包括了国防人民委员会二百〇一万万卢布，和新组成的军需工业人民委员会的二十三万万卢布，共占苏联国家总预算的百分之二十三，一九三八年相当的数目是二百七十万万卢布和七十万万卢布。苏联的国家预算跟普通国家的预算是不同的。因为几乎全部的经济制度是在国家的手里，国家收入的大部分都编入预算中。有一部直接或间接的军事支出，是没有包括于专门说明的项目的；举例说，边境设防的支出，是编列于内政人民委员会的预算中，还有几项包括着战略铁路公路的建筑和某种供给的支出。因此，苏联近年来的军备费用的增加是可惊的；在一九三三年到一九三八年间，它增加了二十二倍。在一九三一——三四年的四年中，用于军事目的的总数是九十万万卢布，而在一九三五——三八年的四年中，用于同样目的的总数却达七百九十万万卢布，增加了九倍。这样巨大的支出，究竟造成了怎样的军事力量呢？

首先是常备人数的增加，计从一九三五年的九四〇〇〇〇增至一三〇〇〇〇〇人。这种力量的增加是与红军组织的变更相关联的。在以前，有百分之七十四的步兵师是属于一种地方的性质，而他们队伍是由短期服役人员形成的，因此军队中只有少数经受两年时期的训练。自一九三五年后，这比例却完全相反了：今天，有百分之七十七的步兵师为长期服役人员所构成，只有百分之二十三在地方的基础上形成。自然，这种变更，表示着苏联军事训练大大的加紧。长期服役军队的数量，几乎增加了三倍，红军是变成一个拥有彻底训练的士兵的群众军队了。苏联大多数步兵人员的服役期限，增加了两倍半。

这也很明白，在同一时期中，红军的军备数量必然大大地扩增，因为军费的激增说明着战争技术的进步等，甚至比军队人员的增加还要大。这样，军备的扩增，必然迅速地继续着。因此，不仅那士兵的人数增加，就是每一千柄刺刀的军事设备和技术资源，也必然增加着。在这时期中，士兵人数的增加，必然需要军备数量增加百分之三十五到四十。同时，技术资源数量的增加，还将超过这些。我们可以说，在一九三五——三八年，红军所有的进攻的现代兵器的数目，增加了两倍，而在一九三七——三八年，它拥有着一五〇〇〇到二

○○○○辆的坦克车，和一万架以上的飞机。当一九三五年，布罗上校就认定在以后几年中，红空军将拥有一万架飞机的力量，他又宣称苏联的扩军计划，当于一九三七年完成。在一九三九年，我们可以认定红军将努力达到军备的最高标准，我们又可以认定，它在一切进攻的现代兵器方面，都将获得成功的。

苏联的巨量军费，说明着还有其他的金钱消耗的方向，那就是，除了军事人员的增加和军备的扩充以外，还有军火的屯积。在一篇检讨苏联军力的透彻而客观的文章中，好但博士（Dr. Erwin Haudann）这样说：

“另一些应付过渡时期以满足战争初期激增需要的方法，就是各种各样军火兵器的屯积，而这在苏联已经大规模地实行了。”

无论苏联将怎样来增扩设备，怎样来募集新军，它已有着充足的供给，可以支持一个作战力量充分的军队了。红军最近的全部发展，明白地说明着它的领袖已计算到敌人在最近未来的进攻。德国时效进攻战的准备，是正由时效反攻战的彻底准备对抗着。

苏联在一九三五——三八年的军事成就，终于在它的西境造成了一支有力而流动的突击军，一支能够出以迅速反击的军队。这军队在战略上结合了所有的军事技术，它代表着现代化攻击兵器无比的集中。一九三六年一月苏联中执会里的官方军事报告，曾为欧洲各报所普遍引用；可是其中有重要的一段却很少受注意：

“跟加强我们的干部一道，我们也从促进我们机械化部队和骑兵队的补充发展，加强了我们的边防。谁都知道，这些机械化部队和骑兵队，是向以高度的战斗意志和它们最迅速的断然的作战能力著名的。从防卫的观点看来，还可以说一句，我们的步兵队，机械化部队和骑兵队，现在要比从前更富流动性。再加上空军的可惊发展，这一切创造了无比的作战能力。”[1]

一九三八年初，红军在数量上、技术资源上，和备战上，已远胜过西欧列强的陆军。这期间，德国陆军当然不能与红军的军备水准相等，虽然它在欧洲军事列强中的地位仅次于红军，它现在正在尽力争取着领导。

---

[1] 见国防人民委员会机关报《红星报》，一九三六年一月十六日。

三　战时经济，技术和设备

任何国家军事力量的决定，一面由于它战时经济的能力，另一面却由于它军队的质量。这连锁的形成是这样的：战时经济——军事技术——军备——军事组织——军事训练。

这也许是奇迹吧，那沙俄时代技术落后的和腐败的军队，现在却为欧洲技术最进步的最流动的军队所代替，苏联也许是拥有着当今欧洲最强大的军队了；然而更大的奇迹，却还在于五年计划的完成，或军事技术和军事科学的工业化。苏联的军事力量，是基于它的天然资源，基于它可惊的人力后备，以及基于它新工业制度的力量。红军的兴起，实际上并非是奇迹，或不可解释，或甚至出乎意料之外的；只要考察一下它的因素以及它所具备的条件，就立刻可以了解了。

由于第一届五年计划的完成，苏联在世界大工业强国中占了一个位置。一九三八年苏联的工业产量，使它占了欧洲的第一位和世界的第二位。苏维埃工业制度的机构，特别利于有力的战争工业的发展，它的两大重要支柱，是高度发展的重工业生产和效率极高的引擎工业。一九三八年苏联重工业的生产，比战前沙俄的重工业生产大了五倍；同年，苏联机械工业的生产比战前沙俄的生产约大十五倍。一九三八年，苏联对石油、飞机、轨道车（Lorry）、曳引机（Tractor）、火车头，和铁轨的生产，占了欧洲的第一位，而对钢、铣铁（德国在这方面稍占上风）、铝、锡、镍和煤的生产，则占着第二位。轨道车和曳引机（坦克所需用）是军队摩托化和机械化的两种标准用件，而这方面的生产能力，已经是显而易见了。

任何陆军的力量，最后是由它后面经济的和战争的潜在力决定的。一九三三年，法国空军部技术主任兼法国科学研究会会员卡谷特（M. Caquot），曾担任了计算苏联工业潜在力的工作。他的结论是，到了一九三六年，它将比德国强两倍，而比英法强四倍。卡谷特过分估计了进步的实际速率，但它对于发展的方向和动力的判断，却是准确的。而且，单是经济统计一项，也不足测量苏维埃战时经济的强度。第一届五年计划的主要任务之一，是建立一个最强的战时工业，是把全部工业改造到这样的情形：即一当危急发生，它就能迅速适应战时经济动员的需要。第一的任务就是创造一种大规模军备所必需的经济条件。

在一九三〇年夏天十六届联共大会中，伏洛希罗夫说：

“我国武装的基础，是在于我们经济制度的加速发展，在于金属生产的增加，在于我们化学工业的发展，在于摩托车和曳引机的生产，总之，在于我们机械工业的发展。”

在更早两年前，苏维埃《经济机关杂志》这样说：

“在草拟我们五年经济计划的时候，我们必须特别注意我们一般经济制度各部门和我们战争工业的迅速发展，因为这在团结我国的自卫力量和确保战时经济的稳定方面将担负着重要的任务。工业化的意义也就是我们战争工业的发展。”[1]

一九三七年八月十八日，那被称为德国陆军部喉舌的柏林《交易所日报》（*Börsen-Zeitung*）说：

---

[1] 见 *Ekonomitcheskoia Obosrenie*，一九二八年，第二册，Ventzor 及 Gayevski 合著一文。

“苏俄的经济政策几乎是专门适应军事上目标的。……那五年经济计划的真正目的，主要是在于满足平时的军事需要，并准备把全部工业适应战时激增的军事需要。”

在苏联，战时工业迅速和普遍动员的准备，已在进行着，苏联集中的计划经济，保证着时机一到，这种工作就可毫无困难的推行。伯黎上校（Colonel von Belli）曾在德国陆军部机关报发表如下的意见：

“如果工业在平时受政府的严格统制，战时工业的动员就可以便利得多了。这在苏俄是完全确实的。”[1]

德国著名新闻记者佳斯特（A. Just）是一个眼光锐利的观察者，他也表示了同样的意见：

“从平时移转到战时，在苏联也许比世界任何其他国家更便利。”[2]

除了建立一个有效而有力的战时经济制度的组织能力之外，苏联还有别的两种便利：第一，由于它的各种取之不竭的原料资源，它拥有着把工业放在战争基础上

[1] 伯黎：《武装的人民》，见《军事学评论》，一九三五年，十月。

[2] 佳斯特：《苏联的军力》，北勒斯劳，一九三五年。

所需要的一切物质的供给，第二是空中的不可破性，这是由于各地距离遥远的缘故，而这就保障了动员的实施，不致受敌人空袭的扰乱。这些因素是重要的，而在这方面，苏联显是处于比任何其他欧洲国家更有利的地位。没有一种军需制造的重要原料，是苏联所没有的。经济自足不是苏联的学说，也不是未来的目标，而是一个在技术上自然实现的事实。苏联经济自足的程度甚至大过了美国，美国还得输入橡皮、镍、锰和铬，苏联却有着丰富的这三种矿藏，而且有组织的人造橡皮的生产也已经成功了。在一九三六年，苏联人造橡皮的生产，可以满足它百分之五十六的需要。“这问题终于在理论上实际上都解决了”，德国《军事周刊》这样写着，妒忌地叹了一口气。那使得苏联战时经济成为这样有力的主要因素，就是丰富的油藏，因为石油是一切现代化兵器，如飞机，坦克和摩托运输车的燃料啊。这位公认的坦克和摩托化的理论家爱曼斯贝格说：“一条石油的川流，不，河流必须经常不断地流到那从事现代战争的国家中去。”[1]苏联是欧洲列强中唯一拥有这样丰富石油的

[1] 爱曼斯贝格：《战斗车——战争》（*Kampfwagen-Krieg*），慕尼黑，一九三四年。

国家。

苏联的军需工业已能以最高标准的技术设备供给全体的军队，他们的生产是能够扩充的，因为经过长时间以后，现在那整个的经济制度已处于准备迅速战时动员的状态中。有一二个实在的例子，说明着军需生产的可能。

一九三六年夏天，法国空军考察团，偕同了法国下院航空委员会的政治专家和许多著名技术家，工业家访问苏联，他们估计苏联最大的航空工厂每年可出产飞机五千架。法国著名的飞机制造家布立盖（Louis Breguet）甚至说苏联出产了比法国多二十倍的飞机和摩托。

现代化军事技术另一个很重要的因素，是军队的摩托化。据一九三七年官方发表的数字，红军的每一个士兵有着十二匹马力的机械为后盾。这就是说，红军的全部摩托化工厂，包括摩托化和机械化，总共约有一千五百万匹的马力。苏联农业所用的曳引机，共有七百万匹的马力，苏联农业所用的其他各种机器，共有一千九百万匹的马力，我们必须记住苏联的农业是已经高度机械化了的。苏联农业的机械厂，形成了集体制度和全部农业生产的基础；无论如何，红军的机械化和摩托化，在马力总数上是并不落后的。从这点，我们可以测知军需工业在苏联整个机械工业上的规模大小了。

德国古德林将军，是被公认为摩托化的权威的，对红军曾说过如下的话：

“十万辆坦克车，十五万辆曳引车，以及十万辆以上的其他军事运输车，已把红军推到其他一切军队的前面了。英国和法国是已被抛在后面了。”[1]

上述的这些数字，还是一九三五年上半年的，从那时以后，红军的机械化和摩托化又约莫增加了三分之一，因此那古德林的数字一定是准确的。一个重炮的牵引机，有着一个六十到九十匹马力的摩托，一个约莫五十匹马力的中型军用货车，以及一个一百五十到二百五十匹马力的中型坦克。一师完全不用马的摩托化部队，需要二千辆到二千五百辆的各种摩托车。红军的巨大摩托厂，足能形成一个有力的摩托机械化的第一线军队，足能使三分之一的步兵和大部分的炮兵摩托化，并使后方的全部作战基础，也普遍的摩托化。如果拿苏联牵引

[1] 古德林文，见《军事学评论》，一九三五年，十二月。

机工业的生产能力也算了进去，就可明白红军的摩托化能力是确实无限的。

苏联军需工业质的方面的情形是怎样呢？柏林《交易所日报》曾经引证上述好但氏专门研究的结果说：

“那整个俄国经济制度的缺点，并不能同样应用于军需工业。第一等的物质，充分训练和高等技术的工人，以及技术上高度发展的工业资源，常用以满足军事的需要。这就是说，红军及其经济的基础，对于整个的普通经济生活是大半独立的，它们受着完全不同的条件的统制。因此那军需工业的成绩比那供给人民需要的工业要好了许多。”[1]

航空工业今天是被当作军事技术的性质和条件的典型的。它需要高度的准确性和控制复杂的生产过程的能力。谷特说得不错：

“航空工业是一种试验。如果一个国家能够建立一等技术设备的大空军，那么可以说它已通过了军事和工业组织最重要的阶段了。”[2]

[1] 见《交易所日报》，柏林，一九三七年八月十八日。

[2] 谷特文，见 *Vu* 杂志，一九三五年七月十日。

谷特看了苏维埃空军高度的技术水准，便认定整个红军处于一个高度的技术水准，他的论断是合理的。苏联航空工业建造着世界最有价值的飞行机，这种飞机能够完成北极圈巨大荒地的飞行。一架现代化的轰炸机，是一个有着无数的技术辅助的实验室。它有着盲目飞行的，与地面交通的，轰炸的以及控制飞行的一切工具。这一切异常复杂的设备，从头至尾是在苏联制造的，而它的技术上成就的水准，决非世界任何国家所能赶上。像谷特和克列里斯这样的两位专家，政治观点完全不同的人，也都承认法国在这点上是远落在苏联的后面。

苏联军需生产的高度质地，并没有比它的巨大数量更多奇迹的意味。十年以来，苏联从世界所有工业高度发展的国家购买最好的模型，而把它们采入自己的军需工业中。国际军事技术的最高成就，都被红军技术设备吸收了：如著名美国克列斯底（Christie）式坦克车，英国维克斯（Vickers）和卡登劳合（Carden-Lloyd）式坦克车以及法国莱诺（Renault）式坦克车等。苏联飞机也装置着世界最优良的引擎：如法国的希斯巴诺·绥柴（Hispano-Suiza）式和诺美·隆（Gnome et Rhone）式，英国的勃列斯妥·朱庇脱（Bristol-Jupiter）式，以及美国的莱特·雪克龙（Wright Cyclone）式。苏联的飞机现在还装置了法国的自动大炮等。我们必须记住，这些摩托等是并非输入的，而是在苏联特许大量制造的。这样，当英美各国仅有几百辆最好的坦克车，红军却拥有着甚几千辆。自然，苏联的军需工业不仅以摹仿这些外国型式为满足，而一味抄袭着它们；相反的，苏联本国的军事技术也在高度发展着，常依照了别国所不知道的路线，例如加重轰炸机（super-heavy bomber），加重飞机引擎（super-heavy aero engine）和各种轻型坦克车等。

实际的经验证明了苏联的军器是耐用而质地优良的。苏联空中肇事的次数要比德国，日本和法国来得少。一九三五年在基也夫（Kiev）和一九三六年在明斯克（Minsk）举行的红军演习，大大地证明了苏维埃军器耐受消耗的能力。那参观一九三六年演习的英国军事考察团团员玛德尔上校（Colonel Martel），曾对苏联新闻记者们说：

“只有很少的几辆坦克车因机械上的损坏而停滞，此外便没有空中肇祸或被迫降落的事情发生，这些事实使我们对你们的坦克和飞机表示敬意。”[1]

有一千架以上的坦克车和一千架以上的飞机在这二次演习中出勤参加，它们都经过非常剧烈的试验。在演习中，每架飞机在天空逗留了好几小时，而所有坦克车则经历很长的距离。总之，说苏联已成功地控制了现代技术所知道的一切生产历程，并非过言。

无数有识见的专家都证明了红军技术设备的卓越。

那参观一九三五年基也夫演习的法国军事考察团领袖洛旭将军（General Loizean）说：

“红军的技术水准是非常之高。”[2]

目击了第二年明斯克的演习之后，捷克军事考察团领袖鲁柴将军（General Luza）说：

“红军已充分加以现代化技术的装备。据我看来，它正在这方面领导着世界。在技术设备上，任何地方的任何军队是不能与红军相比拟的。”[3]

一九三四年，白俄的流亡者沙察夫上校（Colonel

[1] 见《真理报》，一九三六年九月十四日。

[2] 见《巴黎时报》，一九三五年九月十八日。

[3] 见《真理报》，一九三六年九月十四日。

Saitzev）曾在德国出版了一本书，列举红军的许多缺点，但他当即遭到德国《军事周刊》很透彻的责问[1]，坦率地指出他低估了红军的兵士人数，指出机关枪和大炮的缺乏，以及骑兵兵器火力的不足已经在伏洛希罗夫坚定领导之下改正了，而且改成为一种有效的和现代化的型式，指出作者在坦克缺点上作了一个危险而错误的结论，又指出苏联的空军要比他的估计强两倍。这件事情实是一个典型的例子，甚至在一九三四年，德国军界对于红军也不得不另眼相看了。

红军的军事技术在所有范围中高度发展着：堡垒，化学战，爬山术，军事工程，情报工作，信号队，伪装术——在这些所有各方面，红军都有了最新的技术设备。在堡垒和军事工程方面，红军占了仅次于法国陆军的地位，照伏洛希罗夫的报告，这方面苏联的技术是以法国为根据的。那在远东和西境所建立的强固的堡垒线，也装置了法国军事技术两种最高成就的设备：流动的装甲炮塔和防备毒气的地下室。一九三五年五月，一个获有当时红军最新情报的法国高级军官，在《小日报》上

[1] 见《军事周刊》，一九三四年十月十八日。

发表了一篇文章，说苏联西境的堡垒线等于是马其诺防线。

四　组织的机构和后备兵

苏联报纸不曾发表关于红军组织机构的情形。据别国报纸所发表的报告，红军的组成大致是这样的：一百师步兵，三十四师骑兵，二十到二十五旅坦克车队（附属于步兵的坦克队不在内），约一百团的轻炮队[1]，六十到八十团的重炮队。约莫有三分之一的步兵师是完全摩托化的。

这平时的陆军有着巨大的后备兵。数量对于红军是一个决定的因素，但这个因素现在跟有力的军需工业有着联系的作用，它的强度因了最新的技术发展增加着。

红军从来不曾充分利用它巨大的后备兵。每一级服军役的平均力量是一百五十万人，但直到一九三四年，只有八十万人是实际服役的，而其中只有二十六万人加入常备军，其余都是在地方上类乎民团的部队中服役。

[1] 大陆陆军的炮兵团，每团约有四十尊大炮。

这可能使苏联军事当局非常慎重地从体格上，社会文化上选择他们的人才，同时，在两年服役中，那常备军也就渐渐发展成为一种受过最高军事训练的干部。这军队有地方队伍的补充，又有那在正规军外面训练的第二线后备兵的补充。此外，还有大多数群众的志愿队，由航空化学协会（Ossoaviachim）组织着，并且在军队外面训练着。这样，红军后备队包含了各种程度的受训人员，从尚未训练的人一直到高等训练的专家。自从一九三四年以来，这比例变动着，现在，那常备军比以前更大，因此高等训练的后备人员的数目，也比以前更多了。那些一九三二年以后服役的后备兵，就是说，那军队现代化和大规模采用现代化攻击兵器以后的后备兵，是特别来得重要。在一九三八年，红军有着下列各种后备兵（依据他们受训的程度计算）：

（一）第一线的后备兵，这就是那一九三二——三六年军队现代化以后在常备军中训练的人员，约为二百三十万人。技术训练的人员也加入这范围中；飞行员，汽车驾驶员和军事技术员，他们的数目是很大的。在苏联实际上对于每一个正式服役的飞行员总要训练五个健全的飞行员以为准备。[1]“航空热”在苏联跟别国流行的有着完全不同的意义。这不仅是组织全体的人民，以应付可能的空袭，同时也是训练群众参加空军的服役。

“航空热（Air-Mindedness）在苏联最高度地发展着，那里有普遍的组织，以使人民大众对航空事业发生积极的兴趣。从他们的幼年起，苏联公民就从模型建筑中，从滑翔飞行中，从降落伞以及各种航空俱乐部中熟习了航空的技术，就这样，他们发展成为苏联空军力量的积极创造者。”

无疑地，红空军拥有着比欧洲任何空军更多的人员。在一九三六年下半年，据称有十五万个飞机师要训练。在同一时期中，航空化学协会训练了九十万的驾驶员，以供应高度摩托化军队的需要，此外，还有机械化农业的技术人员，可作更大的后备，特别是曳引机驾驶员，约共几百万人。

（二）下述两组的人员，可说是第二线的后备人员，

[1] 见阿特劳（Henri Andraud）的报告，阿氏为法国下院航空委员会副主席，法国航空部次长，一九三六年曾加入法国航空考察团访问苏联。该报告发表于 *Mariane*，一九三六年九月十六日。

那当一九三二——三六年期间在地方队伍中受训的人约为一百五十万人；还有那一九二四——三一年期间在常备军中训练的人——约二百十万人，总共三百六十万人。

（三）第三线的后备，包括了那一九二四——三一年间在地方队伍中训练的人——二百四十万人；还有军队以外受训的人，在一九二四——三五年间，这种人的最低数目当为四百万，合共六百四十万人。

因此，红军可能召集一千二百三十万的有训练的后备兵，那有技术训练的后备人员还不在内。此外更有志愿受训的后备，他们为了别种理由没有包括于军事部分，也有是通过体育团体受军役训练的。

无疑地，那第一线的后备要算是欧洲最有训练的人员，这些人员跟那平时的常备军及其第一线的技术后备人员，共在五百万人以上，代表着未来战争的先锋军队。那对于现代化军事技术有彻底充分训练的后备人数，每年将增加六十五万。巴拉底将军宣称苏联后备人员的补充训练，是比法国更彻底地推行着。地方军队的战斗素质，也不宜加以过低的估计。红军以前的制度，是把地方队伍建立于类乎民团的基础上，并于每年在军队以外训练一部分的补充队，关于这种制度，德国军事科学院院长科钦霍森将军（General von Kochenhausen）曾经说：

“有一件事，无疑可说是俄国军事制度的一个有力的积极的因素，那就是努力和决心，在他们遭受可怖的崩溃以后，在内战和可怖的经济困难以后，俄国人自始就以这种努力和决心，实施他们建立一个有力的军事机构的目标。虽然他们所用的方法，就我们从速度上看来，也许是革命的，但一般说来，却不能否认他们还是表现了实际的常识和极大的创造性。他们必将获得全部进步的结果。”[1]

这个好评是讲到苏联以前的军事制度的，其实这种制度早已为苏联所废弃，而改采了一种新的更有效的制度。

因此，在未来战争中，苏联必能有利地集结它的人力后备，并使他们对于现代化军事技术的运用，受彻底

[1] 科钦霍森：*Das Russische Wehrsystem*，为集体作品国防思想 *Wehrgedanken* 之一部分，一九三三年汉堡出版。

的训练。下表[1]表示欧陆三大强国苏联，德国和法国的人力后备，都是一九三五——四〇年服役的各级：

年份	苏联	德国	法国
1935	1,850,000	602,000	323,000
1936	2,170,000	464,100	205,000
1937	1,340,000	345,000	165,000
1938	1,460,000	310,000	171,000
1939	1,160,000	321,000	197,000
1940	1,670,000	473,800	217,000

这些数字明白地表示了大战期间生产率低下的影响。德国各级的人数，从一九三五年到一九三六年激剧地低降着。法国虽然采行了两年军役制，但由于补充人数的减少，它的陆军的平时人数是很低下的，在这几年中，各级服役的人必然尽量的征集，但即在那时，各国陆军将仍远在平常力量之下。在以后几年中，那人口的因素将使各国陆军受数量上的限制，只有红军是例外。在上述时期中，苏联后备兵的平均人数是一百六十万，德国四十二万，法国只有二十一万七千。因此，今天苏

[1] 法德两国的数字见 Oertzen 的 *Grundzüge der Wehrpolitik*，一九三三年柏林出版。苏联的数字则依据一九二六年的苏维埃统计，引自一九三六年九月四日《红星报》。

联在人数力量上超过其余的欧洲国家，远胜一九一四年的沙俄。这些事实，说明了苏联在反德集团中的巨大数量的重要性，它造成对德集团的人数上优势是多么大啊。

在这些战机四伏的年头儿，注意一下红军的人力后备是很有趣味的：它每年的补充兵有六百五十万是常备军的，另有二百五十万是地方队伍的，但即使如此，它潜在的队伍还只用了一半，其余一半是仍在后备中。一九三六年以后，入伍年龄已渐从二十一岁减至十九岁，所以，从一九三六到一九四〇年，每年秋天必有一级半的人应召入役。举例说，在一九三六年，一九一四年级和一九一五年级的一半同被征召，在一九三七年，一九一五年级的其余一半又与一九一六年级同被征召等。因此在这些年中，红军每年的人力后备当在二百四十万左右，而一旦危急，那总共的实际上的人力后备必将是取之不竭的。

五　军事训练

一个军队的价值，是由它的干部，它的人力的价值决定的，就是说，在今天的军队中，是由那人力对于现代化兵器和现代战争所受训练的程度决定的。红军的训练，是否已跟它的军事技术达到同一的水准呢？

现代的军队理论上可以分做“旧型”兵和“新型”兵。这“旧型”兵自然是步兵和骑兵，“新型”兵是坦克队和空军，而大炮则在两者间占了一个位置。但这种划分是只能很有条件的。在最新式的军队中，那“旧型”兵也已经现代化了。让我们考察一下苏联的步兵：它有着各科机械化兵器的有力支持。三分之一的步兵已完全机械化，而为机械化军队有机的一部分，此外，并且受过与坦克队维持最密切合作的训练。其余的三分之二有着他们自己的坦克部队。事实上，苏联步兵所有的坦克车，已达到了饱和的最高水准，跟一切机械化队密切合作是所有步兵的军事训练的一部分。此外，步兵又受着各种特殊部队的供应，如化学部队，工程队和信号队等。但单纯就步兵来说，他们的能力如何呢？下面是一个德国人的意见：

“最新的训练方法，可以把握在一年的训练中，人们就能系统地施行任何方式的作战，俾步兵在战时实施。那训练的试验和准备的工作是以最大的审慎和注意加以详细策划的，它给予每一个受训的人以最好的指示。这样，非常有效的训练的水准便可以达到了。”[1]

德国军事专家对于苏联军事训练的精确（这精确是由最严密的管理方法造成的）并不掩饰他们的吃惊。苏联步兵有两种特点是值得说明的：第一是射击术。射击的艺术已发展到一种非常有效的程度，那里有专门射手的特别队，他们也是伪装等等方面的专家。他们的特殊任务，就是狙击那管理敌人危险点的人来铲除危险点，他们必须能够在任何环境中在任何条件下作最准确的射击。目的是要在每一步兵大队中训练六十个射击手，此外，至少百分之五十的军官应为射击手。一九三七年八月在伦敦举行的国际射击比赛中，有二十八国的二百十二个选手参加，苏联选手占了第一位；在一九三八年夏天的同样比赛中，苏联甚至夺占了所有的前六名。苏联步兵的第二种特长，是善于长途的跋涉，每天走六十基罗米突[2]的路乃是极普通的事情。关于苏联步兵的行进

[1] 见《军事周刊》，一九三六年一月十一日。

[2] 一基罗米突等于一公里。

能力，洛旭将军曾经说：

“在下次战争中，红军兵士无疑是最精锐的。他们必将比其他军队更有准备地来应付未来战争的试验，而坚忍无疑是取得胜利一个最重要的因素。”[1]

另一个曾对苏联步兵能力表示过意见的外国观察者，是法国参谋总长雪维斯古斯将军（General Schweissguth）。他说：

“我们曾看到英勇的流动的步兵，能够实行长途而迅捷的行进，能够快步跃过最艰险的地方，并能在最短时间里面掘成无数的战壕。”[2]

那参观一九三六年秋季大演习的捷克军事考察团团长鲁柴将军（General Luza）说：

“我们考察步兵的活动，看到他们以极大能力操演着，并且表现了他们对于一切兵器能加以灵活的控制。”[3]

考察红军怎样运用那需要高度技术修养的新式兵

[1] 见《巴黎时报》，一九三五年九月二十日。

[2] 见苏联《真理报》，一九三六年九月十四日。

[3] 见《真理报》，一九三二年九月十四日。

器，实是非常之重要。所得的结果是很好的，因为现代化的兵器早就大量的采用，比西方列强还要早了好几年。在红军中，有着曾在七千次以上飞行中飞过六十万哩的飞行员，有着曾经驾驶过二千五百小时的坦克驾驶员，有经历过四千哩左右路程的坦克，有一次行驶六百哩而机械上毫未损坏的坦克，也有在水中驶过三百哩的坦克。这惊人的成绩，是同时需要人和机器来造成。运用这种兵器的训练是特别重要的，因为这样才能使现代摩托化的部队，适应东欧平原崎岖艰险的环境。伏洛希罗夫说：

“感谢巧妙的策划，更当感谢技术家和指挥者的经验，我们的坦克驾驶者，已能控制他们的机器，使通过沼泽而毫不困难，虽然这些坦克是并非专为这种目的制造的，它们曾经通过河，湖乃至海湾，我们有许多能干的坦克驾驶者，控制他们巨大的机器，像艺术家一样。”

红军的坦克驾驶员，最善于把坦克驶过森林以及各种艰险泥泞的田野。苏联水陆坦克车（Amphibian Tank）的动作是异常的可惊。这坦克车每次可在海浪中行驶七小时，坦克车手（Tank Crews）的技术训练是高深的，甚至最小部队的队长，也都受过无线电交通的训练。坦克车手的作战训练也同样是好的。狙击的原则采行于坦克部队中。让我们听一听外国军事专家们的意见，他们是曾经在一九三六年大演习中，看过苏联坦克车战时出动的情形的。鲁柴将军说：

"你们的坦克车手，可以完全控制他们机器的技术。他们表现了在现代战争任何条件下的技术动作的最高水准。"[1]

英国将军玛德尔上校说：

"我在演习中所看到的坦克车的领导，只有光辉一字才可以形容。"[2]

飞行人员和空军的训练，在红军一般训练中占了一个特殊的位置，这些人们是以大胆、坚忍、技术能力和战斗本领出名的。这些航空人员无疑是代表着红军的干部。敌人方面的赞美是最好方式的认识，而德国人佳斯特（A. Just）说：

"当一九三四年三月和四月间，契略斯金

---

[1] 见《真理报》，一九三六年九月十四日。

[2] 见《真理报》，一九三六年九月十四日。

（Tcheliuskin）探险队一百十个队员在苏维埃航空人员奋斗下的获救，向全世界表示了俄国人有着怎样自我牺牲的精神和真正的英雄主义。”[1]

苏维埃航空人员的勇敢，是不能跟他的坚忍和技术修养分开的。苏维埃航空人员保持着许多高度和长距离飞行的世界纪录，特别是载重的高度飞行。科给那基（Kokkinaki），莫洛科夫（Molokov），格罗摩夫（Gromov），蔡卡洛夫（Tchkalov）和梁庇狄夫斯基（Liapidevski）是世界最优秀飞行员中的几个。北极圈的冰天雪地，已成了苏联航空人员训练的学校。谁要是曾在西伯利亚平原的上空或在北冰洋的风暴中飞行过几万哩，那么，在欧洲平常条件下的任何飞行，便将是一种快乐的跳舞了。而这也就是国防人民委员会机关杂志讲到苏联北极飞行在军事上重要性时的意见：

“因了北极的征服，我们同时也巩固了我们祖国的国防。”

一九三五年，苏联飞机在极北飞行了六十万哩，到了一九三六年，苏联在北极经常航空线的长度，超过六

---

[1] 佳斯特：《苏联的军力》，北勒斯劳，一九三五年。

千哩。在一九三六年七月至九月间，蔡卡洛夫，黎凡聂夫斯基（Levanevski）和莫洛科夫的几次飞行，达到了现代航空成就的最高峰：从莫斯科到尼科莱伐斯克的黑龙江上空的不断飞行，几达六千哩，大部分是在北冰洋上空的浓雾中飞行的；从洛杉矶到莫斯科超越三大洲的飞行，共约一万一千八百哩；以及还有一次环绕北西伯利亚的一万六千哩的飞行。在一九三七年，随着这些飞行的，又有弗里格（Farig）伟大的横渡大西洋的飞行，在一百四十五小时中飞了一万五千哩；北极的征服；以及蔡卡洛夫和格罗摩夫两次不停留的飞行，从莫斯科到美国，经过北极圈，造成了世界长距离飞行的纪录。美国横渡大西洋的飞行和其他飞行家，以及从英国到澳大利亚的长距离飞行等，都不能与苏联航空家的这些北极飞行相比拟，因为后者是在异常艰苦的路程中和最恶劣的气候条件下进行的。法国的专家如谷特和克列里斯都相信红空军有最优良的技术装备和最准确的器具，供天空航行之用。“ANT25”那飞行机像蔡卡洛夫和格罗摩夫打破世界长距离纪录所用的，恐怕世界上再没有一架飞机这样伟大了。技术的能力，是从技术训练得来的，苏联飞行家最擅长作高度的飞行，这种飞行必先须有伟大的技能。他们有许多都惯于在二万六千呎到二万九千呎的高度中飞行。苏联预先训练的高度水准，可拿一个事实来证明，即，所有的世界滑翔纪录，几乎都由苏联飞行家保持着，而决不会想到是德国人保持的。

大胆，忍耐和技能，是飞行成功的先决条件。这不难想像它们发展成为军事因素的缘故。当红空军在中亚帕米尔建立世界最高的飞机场（海拔一万三千呎以上时），或当它继续不断打破高度飞行纪录时，我们就很易了解它对于军事航空技术发展的意义；换句话说，重轰炸机下的世界屋顶是日形提高了。苏联对于加重轰炸机几乎是独占的，这些巨大的破坏机器的效能是激剧地增加着。像苏维埃的步兵和坦克队一样，苏维埃的空军也采取着狙击的方法。现代空军的轰炸技术，已发展到与大炮一样准确的水准。那《红星报》曾宣称苏维埃的空军，已完全控制了现代飞行和射击的技术，它的目标，是正在把勇敢而敏捷的活动跟轰炸的最大准确性相结合起来。前红空军司令曾吩咐他的部下对于轰炸要绝对的准确，他指出现代的技术已使这样准确性成为可能。在各种兵器的训练中有一个重要特质是共同的，即，技术和人才两者都须适合东欧战场的特殊性。红军不止是一个现代化的军队，它所受的训练和技术，是完全适合于它作战的地域环境的。苏维埃的军队被训练着，在任何气候和其他的条件下作战：在严寒深冬中，在丛林地带中以及在卑湿区域中；它们的技术装备是可以在一切不同的条件下应用的。苏维埃军队的大多数，都能够穿了滑雪鞋作战，雪橇推进器是红军冬天运输的重要工具。摩托化军队全部伟大的器械，已能控制东欧地域上的特殊性。这个地域常被证明是敌人不能攻克的障碍，但红军却自信它的部队的坚忍和流动，以及它的技术装备的耐用，是能够加以完全控制的。

六　军官干部

红军有一个很大的军官干部。人民国防委员会的机关报曾经说，如果一旦动员，就可有几十万的后备军官召集候用（旧俄陆军的军官只有三万五千到四万之间）。在一九三五年，军官学校中有一万六千个学生。这就是说，红军每年可有四千个受过高级指挥训练的军官的补充。以前德国国防军全部的数目也没有比这更多。要研究红军军官干部的性质，我们必须记住这些军官是为了一个拥有广大技术资源的军队而训练的，正因为红军所拥有现代化军事技术的资源比世界任何的陆军大，它的军官也自然更熟悉于现代化兵器的运用。德国陆军改革者所提出的战略和技术经验的理想的统一，久已在红军军官干部中实现了。最年青的陆军副官，也被训练着与坦克和其他技术部队相密切合作。谷特对于红军军官曾有如下的描写：

“他们年青。他们努力。他们的知识活动是卓越的。在红军中，我们到处看到独立工作的实验室，工场和技术装备，这实在使我们钦佩。那跟我们在巴黎，里昂或马赛的军官训练学校比来，是毫不相同的。”[1]

六个月以后，他又发表了下述关于红军司令特别是空军司令的意见：

“他们都是能够跟现代军事学说和现代军事技术配合起来的人。他们的领袖是年青的。他们的批评精神充

[1] 见《法国事业报》，一九三五年二月十九日。

分发展着，他们给人们的一种智慧和力量的印象。他们的文化水准是广博的，他们求知的好奇性（一切文化的基础）和知识的范围，震惊了我。”[1]

义大利的格兰绍利将军（General Grazioll），他的政治观点跟谷特是完全不同的，也得到了同样的印象。他宣称红军的军官是有着极大义务心的诚恳的人，他们自己证明了是第一流的军事领袖。[2]据他的意见，他们是像拿破仑时代的将军们同样的不受空想的束缚，同样的勇迈进取，因此可能达到同样伟大的成就。他又说，他们曾给部下灌输了新的革命精神，进步的思想，以及战斗的动力。这两位义法的观察者对红军司令的年青固然表示特别震惊，还有那一九三六年参观红军在白俄秋季演习的英国威佛尔将军（General Wavell）也这样的说：

“高级军官比别的大部分陆军（包括英国陆军）中的要来得年青。这是一个有利的因素。军队需要年青的和体态活泼的军官。”[3]

---

[1] 见 *Vu*，一九三五年七月十日。

[2] 见 *Giornale d'Italia*，一九三四年十月。

[3] 见《真理报》对该报记者谈话，一九三六年九月十四日。

红军的高级军官和参谋部的人员，绝大多数是在二十五岁到四十岁之间。如格里脱（Gailit）是一个有趣的例子，他是前乌拉尔军区的司令，同时是全国著名的运动家之一。但在法国或德国军队中，却很难想像作为一个滑雪健将的司令长官。红军的教学原则是这样的：一个军官在训练他的部下的时候，必须把他们应做的事实验给他们看，他自己不能做的就不能要他们做。年青和技术经验是苏维埃军官干部的两种特质。

一九三七——三八年军官干部上层的清党运动，虽是为了政治的理由而不是军事的，但严重地损坏了红军的军官干部。然而这可决不像西欧所说，使红军完全失却了效能，或丧失了它的作为一个同盟者的价值。在德国和波兰军队中所施行的肃军，也不能使他们失却战斗力（hors de Combat）。现代军队是一架巨大的无关个人的机器，军官干部所受的个人损失无论怎样重大，它是仍能活动的。在数目上，无论绝对的或相对的，红军军官干部的损失也决没有像毕苏资基上台后波兰军官干部的损失这样大，当时有四千个军官为了政治理由被罢黜，包括了杰出的名将如锡科斯基和哈勒（Haller）。有许多卓越的红军军官在最近肃军运动中的丧失，并没有引起红军战略方针的变更，这跟德国军队因罢免弗里区（Fritsch），罗勃（von Loeb）和皮克（Beek）等而引起战略的变更是完全不同的。自他们去职之后，德国战略中的希里芬（Schlieffen）传统受了致命的打击。在另一方面，红军的战略却是由客观条件决定的。

七 苏维埃军事力量的弱点

苏联的军事力量，自然不是没有批评的，它也有其脆弱的一面。一般说来，这弱点是比国家军事力量具有更广泛的含义，就是说，这是一个战争潜在力的问题，不仅是一个军事问题。当我们考察这问题的时候，我们必须不要盲目相信国外所流传关于苏联军事力量的普通批评，因为那些批评的人们，都受了偏见的蒙蔽，结果便不能与真实相符合，而常忽略了真正的弱点。

举例说，一九三六年春，《小巴黎人报》曾发表莫斯科通信员所寄关于红军的有系统文字，其中曾指出“苏俄脆弱的工业机构和落后的生产”是它的弱点。这里显然是个误解，因为以苏联拥有欧洲最现代化的技术设备和最大的原料资源，它的工业机构自然不能说是脆弱的。说苏联生产落后更不真实。在一九二八年到一九三六年间，苏维埃工业生产量增加了百分之四八〇。自一九三四年以来，铣铁和钢的生产几乎增加了两倍。在一九二五年，法国的钢的生产比苏联的生产要大三倍半。但到一九三六年，苏联的钢的生产却比法国的生产大过了两倍半。苏维埃的生产率是不能说薄弱的，事实上，它代表了苏联战争潜在力一个最重要的因素。

苏联经济潜在力的真正弱点，必须从另外方面去找。第一是由于经济制度异常迅速发展的结果，造成了各部门发展的不够平衡。在发展的各阶段中，我们从已知的情形可以看到，跟全部的生产量比起来，运输或重工业或煤的生产是落后的。在有几个工业部门中，由于工人训练和技能的不够，由于生产的不够合理化，表现着质的水准的低下。然而有两个因素却不应忘记。第一，军需工业本身是在一个很高的水准。它们有最好的装备，它们生产的质地是高等的。苏维埃民用航空在技术和组织方面的缺点为红空军所没有。而且，苏联整个工业的技术是在异常迅速的进步中，这结果便造成了质的改善和合理化。苏维埃工业不是采取欧罗巴式的工业技术，而是采取美国式大量生产的方法。苏维埃的军用飞机就在这个基础上发展着，而且已在数量方面超过美国了。

另一种关于苏联战争潜在力的批评，可以拿阿契波的议会报告作代表，阿氏的报告我们上面已曾引用过。但这种批评，后来阿契波自己也承认为没有根据。那一九三五年阿氏报告的结论说：

“我们可以说，红军的特质是数量上的强度和激增中的军需原料，它代表着一个精锐的防御力，特别在战争开始的时候。然而红军干部职业的和社会的性质，士兵的意志和运输的状况，却允许红军只能在有限时期中简单作战。说红军在战争中可以援助我们的，几乎完全限于空中。这种说法如引伸到陆战方面去，那么除非在这可能的敌人跟苏俄有共同边境的情形之下。”

阿契波的观察有一点是值得特别注意的，那就是关于苏维埃运输的不利状况。这种论调常被用以证明红军还没有战争的准备，运输无疑是苏联一个最大的问题，但同时我们必须从今天的情形中来看它，我们必须在它们的比例中来看现行的困难，因为近年以来，一般的运输和火车的运输已有很大的进步。在一九三七年，铁路货运的总数比一九一三年大了四倍，比一九三二年几乎大了两倍，而火车每天的装货也增加了两三倍。扩展公路网和修理现行公路的工作也在积极进行着。在一九三八年，有两条军略上的公路完成了，从红军军略中心的莫斯科分别与基也夫和明斯克相联接。莫斯科到明斯克的公路长约四百三十哩，莫斯科到基也夫的公路长约五百八十哩。

显然那军事上最重要的边境区受到最先的注意。好但说：

“苏联公路的建筑和改善，以及苏联一般的交通计划，都是首先从军略观点上的考虑来进行的。因此在军事冲要的区域中，就有较密的和完善的公路网。……苏联特别把筑路工作集中于这种区域里，为了造成利于摩托化部队活动的环境。西方边境区域内情形完全是这样，因为那里是苏联军略上公路计划的中心。”[1]

因了一九三三年——三八年大量铁路的筑成，远

---

[1] 好但:《苏联的机械化潜在力》，汉堡，一九三七年。

东红军的运输问题是解决了。旧有外西伯利亚（Trans-Siberian）的单轨线，扩展为全长的双轨，此外又建筑了一条五千哩长的铁路线。这筑路工程不仅解决了远东红军的供给问题，并且还树立了它的战略动员的运输基础。

另一个尽了重要任务的因素，即红军的普遍摩托化，这是它的作战基础普遍摩托化的结果。大规模的摩托化，实是铁路的一种有力的补助，它大大解除了这方面的困难，多少可以减小军队对于铁路的倚赖性。横越田野的车辆是并非必需公路的。有许多军事专家估计空军的发展将使前线后面一百五十哩到二百五十哩间的铁路交通线，感受极大的危险。敌人将继续不断来破坏这区域中的铁路交通，那时候，就必须靠摩托化的运输来担负这重任。《真理报》说：

“横越田野的摩托运输车，必须完成那以粮食，军需品和燃料供给军队的工作。它还必须运送援兵以及调动军队，如果当军事行动需要的时候。”

这样，由于铁路的进步，由于公路的筑成，以及由于军队的普遍摩托化，苏联的运输危机是一步一步解决了。而且，苏联西面边境区域的铁路，在位置方面非常之有利：从内地到西面边境区域的十七线，共有二十九条路轨。不仅是苏维埃的军事作家，就是那流亡的白俄军事专家，也在他们的文字里特别注意这很重要的环境，这是有实际理由的，因为近年来苏联铁路在技术上的进步，确已成了一个异常重要的因素。沙察夫上校（他的著作我们曾在上面引用过），他常是怀着反对红军的偏见，而常想低估它的战斗力的，但对于红军的运输，甚至他也这样说：

“那铁路网的地位，可能把军队从干线（列宁格勒—塞巴斯拖堡［Sebastopol］）经过十四线运送到边境去；换句话说，苏联在平时的各部军力，一当战争开始，就可有一半力量迅速集中到西线去，那三条密接的路线的存在，可能把苏联军力的重心，集中于西境的任何部分。”[1]

阿契波所提出而后来又收回的批评，是否有任何根据呢？红军的“社会化和职业化的性质”，决不是它的弱点之一。军队的“社会化”性质，显是指点他们

［1］沙察夫上校：《红军》，俄文版，柏林，一九三四年。

民主的出身，但这是力量而不是弱点的源泉。这曾是内战中胜利的源泉，在今天，它给予了红军以充分利用才能，年青和热忱的最大可能。那红军军官干部从民众队伍中选拔的事实，并非表现了低下的文化水准，因为全国是正在经历一个文化迅速进步的时期。讲到他们“职业化”的性质，即，在他们作战的技术训练方面，我们也有欧洲军事权威家的证明，它的水准并没有比其他军队来得低，而事实上，有几点甚至还更优越。因此，阿契波虽曾有过小小的怀疑，但不久也终于发觉他的错误了。

八　一个政治化的军队

红军不仅是一个军事的工具。它同时是一个学校和政治组织。世界上其他的军队，没有一个比它更注意于教育问题。红军是一种教育制度，提高着它的士兵的一般教育水准。它有着无数的学校和二千个以上的图书馆，每一个士兵对于现代和古典的文学都有一般的智识。法国军事专家亨利·别都（Henri Bidou）曾说一个普通红军士兵所受的一般教育和训练，是跟一个德国下级军官所受的同样高，而别都对于德苏的两种制度是曾经作过缜密研究的。关于红军，他写道：

“红军的普通士兵在教育，纪律和职务上忠诚的水准，是任何军队所不能匹敌的。”[1]

教育和政治密切相关。红军是一个政治化的军队（Political Army）；它授给兵士以一种政治教育，而养成他一般的社会见解。在苏联，党和军队的关系跟法西斯独裁下的情形是完全不同的。在法西斯独裁国家中，军队多少是一种不被统治的党所同化的制度，虽然它竭力企图加以统一。在法西斯国家中，旧有的军队是接承过来的，而不是为法西斯主义所创立。军队据说在政治之上，军队里面没有党政的组织。军官阶级是孤立和隔绝的，而维持着它自己的传统。在法西斯国家中，有着那无可避免的党和军的二元制，而在紧急关头，这种罅隙可能威胁独裁统治的存在。在这样情形之下，党军间的冲突是很易爆发的，例如法西斯主义与旧有反动派以及王太子相冲突，在德国或是为了皇室的传统，或是那法

[1] 见亨利·别都在一九三五年七月十五日 *Vu* 杂志上所发表一文。

西斯外交政策在一边，而军事上需要的适当的战略在又一边。这种冲突在苏联却绝不可能。布尔雪维克党创立了红军，它不是将它承受下来的，一个政治的组织，一个党的组织，彻底构成了整个的军队，而造成它意识上的团结。自然，作为一个政治化军队的红军，也有着危机，例如最近大规模的肃军运动中，就有许多高级军官用了各式各样的方法在积极破坏布尔雪维克党。然而这次肃军的结果，却毫未破坏军队的巩固性，或影响中下级军官干部以及士兵的可靠性，而后者却是决定的因素。军队的党化组织及其政治教育保证了士兵大众的绝对可靠性，并给他们以意识上的热忱。在这里，看看苏联敌人对于这方面的意见是很有趣味的，如白俄军事专家和德国军人等。上面曾引述到的庇亚聂资基上校说：

“要希望军队中一般不满情绪的爆发，那未免是天真的党的触角不仅已敏捷地坚定地控制了军队的领袖，而且也控制了士兵大众。”[1]

沙察夫上校说：

“各种努力曾用以造成军队和党的合一化，这方面

[1] 庇亚聂资基：《苏联的红军》，俄文版，巴黎，一九三四年。

的发展，终于使军队，特别是它的军官干部，在社会上成为无产阶级而在政治上成为共产主义者。同时，他们又用各种方法使政治组织彻底控制了全部的军队。由于这种措置的结果，共产党可以将红军运用自如了；换句话说，红军已成了苏维埃政治当局的一种完全可靠的工具。”[1]

这事实更为德国军事杂志《德国国防》所强调说明，它常是特别注意政治问题对于军事的影响：

“自红军成立后，前线和后方从来不曾发生过叛变。关于战时红军士兵的可靠性问题，那回答一定是肯定的。”[2]

一九三七年三月份英国保守派的《圆桌杂志》（*The Round Table*）发表了一篇关于苏联防御力量的文章，也认为在士气方面，世上没有一国的陆军可以跟红军相比拟。

政治上的完全可靠性和坚定的士气，再加上有力的经济后盾和现代化的战争技术，都是红军力量的要素。

---

[1] 沙察夫：《红军》，俄文版，柏林，一九三四年。

[2] 一九三五年十二月十二日《德国国防》。

第三章　红军的进攻力量

一　红空军

现代兵器都是进攻的兵器，它们形成了新战略的技术基础。红军现代化的技术装备，表示它的力量主要是在于进攻的兵器，对于它所有的军备（空军、坦克队、骑兵、化学兵器、大炮等等）作一次更精密的考察，就可以打破那一切说红军只是一个有力的防御因素的假定。红军究竟能否发动顺利的进攻，以及它能够推行到何种程度，是一个有关欧洲军事势力异常重要的问题。红军的进攻力量最后决定了苏联作为联盟者的价值，以及它作为纳粹主义德国的牵制的价值。整个欧洲都切想知道纳粹主义的德国，是否将造成对于现代化进攻武器大量运用的独占，或苏联究竟能否打破这独占。

空军是红军的臂膊，那是国外都知道的。苏联的这种新兵器，已博得了国际的声誉，它辉煌的成绩，也已为全世界所认识。甚至那怀疑派，甚至法西斯国家中的苏联敌人，以及甚至那反对《法苏公约》的法国人，也不得不承认苏联空军无比的性质和军事上的重要了。空军的重要性是双重的：它是一种特殊的进攻兵器，而给现代化军队以想像不到的技术和战略的效能，其次，它是军事联盟所需要的特殊兵器。这种兵器能够最迅速的用以打击敌人，这种兵器又能立刻予受困的联盟者以援助。没有一个学识丰富的人，会怀疑红空军为世界最强的事实。甚至那曾对红军一般的支持力和进攻力表示过怀疑的法国议员阿契波，在他一九三五年对下院的报告中，也说红空军是欧洲最强的。一九三六年二月二十八日，谷特在下院演说中引用法国陆军部长的报告说：

“苏联空军已是世界最强的了，它而且还在迅速地继续增强中。”

布罗上校在德国陆军部机关杂志中发表一文说：

“近年以来，苏俄空军已增强到这样的程度，它现在是世界最强大的空军了。它构成了苏俄全部军事力量的核心。”[1]

格洛夫斯将军（General Groves），他不能算是苏联的友人，他是英国最杰出的空军权威，也曾于一九三五年说红空军是世界最强的[2]，还有英国著名的军事专家李德尔·哈特（Liddell Hart）也跟他的意见相符：

“苏俄空军在目前是欧洲最强大的。”[3]

最后让我们再听一听捷克空军司令斐富尔将军（General Faifr）的意见：

“事实已经证明，苏联不仅有着能干的和卓绝训练的飞行人员，即在物质材料方面，苏联的航空也是超过世界任何各国的。”[4]

这样，全世界的权威专家，都已证实了红空军副司令区理宾（Chripin）在一九三六年十二月苏维埃会议中的报告：

“我们空军是一个有力的兵器，它是比得过所有其他国家的，无论在数量方面，在它装备的性质方面，在

[1] 布罗上校：《现代空军力量的基础》，见《军事学评论》，一九三五年十二月。

[2] 格洛夫斯：*Our Future in the Air*，伦敦，一九三五年。

[3] 哈特：《武装的欧洲》，伦敦，一九三七年。

[4] 见一九三七年六月三十日《红星报》所载报告。

它人员的训练方面，在它干部的团结方面，以及在它人员为战争牺牲的决心方面。”[1]

在以前，要得到关于红空军力量的可靠数字是困难的，但在今天，它的力量却多少可以准确地确定，一九三六年夏天访问莫斯科的法国空军考察团团员的报告，布罗上校最近在德国陆军机关报上发表的透彻检讨，以及最近在法国和瑞典报上刊露的报告，都足为客观判断的可靠根据。法国航空团团员的报告是尤其可贵，因为其中有许多人的名字在航空方面是世界著名的，例如飞机建造家布立盖（Breguet）和波但慈（Potez），大战时著名飞行家波苏特劳（Bossoutrot，现任下院航空委员会主席）以及法国航空次长阿特劳（Andraud）等。

照这些材料的估计，苏联航空工业有着二十万到二十五万的工人，他们有许多是每天分三班工作。布立盖告诉我们，苏维埃合理化和大量生产的结果是几乎难以相信的。苏联航空工厂制造飞机，好像法国制造汽车。照法国航空委员会的报告，再加以别种材料的证实，苏联五大飞机厂在一九三六年曾出产四千到五千架的飞

[1] 见《红星报》，一九三六年十二月二日。

机。据法国的估计，苏联约有十二家的大飞机工厂，布罗上校甚至说有二十八家，并估计苏联在一九三六年出产的飞机架数当为八千。区理宾证实了一九三六年生产的大量增加，他指出在一九三六年的最初十月中比一九三五年的同时期几乎增加了两倍（增加百分之九十四）。同时，苏联飞机工业的生产能力，仍在继续的增加。布罗上校估计现在苏联的飞机生产，为一九三六年的三四倍，即，每年可产二万架，布立盖也是同样的意见。这还可由飞机引擎的生产来证实，它无论在绝对方面和相对方面要比飞机生产大得多。苏联制造的飞机引擎有四种主要型式：外国式摩托如希斯巴诺·绥柴，诺美·隆和莱特·雪克龙，苏联式摩托如 AM34。最后所举一种是目前欧洲最有力的引擎，它有着一千二百五十匹马力。照区理宾报告，在一九三六年，飞机引擎的生产，比一九三五年增加了百分之一四六。据阿特劳的报告，那制造苏维埃 AM34 式摩托的工厂于一九三六年出产了不下二万架，阿氏是法国下院航空委员会的副主席，也是访问苏联的法国航空考察团的一员。

红空军在一九三八年的大概力量是多少呢？布罗

上校估计在一九三八年，它当有八千架到一万架的第一线飞机，而另一个美国专家却认为这还是早一年前的数目。苏联飞机工业的生产能力，无疑能够达到这样甚至更高的水准。红空军的实力，是由飞机工业的生产计划，由苏维埃的作战计划，以及由苏联军事领袖所要求的技术和战略上的造就来决定的。要规定苏联飞机工业的生产能力的一个最大限度，是不大可能的。它无疑能够达到我们时代中最高可能的水准，无论在质的和量的方面。

布罗上校说：

“飞机工业在战时生产的必要基础，必须在平时以目光深远的计划经济来奠定。在这个关联中，那些经济上倚赖外国来源的国家（在生产准备和原料供给方面），跟那些经济自足的国家比起来，是处于不利地位的。在今天，世上只有两个国家在经济上完全独立，而能无限地大量生产飞机和飞机的引擎，这两个国家就是俄国和美国。”[1]

我们不妨假定一旦战争发生，就说是一九三九年，

[1] 布罗上校文，见《军事学评论》，一九三五年七月。

苏联将有一个像许多国际军事专家所认为可能的最大限度的空军，即一万到一万二千架飞机。这种论断，不仅是根据了苏联飞机工业已知的生产能力，根据了红空军在一九三八年上半年的力量，同时也根据了苏联所有空军后备人员的数目。在一九三六年十二月，苏联决定训练十五万个飞行战斗员，自此以后，就以极大的勇气和决心向着这个目标进行，那训练的组织是大大地扩充了。这新的伟大空军的第一队，据说已于一九三七年末到一九三八年初完成他们的训练，从而加强了红军航空人员的后备队伍。从这个目标可以归结说，红军领袖们打算以一万二千架到一万五千架的飞机来从事空战，并且对于每一个战斗员驾驶员等，将有五个有训练的后备。两种权威的估计，甚至还认为超过这些。德国军事机关杂志《国防力量》（*Wehrmacht*）估计一九三七年红空军的力量为一万五千架到一万七千架飞机，还有捷克农民党在布拉哈的机关报 *Venkov* 根据苏联飞机工业以前的力量以及最近生产的增加，估计在一九三八年中，红空军的力量当达一万六千架飞机。

欧洲的军事专家都同意红空军不仅在数量方面是世

界最强的空军，在质的方面也是的。红空军是数量既多，而又有一等技术配备的，全然现代化的和进步的科学实验工作，都为苏维埃的飞机工业所应用。

布罗上校又说：

“世界上恐怕再没有别的国家，拥有这么一个实验站，试验室和训练中心的网状组织了，他们一切的努力，专门是为了发展苏联的空军，达于技术上成就最高可能的水准。”[1]

于是他又列举技术和科学研究机关的一个长表，这些机关形成了苏联飞机生产的基础。法国《时报》，它是不能算做亲苏的，曾赞美其中一个科学机关说：

“因了无数设备完全的实验室和许多拥有最新技术设备的工场集结在一起，这‘ZAGI’（中央飞机动力研究院）无疑是一个无匹的研究机关。我们希望建立法国航空工业未来的科学中心时，也能以‘ZAGI’为模范。”[2]

红空军在质的方面也有着很好的开始。在一九三五

[1] 见布罗上校在《军事学评论》上发表一文，一九三六年十二月。

[2] 见《巴黎时报》，一九三六年七月十三日。

年莫斯科庆祝劳动节的检阅中，有二百架战斗机能够保持每小时两百五十哩的速率。[1]几天以后，拉伐尔访问莫斯科，许多飞机以每小时二百六十哩以上的速率表演给他看。这些飞机的型式，代表着当时记录的成就。在一九三五年的上半年，世界上还没有一个强国拥有甚几百架的这样速率的飞机。在一九三二年，只是红军拥有着大量的重轰炸机。在一九三五——三七年间，红空军重新加以配备。在一九三五年，它有了每小时速率二百六十哩的大量战斗机（J15 和 J16 机），每小时二百五十哩速率的中型轰炸机（SB2 机），以及每小时二百二十哩速率的重轰炸机。第二年，又采用了更大效能的飞机：每小时三百哩以上速率的战斗机（ZKB19 机，原为霍克机），每小时三百哩左右速率的轻轰炸机，以及每小时二百五十哩速率的重轰炸机。

这些就是成就的记录，当别的国家每次以很少几队最新式的飞机供给他们空军的时候，红空军却大量的接受了这种飞机。前红空军总司令阿尔克斯尼斯写道：

“苏联大量生产的飞机，在速率方面要胜过主要资

[1] 见《巴黎时报》，一九三五年五月二十二日。

本主义各国的飞机。”[1]

苏联飞机已在西班牙内战的过程中证明了它的价值，它们胜过德义飞机的明白优势，已在一九三六年——三七年表现了。著名的美国飞行家劳特少校（Major Lord），他曾在大战中击落过二十二架的德国飞机，描写他在西班牙所看到的苏联飞机的特质说：

“他们的轰炸机都是坚不可破的飞行堡垒；它们是这样的迅速，又是这样的难以击到，它们空袭时，尽可不用战斗机的保护。至于苏联的战斗机，就我看来，也胜过所有各国派到西班牙去的同样飞机。”[2]

这也就是在西班牙的法国观察者的意见，包括战斗员和新闻记者。有两个建造飞机的法国工程师，一个在弗朗方面服务，一个在共和政府方面，都认为在西班牙的苏联飞机，要比其他所有的飞机来得优越。（他们的意见以备忘录形式发表于《巴黎午报》。法国飞行师贝里亚（Hilaire du Berier）以及法国右翼新闻记者如克列里斯和玻雷（Didier Poulain）等也都是这样的意

[1] 见《红星报》，一九三七年八月十四日。

[2] 见《日报》（*Le Journal*），一九三七年一月十八日。

见。法国现存最先进的空战权威亚孟哥特将军（General Armengaud）对这点也同样肯定地说：

“由于它们素质的优越，苏联飞机多少补救了西班牙共和政府空军数量的不足。”[1]

红空军装备的刷新，很快地进行着，据布罗上校的估计，在一九三七年春天，俄国空军有百分之五〇到七十五配备了最新的航空材料。[2]一九三六年十一月，在法国下院提出的关于法国和别国空军状况的官方报告，甚至说红空军的重行整顿，已于一九三六年中完成。这种重行整顿的速度跟欧洲别国空军迟缓得多的速度比起来，几乎是难以置信的。两种条件有利于苏联加速的发展：第一是苏联航空工业巨大的生产能力，第二是介绍新式机型所需要的较短的时期。劳特少校曾在西班牙向苏联飞行人员问到这一点；他后来告诉我们，在英法和美国，一种新式机型还在专家手中研究或讨论采用与否的时候，同样的新型飞机，却已大量地从苏联飞机工厂中装运出来了。

---

[1] 见《两世界评论》，一九三七年八月十五日。

[2] 见《军事学评论》，一九三六年十二月。

二　万吨装弹量

红空军的战斗价值，即攻击威力怎样呢？空军的攻击威力有一个数量的测度：即，它所能装置的炸弹的总载重，所谓装弹量（Bomb Salvo）。据法人那奎脱（Piere Naquet）在《巴黎午报》（*Paris-Midi*）上估计，当一九三五年春，红空军炸弹总载重为一千二百吨，义国三百五十吨，法国三百吨。作为绝对的测度，这些数字是早已陈旧了，但各别的比例却仍值得注意，因为在红空军技术大进步之前，这些数字已明白说明它控制了欧洲天空的霸权。在一九三五年春，一个非苏联的材料，已估计到红空军威力与别的欧陆强国的比例为三点五对一或甚至四对一了。

我们可以假定，如果一旦战争发生，就说是一九三九年，红空军可能有一万二千架飞机到空中活动。其中将有几架是重轰炸机和加重轰炸机呢？据法国航空专家波苏特劳说，单只莫斯科附近的一家工厂，每年平均可造七百五十架的四座引擎的重轰炸机，或每天两架。因此，在一九三七——三八年，这个工厂可制造一千五百架的重轰炸机。即使我们假定由于某种技术困难的结果，以致不能充分维持这个时期的平均数，然而事实却是，重轰炸机正在苏联分成二十吨和二十四吨两组大规模地制造着。而且，波苏特劳所说的工厂可决不是制造这种飞机的唯一工厂。有着一万二千架飞机的总共力量，再从其工厂的生产能力看来，红空军至少将有两千架的重轰炸机。红军参谋部的空战原则，一向注意重轰炸机和加重轰炸机的地位，而苏联的军事计划也指出平时必须制造大量的轰炸机，以作准备。因此，我们可以说，这种型式的飞机，是受着特别注意的。德国专家的材料曾说苏联轰炸机（TB3式）可以装载三吨的炸弹。所以，苏联轰炸机炸弹的总共载重将为六千吨。红空军还有若干的加重轰炸机，它的数目和载重是不知道的。一位法国军事专家，曾在一九三五年五月的《小日报》（*Petit Journal*）发表一文，宣称红空军拥有着好几队这种巨型的轰炸机，每架可以装载七吨到八吨的炸弹。据法国航空考察团团员所供给的确实情报，苏联航空工厂的生产，主要包括了轻型，重型和中型的轰炸机，还有一个德国专家在调查红空军的组织后，也得出同样的结论：

他甚至确定红空军的三分之二为轰炸机所组成，因为侦察机的任务，也尽可由轰炸机来担任，又因为实际上苏联的侦察机就都是轻轰炸机。[1]因此我们可以说，如果需要，红空军至少有一半可以当作重轰炸机用的。我们适当的假定是，如果战争发生，红空军将发动一万两千架的飞机，包括两千架重轰炸机，还有四千架则是别种轰炸机，中型和轻型的。这种飞机可载重〇点五到一点五吨，或平均每架一吨。他们的炸弹总载重因此达四千吨。所有各种轰炸机的炸弹总载重又因此达万吨左右，我们可以说，这个总数还是太低的。

实际上，红空军还有着某些后备，可以增加它的装弹量。炸弹还可由那些并非轰炸机的飞机来装载，虽不是整批大量的，例如战斗机和侦察机等。这种飞机每架可装载〇点二到〇点五吨的炸弹。这样，那六千架实际并非轰炸机的飞机，便可以装载各种补充的炸弹约一千五百吨至二千吨。另一种可能乃由大运输机来装载炸弹，这运输机是红空军技术和战略的特点。红军有一种空中

[1] Lieutenant Colonel von Harbon :《防空浅释》，见《军事学评论》，一九三六年十二月。

步兵有力的新兵器，这是举世周知的。把远征军运送到敌人战线后面，或离他们很远地方的计划，是红军战略所要采取步骤的一部分，这种计划的实施，是已经在理论上，技术上和实际上审慎地准备着了。

当然，红空军有着足够的运输机，可供几个空中步兵师之用。空中步兵师及其所有装备和军需品的空中运输，需要着几百架飞机，红空军在战时将有这种飞机一千架到两千架。这种后备机无疑包括了民用机的一部分以及比较旧式的第二线轰炸机。一架巨大的军事运输机是一架潜在的轰炸机，例如在英国，这种飞机自始就为了两种目的制造的。如果红空军所属大量的第一线战斗机和轰炸机控制了天空，那么，这些军队运输机和速度较慢的轰炸机，也就可以作为轰炸机之用。红空军总共的轰炸量，因此又可增加了一千到二千吨的载重。

红空军万吨的炸弹总载重，等于是一九三五年初对它估计的十倍，也是当时法义空军估计的二十五倍。这样一支空军的攻击力，几乎是不能想像的，现在还没有判断的经验基础。我们以前所有的经验是：世界大战，义国征阿（比西尼亚）战争（在全部战争历程中，只投了一千五百吨到二千吨的炸弹），以及最近所有的空战演习。新的技术和战略的能力，已发展到极大的程度，已决不是空战理论创作者杜埃将军在十年前所能想像的了。他只能运用当时义大利空军（它的炸弹总载重是二百五十吨）的实际基础，我们现在所讨论的有力的空军，是准备立刻控制天空的。它有着一个审慎准备的作战基础。布罗上校很准确地指出红空军战略上基本重要的一点，就是，应该办妥一切必需的准备，以维持各添换部分和机器的供应，特别是燃料：

“为了保证必需的供给，所有第一线的部队都已在平时有了充分的供给，这样，一旦战争发生，就有一个时期可以不必从根据地去取得必要的补充供给。地下贮蓄池的大量贮藏，保证了燃料油和机械油的充分供给。……由于那空军所用最小的机件都已有准备，因此一当宣战或甚至以前，空军就可以立刻派遣大队飞机出动作战。”[1]

---

[1] 布罗上校文，见《军事学评论》，一九三八年十二月。

三　空中战争的战略

这种巨大战斗力的造成，是依据了空战的确定策略，它的应用，则将依据这种策略的战术原则。红军战略不同意杜埃的理论，以为空军是唯一决定的兵器，以为空中战争代替了其他各种的战争。红军战略是要把空军的技术效能发展到最高点，同时又不减弱普通的陆上军力。红军战略反对空军即一切的理论，但同时却又决定充分利用它的作战力。空战有两个基本的方法：

（一）空军单独作战，以打击那离敌人前线很远的重要中心；

（二）空军与陆上军队联合作战。

空军的这两重目标，必需它拥有大量的飞机，以在作战上，在地域上扩展它的应用。

“那空军能够进行长距离战争而在它们根据地七百哩到一千哩外作战的问题，现在已记在备忘录上了。”苏联《红星报》这样说。那指挥空中独立作战的兵器，在苏联创造得最早。这兵器是重轰炸机和加重轰炸机，这种飞机可以在一个广大的区域中应用，一个二千哩的活动半径（Radius of Action）在今天是不算什么的。这种飞机的任务是摧毁敌人的工业中心和交通线，破坏它的经济生活和运输组织，使它的动员不可能，并割断它的前线和后方的联络。空中独立作战是特殊进攻的行动。关于空军的这种任务，红空军副司令区理宾曾写了如下的意见：

“从事现代战争而不进行空中的独立作战是不可能的。一切陆，海作战的成功，都要靠空军有效的活动。航空技术和军备的最近发展，证实了这种论据，因为它给予空军以独立作战的充分可能。高度速率的发展，使空中防御处于很困难的地位，甚至包括了战斗机。轰炸机有效作战的高度，是在高射炮的射程之上，而且，当飞机以每小时二百五十哩到三百哩的速率飞行时，要打中是很例外的。因着飞机战斗能力的迅速增加，它的作为防空方法的重要性却相对地减小了。”[1]

从这里，红空军得出了明白的结论：主要重心应该放到使空军成为进攻兵器方面去，特别是可以深入敌人领土作战。这种作战的兵器是重轰炸机和加重轰炸机。

[1] 区理宾：*The Air Force in Action*，见 *Voina i Revolutsia*，一九三五年一——二月。

这些努力得到怎样的成就呢？一九三四年秋天，当时红空军还没有经历数量和技术的巨大发展，区理宾在答复克列里斯提出的一个问题时，曾宣称柏林和德国西部的工业中心以及日本西部的各城镇都在红空军的轰炸圈之内。从那时以后，红空军轰炸机的数目增加了三倍，它们个别的炸弹载重增加了两倍，它们的速度和活动范围至少增加了百分之五〇。

除了独立作战以外，空军在苏联被当作陆战的一种平常兵器，当作是一种高度流动的军器，可以与坦克大炮联合运用，等于是一种空中的大炮。我们曾看到一个苏联空军决胜的实例，即西班牙瓜达拉迦拉之役。国际军事专家一致都说在这次战争中，政府方面的空军最初曾在毫无陆上军队支持的情形下，打退了两师的义国摩托化部队，冲散它们，并驱逐它们仓皇逃走。在这次教训以后，法国空军机关杂志论述苏联空军的战斗素质说：

“关于苏联飞行人员的冷静，自信和驾御飞机的纯熟技术是毫无怀疑的、批评的。苏联飞机队的动作证明了他们能够机动作战，证明了他们对于低空的活动曾受优越的训练，证明了那空军司令能以伟大的能力领导他们。”

依照红空军的战术理论，空军必须在战争中大规模的应用。在战争中，它的战术任务是从上面去接近敌人，树立天空的控制权，从没有保护的天空方面攻击它，并截断它的交通线。空军应该发动战争，而在防御或进攻的所有阶段中尽其积极的任务，它又必须作为一种变守势为攻势的有效武器。照红军现行战术理论看来，空军是一种战略主动的兵器。

一个著名的苏联军事作家说：

“大队战斗机的威力，无疑是战争中第一机动的纵队。”[1]

空军另一种很重要的任务，是运输空中的步兵，无论降落伞员（Parachutist）或普通的陆战队，在与空军合作之下，这新的空中步兵已成了红军的一种兵器，为任何国家所不能匹敌。苏联无疑已有好几师这种有训练的空中步兵，以准备应战。因了这种新兵器的特殊的战术任务，空军能够把战争带到敌人前线的后面去，甚至

---

[1] G. Isserson：*The Evolution of Operative Tactics*，俄文版，莫斯科，一九三二年。

深入敌国的中心。据德国材料的估计，红军拥有七万个有训练的现役的降落伞员，和五十万空中步兵的后备。这种人员德国只有一大队，而组织第一团空中步兵的准备，还只在一九三八年的秋天才开始。

红空军已成长到这样的强度，它现在代表着欧洲一个重要的军事因素了。两种可能已经存在着：

由于空军的增强，红军已树立了它在欧洲的天空霸权；由于这飞行的开始，红空军已成为苏联在欧洲的军事优势的重要构成部分了。

国外权威界严重地估计苏联在欧洲树立天空霸权的可能。甚至在一九三五年，布罗上校写道：

"不到几年，俄国飞机也许将达一万架，那时候，它的力量，将不是一个空军强国，或许多空军强国的联合力量所能对等了。"[1]

我们现在知道，红空军已于一九三七年达到这样的力量。一九三四年秋天，克列里斯说：

"俄国空军代表着西方一个很重要的因素，一个能尽决定任务的因素。从理论上说，这种任务的重要性，

---

[1] 布罗上校语，见《军事学评论》，一九三五年十二月。

必随空中技术能力发展而增加。……有朝一日俄国将达到控制全欧天空的地位，这日子也许并不很远了。”

自从那些话讲过以后，红空军经历了一番技术的革命，而成为一支大规模的空中陆军了。

四　坦克车团

坦克车形成了红军陆上进攻力量的核心，它有着全军普遍摩托化的支持。全军的流动性，因此几乎是跟坦克车团相等的。跟摩托化步兵，机械化炮兵，现代化骑兵和空军在一起，坦克车团形成了红军流动的部分，实际上的冲锋队。关于苏联的坦克车，有的是卓越的外国专家们的明证。在一九三五年基也夫演习以后，法国军事考察团领袖洛旭将军发表谈话说：

“一讲到坦克车，我想应该把苏联放在第一位。红军有着各种大小和形式的坦克制造厂，从敏捷的小装甲车起到坚不可破的陆地装甲巡洋舰为止。这造成了各种作战活动和一切兵器合作的广泛可能。你们的坦克厂确乎是可惊的。老实说，我希望我们也有这样好的一个。”[1]

古德林将军在德国陆军机关杂志上写了下列这样的话：

“俄国人有了普遍的商业汽车和坦克车最好的外国模型。他们买得福特，卡登劳合（Carden-Lloyd），维克斯，莱诺和克列斯底各厂的专利品，以适应他们自己的用途。他们大量地生产最优良和最现代化的摩托车，他们训练他们的军队，使能纯熟的运用这些工具，他们又使他们战术和作战的目标，适应于这些军队的行动。一九二〇年布登尼（Budienny）的骑兵队在一九三五年已发展为伏洛希罗夫的坦克车团了。……一万辆的坦克车，十五万辆的军用曳引机以及十万辆以上的各种摩托车，已把红军放在欧洲摩托化的最前面。英国和法国是落在远远的后面了。”[2]

有许多别的德国材料，如《新军事科学手册》（*Handbuch der Neuzeitlichen Wehrwissenschaft*）和《知识与国防》（*Wissen und Wehr*），估计红军在一九三五年坦

[1] 见《红星报》，一九三五年九月十七日。

[2] 见《军事学评论》，一九三五年十二月。

克车团的实力为一万辆。在一九三八——三九年，我们必须估定这数字已增加两倍。这是由于苏联军事人员增加三分之一的结果，由于军队中现代化技术资源激增的结果，以及最后由于突击军加速而有力发展的结果。两万坦克车总数似乎是一个太大的数目，我们似乎记得大战时几次最大规模的战役中，如喀姆布莱（Cambrai）附近和亚眠的战役，协约国列强也只有用了四五百辆的坦克车。然而这可决不是一个幻想的数目，因为即使当大战的时候，协约国司令也曾准备了三万辆的坦克车，以应预计的一九一九年春天的总攻之用。据现代坦克战争著名理论家爱曼斯贝格的意见，一个坦克军要集中力量达到突破的目的，必须拥有五千辆的坦克车。如果战争爆发，红军参谋部大概想在西线运用这样的两支坦克军，一支在西南线，一支在西线或西北线，但同时，苏联的步兵和骑兵也有坦克车的辅助，此外自然还有后备的坦克车，因此，估计一九三八——三九年有两万辆的坦克车，实在一些也没有夸大。德国军事家说到坦克车的大队运用时，举的总常是红军演习的例子。

关于红军坦克车团的组织和性质，洛旭和古德林的观察是一致的。至于量的一点，苏联在这方面的生产能力实属无限，因为把曳引机的制造改变为坦克车的制造，是一件比较简单的事情。坦克车不过是一种特制的装有兵器的装甲曳引机，而在一九三七年，苏联制造了不下十七万六千辆的曳引机，大规模的曳引机工厂，已把普通车轮的曳引机，改成各种环带牵引的轮轨了。在苏联军事报上发表的陆军司令们的报告，公开说明在怎样环境中，他们采用维克斯式的坦克车，在什么时候，又应该用克列斯底式的坦克车，这两者都是现代化军事技术的最高造就。克列斯底式坦克车在平路上的速率是每小时六十哩，在田野间则为每小时三十五至四十哩。这种坦克车可说是精确和流动的模范，它代表着红军的标准模型之一，红军已拥有甚几千辆的这种坦克车了。同时，红军还是世界上拥有大量中型和重型坦克车的唯一军队，那些坦克车可用以冲锋陷阵。据德国专家的证明，在一九三六年初，红军有一千五百辆的重坦克车（M型M2型），M型重三十吨，M2型重三十三吨，每辆装有一尊七十六公厘口径的大炮和几架机关枪。[1]据法国坦克战专家贝利少校（Perre）的意见，红军是世上唯一大规模采用重坦克车的军队。[2]红军拥有大量的世界最有力的坦克车。法国陆军也有同型的坦克车，但只是小数，而且据德国军事专家的意见，俄国突破式的重坦克车，要比法国的好得多。它有着更强的装甲和四倍的速率。这种俄国的模型（TG-5/T）重一百吨，速率每小时二十五哩，坦克车手八人至十人，装有一尊十公分半口径的大炮或六吋口径的曲射炮，二尊三十七公厘口径的大炮，二架重机关枪和两架同样大小的高射机关枪。这样，它几乎具有一座机械化炮台的火力。在西班牙内战中应用的苏联中型坦克车，在构造、军器和火力方面，都大大地胜过德义的坦克车。

莱诺说：

“一般的意见，都认为那重三吨的十公厘厚甲铁板的斐亚·恩萨尔都式（Fiat-Ansaldo）的义国轻坦克车，远不及那重九吨的十三公厘厚铁甲板的俄国T26式坦克

[1] 见 *Wehrtechnische Monatshefte*，一九三六年八月。

[2] 贝莱：*Chars de Combat*，巴黎，一九三七年。

车，比那二十吨重的二十公厘厚铁甲板而又有四十七公厘式或三十七公厘口径大炮的俄国T28式坦克车，更是不如。德国也开出一二辆轻型坦克车来，可终于不得不归到同样的结论。”[1]

法国著名军事专家如比罗纽（Andre Pironeua）和玻雷（Didier Poulain）也表示了同样的意见。现在，这不仅是一个说重坦克车胜于轻坦克车的问题，那是当然的；而是说红军拥有比德义两国好的坦克车，他们只有很少的中型坦克车和重坦克车，实则义大利简直没有。

红军也是世上拥有大量水陆两用坦克车的唯一军队，它并且把这种坦克车编列正式的队伍。这种特殊型式的坦克，自然是用作实施特殊战术的任务的。

红军的坦克车可以在任何情势中应用，并与各种兵器相合作。他们可以实施侦察的任务，如装甲斥候车，水陆两用坦克车，和雌性装甲战车（Whippet）。他们可以加强步兵的进攻，他们是有机地附属于步兵队的。在这种情形之下，他们受着步兵司令的指挥，他们的任务是向前冲。破坏敌人强固的据点和机关枪部位，攻击敌

[1] 莱诺:《法国军事问题》(*Le Problème militaire français*)，巴黎，一九三七。

人的炮队，以及摧毁铁丝网或任何足以阻止步兵前进的障碍物。普通，在每一公里的距离中，应有十辆步兵的坦克车，所以在西线，苏联至少须拥有这种坦克车六千辆。这些都是轻型和中型的坦克车。骑兵队需要轻坦克车和特别迅速的坦克车的辅助。坦克车团的主要力量，都集中于那准备长距离作战的坦克部队中，进攻敌人的侧翼和后方，或实施一次大规模的突破，即，大规模的多少独立的军事行动。克列斯底坦克车特别富于流动性，就是为了这种目的而造的。前红军机械化部队司令曾描写这些克列斯底坦克为机动的坦克车。

坦克车部队，即俄国人所谓机械化部队，已成了红军的一种特殊兵器，它们甚至纯在数量方面也占了很重要的位置。据德国人的估计（见《德国国防》杂志），红军有二十五个坦克旅团，而据日本人的估计（见日本后备军官协会所出小册），则红军有十五个坦克大队，和五十个小队。这两种估计都是就一九三五年的情形而言的。照红军参谋部的意见，坦克车不是一种可以单独使用的兵器，因此对于英国人的坦克车理论是严格拒绝的。在红军中，坦克车的使用符合各种的军略，并和别的部队相直接合作。[1]

前任红军参谋长的副官，现任高射炮队司令西狄金（Sediakin）写道：

“英国军队在亚眠附近的胜利，全是出于步兵，炮兵，坦克车和骑兵的一致合作。这些部队中，没有一个部队比其他的部队重要些。”[2]

在以前，他还在同一刊物上写道：

“如果没有炮队，工程队和化学部队等有组织的支持，大队坦克车的进攻也许是要失败的。”[3]

因此，在红军中，坦克车是一个核心，新的和联合的部队，都组织在它的周围。“摩托机械化部队”这名词，在苏联军事术语中通行起来。它的意义就是把坦克队，即机械化部队，跟摩托化的步兵队相联合，而以步兵随在坦克的后面，相互合作着。坦克队也训练着与骑兵密切合作。红军注意这种合作训练的问题，在欧洲各国军队中要算最早，因此，它对于这种从事战略进攻部

[1] 却里普斯基（I. Chalepski）：《现代军队的机械化和摩托化》，见《布尔雪维克》，一九三五年七月十五日。

[2] 西狄金文，见 *Voina i Revolutsia*，一九三四年十一——十二月。

[3] 西狄金文，见 *Voina i Revolutsia*，一九三三年一——二月。

队的训练，就具有更多的经验。早在一九三四年年初，伏洛希罗夫在联共大会中宣称红军已在密集摩托化的基础上，组成完全新式的军队，那是任何军队所不知道的。这些部队的特点是什么呢？苏联军事刊物批评英法陆军改革者孚拉（Fuller）和高卢（de Gaulle）所提出的关于摩托化突击队的计划。它宣称这种部队在组织机构上必须是固定的，但由于其中各种部队相互倚赖过密，因此就很少伸缩性和流动性。它又提出了怎样避免这种缺点的意见：组织一个坦克后备队，听受最高司令的指挥，随时随地候令出动；有组织的将坦克编入步兵队和骑兵队中；最后便是造成必要时迅速变更几种部队联合的可能性。一九三六年在白俄举行的秋操，证明红军领袖们已控制了运用流动部队的方法，使这部队在各方面受坦克车的支持。

在世界各国军队中，那摩托化和机械化部队决没有像红军中的同等部队负了这样广泛而决定的任务，依照苏维埃的作战原则，战争的决胜步骤和敌人阵线的突破，只有靠了摩托化部队才能完成。从这里也就容易了解红军的所以实行普遍摩托化的战略上的理由了。高速度坦克队的后面，紧跟着摩托化的步兵队，它要占领敌人的阵地，深入敌人领土作战，把他们所有的后备队统统消灭。这样，全部战局就在继续不断的行动中发展着。

大规模的摩托化，支配了东欧的地理环境。世界上最强的摩托化军队，现在正集中于东欧，那是一个具有极度流动性巨大火力和可惊的突破力量的军队。一九一四年流行的俄国蒸汽滚路机的比喻，在当时是一种夸大；现在可决不是了。这是明白的真实，代替那比喻的蒸汽的，现在确已有了供给发动力的内燃马达了。红军拥有着几万辆的坦克车和几十万辆的各种摩托车，它是一当战争开始就能直前迈进的。

五　赤骑兵

德国军事刊物宣布骑兵的复活，已经有好些时候了。德国著名军事专家如勃兰脱将军（Gen.Brandt），科钦霍森将军（Gen. Kochenhausen），朴赛克将军（Gen. Poseck）和《军事周刊》等，都一再宣称那摩托化的时代，是能够而且必须恢复这光荣的兵队的。他们认为在现代战争中，要使用骑兵，应该具备两个条件：

骑兵必须大队的使用，而不能仅用小队；

骑兵必须装备现代战争最新的兵器，并须经过特别训练，以与坦克车相合作。

这种德国的军事理论，是从红军的日常实验中发展出来的。德国军事专家在理论上所提示的，都已由红军实施着。在内战中，骑兵占着重要的地位。内战时骑兵领袖（后任总监）布登尼说：

“在全部内战历程中，我们可从骑兵的使用方面看出两种显著的倾向：

（一）竭力使用大队的骑兵；

（二）使用含有战略性的骑兵以达决胜的目的。”[1]

骑兵是红军最重要的进攻兵器的一种。我们可以说，在今天现代战争的条件下，唯有红军大规模的使用骑兵。在平时拥有骑兵队三十四师和二三个旅团（每旅团包含骑兵两队），苏联骑兵实比德、法、波、义和日本骑兵的总和还强，在西方，英法的骑兵正在完全去除马匹而把它改成轻便的摩托化部队，大队骑兵只有在红军中仍

[1] 见《布尔雪维克》，一九三五年，第四号。

完全存在，并依然保持它自己的特殊任务。至于素称欧洲第二的波兰骑兵，只是摩托化的一种替代品；在红军中，骑兵却代表着一种与摩托化部队合用的补充部队。

赤骑兵有双重的作用：

它可以用作一种进攻的独立兵队，在这样情形下，它就成了跟它合作的所有部队的中心。一九三四年《战地服役规程》里说：

“那战略性的骑兵拥有大量的兵器和技术的配备（如机关枪，大炮，坦克车，装甲车和飞机等），它是能够独立担任作战的各项任务的（如进攻，防御，侦察和袭击）。”

这种意见，在苏联的军事刊物中有着更明白的解释：

“在未来战争中，骑兵将担负很重要的责任。骑兵队在飞机，坦克车和装甲车的有力支持之下，应完成机动战略的任务；大规模的包围敌人，攻取敌人最重要的军略，经济和政治的中心；还有战术的任务；最后分解和破坏败退的敌军。”[1]

---

[1] 见 *Voina i Revolutsia*，一九三三年九——十月。

这是当邓尼金（Deniken）军队在内战中被击溃的情形，也就是俄波战争中的情形，当时红军在西南线的主力是骑兵，而由薄弱的步兵队辅助着，自然，当时的骑兵是处于很低的技术水准。今天，红军却已有了更多的大队骑兵，准备行动，他们都有最高军事技术的装备。这样的大队骑兵，实是东欧地理环境中一种最有力的进攻兵器。苏联著名军事理论家斯维钦很准确地指出：

“骑兵没有固定的价值，但当作战地方的地理环境，必需骑兵出动的时候，才显出它的价值来。”

当一九三六年在俄罗斯西部举行秋操时，骑兵曾一时成为军队的核心，而由坦克车队和飞机支持着，这表现了未来战争中各种兵队的新联合。除了坦克部队和摩托化步兵以外，红军还有着有力的骑兵队，一种冲击用的最流动的兵器。

同时，红军的骑兵还受过训练，与坦克车相密切合作，在那摩托机械化部队的决胜行动中，也有着它的地位，跟着坦克冲锋前进，占领既得的土地和廓清敌人的阵营，是骑兵的任务。它必须避免予敌人以明显的目标，它又必须非常之流动，当坦克车摧毁了敌人密集的炮火，它就当进而攻击敌人的人力。在这样的联合作战中，可以迅速实行对敌人的追击，而且马上可以成功。

红军指挥官克列伏新（Krivoshein）曾写了一本书，这本书被译成德文，引起德国军界的震惊，认为这是现代战术中的创作。这本书里有一段说：

“单就骑兵说，追击败退的敌军，是机械化部队最有成效的工作之一。骑兵的极大流动性，再辅以坦克车的冲刺和机动的能力，因此，这骑兵和机械化部队的混合，就成为一种最有效的追击工具了。”[1]

红军已重新振刷了骑兵；那平原上的骑士，现在是挟着现代化的装备，跨上他的骑座，而与机械化部队并列在一起了。

六　大炮和化学战

红军炮兵的水准固然很高，它的数量也是很大的。据德国和波兰材料[2]的估计，在一九三五年，红军共有

[1] 克列伏新：*Taktik Schneller Verbände*，德文译本，一九三四年。

[2] 见德国 *Die Rüstung der Welt* 和波兰 *Przeglond Artilleriski*，皆军事杂志。

轻炮队一百团。据国际联盟的统计，红军在一九三一年拥有重炮队三十团。一九三五年初，苏联当局在第七届苏维埃会议中报告，称红军重炮队的力量从那时起已增加一倍。我们可以说，从一九三五年到一九三八年，因了苏联军事人员的普遍增加和一般军备的增强，苏联的炮队力量也必有更大的增加。因此我们可以估量自一九三七年到一九三八年，当有重炮队六十团到八十团。在世界任何军队中，红军无疑地拥有着最大集中的各项炮队，至少比那占世界第二位的德国炮厂强过两倍。在一九三八年九月份的《军事学评论》上，刊载着一篇评论列强炮兵的文字，照它的数字估计，红军的炮厂，比法、英、义、日和波兰等国的炮厂总和还要大。据玛金上校（Colonel Makhine）在其所作《红军》（*L'Armée Rouge*，一九三八年巴黎出版）一书中的估计，红军在重炮方面也占着同样的优势。

质的问题自然是最重要的。照外国大炮专家的观察，苏联大炮的质地确乎已达最高的标准，而红军高级军官庞达（Bondar）师长说红军大炮有着最远射程的话，似乎是确实的了。[1]让我们讨论一下大炮的三种主要型式。红军所用的七十六公厘口径的野战炮，具有十三公里的射程，而德国七十七公厘口径的野战炮，却只有射程十公里至十一公里，这还是一九三四年年底的事情，那时英国维克斯·埃姆斯特朗（Vickers-Armstrong）工厂还没有制成射程十三公里的野战炮。苏联对坦克炮（Anti-Tankgun）的口径为三十七公厘；它的射程却比英国维克斯四十七公厘口径的对坦克炮来得远；前者为七点二公里，后者为六点八公里；比瑞典新出波福斯（Bofors）式三十七公厘口径对坦克炮更远，它的射程只有六公里。苏联的一〇五公厘口径的高射炮，有着欧洲任何高射炮中最远的射程，即曲线射程十八公里，直线射程十三公里，而瑞典波福斯式的同样口径的高射炮，那是最精最新的一种型式，却只有曲线射程十六公里半，直线射程十一公里。苏联高射炮的发射速度，也比别国的来得大。

至于摩托化，红军的炮队无疑又占第一位。它的重炮，对坦克炮和高射炮都已完全摩托化，而中型和轻型

[1] 见《红星报》，一九三六年十二月八日。

的大炮，也部分的摩托化。这样，炮队的普遍摩托化，符合了红军一般摩托化的高度水准，而与机械化部队和摩托化步兵相并进。红军对于特殊的轻型炮队最加注意，例如对坦克炮队和高射炮队等。高射炮队配备了各种口径的炮，包括了四十七公厘的，七十六公厘的，八十公厘的以至一〇五公厘的。打坦克炮的炮团也已经组织起来。从红军中现行每一个打坦克炮队已知的配备程度算起来，那对坦克炮的总数常达一万。

红军特别注意炮兵的训练，并灌输狙击的原则，以达到最准确的瞄准。关于一九三五年炮兵的进步《红星报》曾这样说：

“炮队中现在有了巨量的打坦克的狙击炮，如果跟一九三四年相比，这种炮的数目足足增加了好几倍。”

讲到高射炮队，该报又说：

“射击在高空中以极大速率飞行的飞机，进行黑夜的射击，以及以迅速变动的射程对活动的飞机施行射击等等，都由高射炮队每天实习着。”

用大炮作为攻击的兵器，把它输入流动的突击队，并在现代战争中充分利用它，在这些方面，红军的进步也超过欧洲的任何军队。红军炮兵曾受严密的训练，以使它的行动跟坦克部队和空军相一致。新订炮兵的《野战训练指南》和《战术教范》，就是专门为了把重炮的巨大火力集中于特种的部队，以收得“长距离的效果”。

好几年来，红军也有了一个化学部队，技术上和组织上都极为进步。德国著名的化学战争理论家韩斯莱（Hanslian）早在一九三三年说：

“俄国人有系统地发展了他们化学战的部队，并且已顺利地把这些部队编入于他们军队的一般组织中。”

可注意的是当德国专家要替足为模范的化学部队举一个例子时，它就提出红军来。苏联的化学兵，都组成了特种的分队，并有经验丰富的化学师随军出发，以便随时警告那里是布满毒气的区域。无疑地，苏联化学部队都很熟悉现代化学战争的所有方法，并能彻底把握现代战争中使用化学兵器的手续，如用大炮和曲射炮放射毒气弹，从蓄气器中散放毒气，施放含有砒素的烟雾，以及用飞机散放各种毒气，加掷投毒气弹，喷射液体毒气，施放烟幕，利用器械和化学地雷使全区布满毒气等，最后，是化学部队的摩托化。一个波兰军事杂志

Przegoland Piechotny 曾经说："在未来战争中，苏联将用大量的化学兵器来作战。"它又说在红军所用的许多化学兵器中，有各种致命发泡的和降低温度的毒气。毫无疑义，红军化学部队的组织和技术，比欧洲任何国家的军队更来得发达。德国的化学工业比苏联的化学工业生产得多，但在这样的情形之下，红军依然有两种胜过德国的便利。第一是红军化学部队的发展比德国来得早，因此它有更多的经验，第二是它拥有伟大有力的空军，化学兵器本身并不是很有效的，大战时候所使用的散布毒气的方法是十分的幼稚，而且全靠风向和气候。要使敌人彻底受毒气的影响，那就需要一种"媒介物"：大炮或空军；但用大炮作为毒气媒介的方法，却已不及飞机的重要。苏联军事界最早认识这事实，它指出在未来战争中，只有在飞机和化学部队不能运用的地方，才用大炮来散布毒气。在未来战争中，毒气战的优势未必属于那能够制造最多毒气的一边，而属于它的空军能够在敌人前线和后方散布最多毒气的一边。今天，化学战已根本成了空军的事情。谁占着空军的优势，谁就能最有效地用毒气来破坏它的敌人。

对于红军的配备作了详细而客观的考察以后，我们就可以明白那认为红军只能采取防御的行动，因而不是一个有价值的联盟者的这种观念，是何等的错误。相反的，现代化攻击的兵器，是红军配备的核心，是它的特长，正像大战时重炮和步兵是德军的特长，野炮战和炮垒是法军的特长一样。红军还有一部分特长，就是能够把这些所有的攻击兵器，联合使用。在白俄罗斯，基也夫，和莫斯科各军区的秋操中，表现了各种部队联合行动的许多方式，这些方式或为别的军队所不知道，或仅属理论上的空谈，例如坦克车和飞机大规模的联合行动，骑兵和摩托机械化部队大规模的合作，以及一个有力的流动突击队中各种分子如空军、坦克队、骑兵和摩托化步兵等的一致合作。

第四章　红军的战略

一　地理环境、技术和数量

在红军中，苏联军事领袖们拥有着一种伟大攻击力的兵器。它究竟将怎样和在什么地方使用？

军事力量在战略上的运用，大部是由一国的军事原则决定的。这样，战略便成了军队的一个重要构成的部分，事实上是军队控制的原则。红军的战略是数量、现代化军事技术和东欧地理环境的一种机能。这些都是它的先决条件，是它构成的物质因素。在技术上和训练上适应东欧地势的特点，意思就是流动性。因此，红军已具备了拿破仑认为一个军队力量所需要的各种因素："数量 ×（乘）流动性"。西欧各国的参谋部，在作战时没有同样的数量，也没有同样的地理条件，这就说明了战略原则的区别。地理条件的不同，也许比数量的不同更能决定这种差异。义国格兰绍利将军，曾密切注意红军初期的迅速成长，对于地理条件在战略上的影响，也曾作准确的估计，他论红军的战略说：

“几乎到处是无尽的平原，又缺乏任何强固的军略据点，这便决定了这种动力论和广大的运动战，但这可迷乱了普通欧洲指挥官机械的观念。”[1]

红军为要适应东欧的地理条件，并控制它们，结果使战略上起了革命。这种革命，将使欧洲全部政治和军事的形势，发生影响。

旧时俄国的战略是死亡了，新的俄国战略在各方面都跟它相反。旧俄军队在日俄战争和大战中的惨败，不仅是由于它在技术上的落后，也由于它柔弱寡断和不负责任的领导。自一八七七年俄土战争以后，俄国军队从未实施一种攻势的战略。在大战中，俄国的战略，竟不能利用它所具有取胜的条件：超过敌人的数量上优势，和广大空间的控制。

有两个因素，曾使现代苏联战略的发展，受到革命

[1] 见《法国时报》，一九三四年十月十四日。

的影响：即内战的教训与现代化技术的可能。义国格兰绍利将军曾指出内战是新军领袖们最好的学校；它使他们把军队从陈旧的军事教条中解放出来，并发展了一种果敢的运动战略。内战时期的红军战略，只是为了应付当时的需要而匆忙拟定，它的军事技术是落后的，它的行政组织是草率的，然而红军的战略，却还是大大地胜过旧俄军事领袖的战略。如一九一九年秋天对抗邓尼金，在奥立尔（Orel）和服洛涅日·卡斯妥那耶（Voronesh-Kastornaya）附近的两重突破，如一九二〇年年底在克里米亚（Crimea）包围兰吉尔（Wrangel）的行动，又如一九二〇年六月在基也夫附近大规模突破波兰的阵线，都表现了战略上极大的奋进，而且，在这几次战役中大规模使用骑兵的方法，也在战史上有了它的地位。

后来，红军对于现代军事技术的控制，给予了那新的和动的军事进攻原则以有力的物质基础。红军的战略也许是欧洲第一个发展了未来战争的理想，现在，它自己已从现代军事技术的充分利用，来策划军事进攻的战略了。红军配备了现代化的技术资源，强大的空军和摩托机械化的部队，比欧洲任何的军队要早好几年；而它的战略，现在正在新经验的基础上发展着。红军战略的当前任务，就是要实现军事技术的革命，而把它变成作战策略的艺术。

二 战争艺术的革命

红军的战略，有它自己一致的指导原则，它们都规定于一九三六年草拟的《野战服役规程》中，而于一九三七年二月开始实施。

红军的战略，确乎是一种消灭敌人战斗力的战略。

那新订的《野战服役规程》里说：

“红军的军事行动，将以摧毁敌人为目的，在任何被迫的战争中，苏联的基本目标，将是取得决胜，并完全倾覆敌人。……”

“敌人的阵地必须深入占领，然后包围它，消灭它。”

这并非只是空文。消灭敌人和作战成功的理想，固然可以在任何军队的《野战服役规程》中找到，甚至在日本和波兰的军队中也有，它们的进攻资源是异常之贫弱。然而红军战略所拟定的方法，却完全符合了红军的物质和技术的资源。红军参谋部的彻底痛击的战略，以现代化进攻兵器的效能为基础，它造成了这样决胜的一切条件。现代化进攻的兵器，使较大的强国占了更大的优势，那决非以前战争的情形所可比拟。如果一个侵略者在空军摩托机械化部队，和摩托化重炮队等方面都占了确定的优势，那被侵略者是无法抵挡的；他难以保护他的侧翼和后方，他最后的失败，必将是完全而绝对的。拿现代化的兵器来实施战略上的进攻，必须要有一种以前所未有的勇气和激刺。跟未来的坎泥（Cannae）之战比起来，丹能堡战役只能算是儿戏。红军战略很注意到现代化进攻的兵器，已根本改变了作战的性质。突破，包围和沿重兵线的攻击，在将来当以别种方法来实施，以不同的速度，产生不同的结果。依照现在摩托化的军队，现代空军的威力和激增火力的情形，可以实施比以前更大规模的包围，更深入的突破以至更迅速的达到最后的决战。敌人如果被迫后退，他就不能逃避飞机和机械化部队的追击，他跟后方的交通将迅速的被切断；包抄运动必将迅速发展成为包围；而使他从失败归于最后的消灭。大规模而有秩序的撤退，像一九一五年俄军在前进的德军之前的撤退，和一九二〇年波军在前进的红军之前的撤退，在将来的战争中是不可能的。红军战略抛弃了旧时进攻和防御兵器的对照，同时也抛弃了进攻和防御战术的对照。它已恢复了克洛塞维支旧有的原则，认为有效的防御只不过是准备有效的进攻。现代战争的兵器，都是锐不可当的进攻兵器，防御作战要由进攻的兵器来进行，一个著名的苏联军事杂志曾经说[1]，防御的军队，必须握有进攻军队所有的兵器。现代的兵器使防御比进攻占更大的优势，而造成了一种“迅雷不及掩耳”的反攻可能，红军的战略，就认为对敌人包抄运动的任何企图，应该拿全付决心和力量的反攻运动来答复，以摧毁那准备包抄的队伍，而从侧翼或后方予它以决定的集中的反击。

那实施决定的打击所需要的优势，必须靠兵力的集中来造成，新订的《野战服役规程》宣称：

“要到处分配同等强的兵力是不可能的。为了保证成功，军队和军火必须这样的分配：就是取得决战点的优势。在次要的部分，需要的是足够的兵力，与敌

[1] 见《战争与革命》，一九三四年十一——十二月。

人相持。”

至于造成这种优势的目的，规定如下：

“只有在决战点实行决定的进攻，并继之以猛烈的追击，才能使敌人所有的兵力和资源完全毁灭。”

红军战略以避免兵力的任何浪费为目的。在数量上，红军本已占着胜过欧洲任何敌国或甚至许多敌国的联合的优势，这种优势，还将因兵力在决战点的集中而更形增加。红军战略的目的，是要在决定的进攻中集中力量，即，集结有力的突击队，以取得极度的优势。所以，拿德国军事学上习用的术语来说，红军战略实是一种决战点的战略。现代的技术，特别是空军和摩托机械化部队，比大战中的步兵和重炮队，能够更容易而迅速地集中；因了那冲破敌人一切可能抵抗力的流动突击队的组成，苏联在人力，飞机和坦克方面胜过敌人的优势也必将增加。在这种战斗的场合中，将担负很重要的任务：

“最大的成功，将赖飞机去取得，就是把大量的飞机，在一定的时间和地点集中起来，然后去破坏那些在决战上有最大重要性的目标。”

要得到进攻行动和兵力集中的最大效果，是有赖于所有部队的合作。新订的《野战服役规程》特别要求这点：

“在战争中运用每种部队时，必须慎重注意它的特性和强点。每种部队在作战时，必须与其他部队维持最密切的合作，并且在最有利的条件下，发挥它充分的能力。”

因此，现代进攻的兵器，必须根据“分工”原则来运用，以互相合作和辅助。红军的战略是一种综合的战略，它不过分重视一种兵队，也不过分低估另一种兵队。红军的战略，竭力避免杜埃、孚拉和希克德（Seecket）等军事学派的注重一面的理论。同时，红军无疑拥有着最大的种类最多的现代兵器的制造厂。它不仅有巨大的人力，强大的空军和坦克车队，而且实际上有几种进攻的兵器为它所独有：如战略的骑兵和空中的步兵。别国可没有这些兵队，或只有少数而配备也是不足的。拿数量上的强度跟各种各样的进攻兵器相并合，所得的效果必然是很大的。

红军战略中所宣称的打击至敌人丧失战斗力的原则，不仅仅是一句话：它的方法曾经分析而且成了红军的义务。敌人的阵地必须深入摧毁，连它的作战根据地在内。

新订的《野战服役规程》宣称：

“现代的技术方法，可以深入敌人整个的阵地，而使它沿了全部战线同时溃败。这种攻击，必须先包围了敌人，然后统统消灭他们。”

“深入敌人整个的阵地”，意思就是说它的后备也必须消灭，它的交通根据地必须切断，而它的粮食军火接济的全部区域，必须解散和占领。敌人整个的防御阵地，必须完全消灭。红军的战略是深入的战略，它的意思，一是把自己阵线造成最深的重重阶层，并使自己的攻击兵力（各种部队的联合）作最深密的集中；二是对敌人施以最猛烈的攻击，突破他全部的防线，以深入它的作战根据地。它发动进攻是一层比一层深入。为了实施这个目的，它所用的技术方法跟大战时候全然不同。国防人民委员会机关报（《红星报》）在评论红军战术训令时曾经指出，当世界大战中，甚至最大规模而最猛烈的进攻，也不能深入整个的防御阵地，而予以摧毁。那时候，正当这种进攻逐渐突破了第一道防线，敌人的后援却已冲到那受威胁的阵地，填补了它的前线。现代的军事技术已可能解决这个问题，并可能深入摧毁整个的防御阵地了。

在别国专家们还不曾想到之前，红军的战略对于未来战争的性质，已形成了一种实际的观念，并使它充分地发展着。红军的战略，是从取得决胜的观点，来精密地研究现代进攻兵器的运用的，因此，新的《野战服役规程》说：

“现代技术上摧毁防御线的方法（如大规模的使用坦克车，炮队，飞机，和机械化部队），可能组织对敌人同时的进攻，深入它整个的阵地，孤立它，完全包围它，乃至最后消灭它。”

下面是红军所决定的各种部队应负个别任务的纲要。

红军所拥有坦克车团，包括了专在广范围中活动的坦克车队以及率领摩托化步兵和摩托化炮队的摩托机械化坦克车队。上述第一组坦克车队的目的，是突破敌人的主要交通线，是给它的后备和参谋部以歼灭的打击，是摧毁它炮兵主要的集中点，以及切断它的主力撤退的联络。在新订的《野战服役规程》中，摩托机械化部队只被称为机械化部队或机械化“陆战队”，是用以突破后退的敌军，并从后方攻击他们，使他们跟根据地相隔绝。

空军将与前进的坦克车密切合作着去作战，因此它能攻击敌人最远的阵线；它能破坏敌人的交通线，使它与后方作战根据地相隔绝，而不能获得军火的接济。

炮兵不再像大战时的情形，仅限于轰击敌人的阵地了。在红军中，这种任务由一种特殊的炮兵，即所谓“破坏的炮兵”（Destructive artillery）担任着。大部分的炮兵都属于“远程作战”队（Long Range Operations Group）。这种大炮因为有远大的射程，可以轰击敌人最远的后备队，轰坏它的司令部，破坏重要的交通枢纽，以及压止敌人自己的炮兵。因了广大的摩托化，炮兵不再被束缚于任何固定的作战根据地了。摩托化的炮兵支持着前进的军队，它能构成必需的渐进的炮火线，而成为一种进攻的流动兵器。

迅速的前进，可以获得根据地充分的接济。摩托和空中的运输，保证了最大的流动性，以及前进军队所需要的不断的接济；甚至根据地也是流动的，而在敌人后方作战的部队也能获得接济。红军战略的目的，是要借各种部队的合作，借数量、伟大火力和流动性的一致运用，以取得完全的胜利。追击和完全摧毁敌人是战争必要的发展，而各种部队的联合力量，必须用以达到这敌人阵线最后和完全的消灭。拿空军，坦克车机械化部队，机械化空中陆战队，现代战略化骑兵，前进的摩托化炮兵，跟前进而有自己坦克车掩护的步兵相联合，其效果必能冲破敌人所有的防御阵地。

红军主要的机关杂志，对那依照红军战略原则所实行的进攻的最后阶段，曾作如下的描述：

“敌人打败了，于是想退出战场，以保全它的实力，并抢救它的军备和贮藏。然而它撤退的路线，是被那远程的坦克车部队和机械化的空中陆战队切断了，它们已深深地侵入它后方的土地。士气沮丧的敌人，到处碰到攻击部队的火力，因为它们已经突破它的两翼而占领了它的后方了。包围是一层比一层紧地逼拢来，最后敌人终至于被迫缴械。”

如果一个军队在东欧被数量上和兵器上都占优势的

现代化军队所打败，那么，它就没有撤退或甚至窜逃的可能；它所碰到的将只是两条路：不是完全投降，便是完全消灭。

三　现实主义的战略

同时，红军的战略从来是十分现实主义的，它严格拒绝一切危险的不负责任的冒险。它要采取一种科学的进攻方略，它一切的计算，确都是异常的审慎。

这异常的审慎，部分的可以拿历史的经验，拿对波战争失败的痛苦教训来解释。我们可以说，红军领袖们有一种“维斯杜拉的复杂心理”（Vistula Complex），但这种心理的影响是很有益处的。红军司令们在战略中学习了不妥洽的现实主义和极端的审慎，常在心里记着维斯杜拉战争的失败。从这次的失败，至少可以学得三种教训，而这些教训，今天已成为红军参谋部的坚定原则了。

那数量上和物质上胜过敌人的优势，必须尽可能迅速地和决定地组织起来。在一九二〇年，红军是没有这样的优势的。

一种进攻，断不应以仅仅迫退敌人为已足，像一九二〇年西线的战争一样。进攻的任务，必须从敌人的两翼和后方，实施歼灭的打击，以取得决定的胜利。

军需接济的不断维持，和所有作战根据地的完全组织，是战争成功必需的条件。一九二〇年俄国进攻华沙的失败，一部分是因为它不能遵守这些规律，一部分则因为把它们忽略了。

苏维埃军事上的现实主义，不仅限于战术的问题。照苏维埃军事理论说，现代战争的工具是生产和运输的一种综合的过程，而红军的战略，常要倚赖物质上和组织上的条件。现代战争多少被当作是工程上的事业。

“军队的战争工具，可以像一个‘工厂’似的来分析，技术和劳动力，也同样被认为是生产结果的决定要素。”德国新闻记者佳斯特，在论到红军参谋部的理想时曾这样说。合理化的过程，已从军需工业扩充到军队本身，在配备，训练和技能等等方面，军队都采取了严格的标准。特利安陀斐洛夫（Triandofilov）的《现代军队作战的性质》（一九二八年出版）为苏联军事学的名著，阐述现代战争是一个前线不断接济的问题，是一个给养和运输的问题。因此红军领袖们绝对不会放弃这些原则和忽略军队的物质基础，或不能使它尽量的发展。

另一个同样的特点，就是红军的战略，是严格反对偏重任何个别部队的估计的。它自己对于现代军事技术尽管有决定的联系，但很明白每种进攻兵器的限度。红军拥有世界最强大的空军，但它却并不把空军当作战争中决定的部队，它严格反对杜埃将军的理论，以为控制天空就等于是胜利。红军拥有世界最强大的坦克车队，但它拒绝接受孚拉将军的理论，以为坦克车是取得胜利的决定因素。

须拉伐列夫（N. Shuravlev）写道：

“跟现代集团军队所负的各种作战任务比起来，现代空军并非战争中决定的因素。”[1]

恩区（Entch）写道：

“杜埃基本理论的错误是显然的。在空军技术和战术发展的现阶段，任何强国要绝对控制天空，决不可能，

[1] 须拉伐列夫：《集中作战论》，见《战争与革命》，一九三五年十一——十二月。

特别是在对抗一个强国或强国集团的战争中，因为它们也拥有高度发展的航空工业啊。”[1]

关于坦克车队的情形也是一样。前红军参谋部副司令西狄金说：

“坦克车的特殊战斗力，不应加以过高的估计。……坦克车只有在顺利的形势下，受着步兵和炮兵的有力辅助，才有惊人巨大的攻击力。”

自然，这并非就是说红军领袖们有任何放弃现代进攻兵器的意思。恰恰相反，正因为他们认识了个别部队的限度，他们这才努力要取得最大量的各种现代的兵器，以增加它们的效力；其次要使这些现代的兵器，相互维持最密切的合作。他们特别要取得最大量的现代的进攻兵器，因为他们很知道现代防御兵器的效力，并在他们的计划中，估计消灭这种防御兵器的必要。

红军战略有一点是值得特别注意的。突然的袭击，或速战速决的梦想，在红军战略中没有位置，而这却正代表了德国战略的精神。红军的战略并不倚赖这样的突

[1] 恩区：《外国人关于空军在现代战争中任务的意见》，见《战争与革命》，一九三五年九——十月。

袭，它把战略的进攻和突然的袭击严格划分开来。在这方面，红军的战略，比现行德国纳粹主义的战略，更能代表克洛塞维支的优良传统。克洛塞维支说："如果以为攻击必须常是突然的，那是一种异常重大的错误。"跟现代的德国战略不同，红军战略反对用尽所有力量以取得速决；它是一种多方面的战略，而并不希望从最巧妙的战争计划中造成奇迹。相反的，它也计算到敌人方面长期而坚决抵抗的可能。

一个苏联的军事专家曾经说：

"现代战争不是斗拳，只要其中较强的人，突然把他的对手一拳打倒就好了。在战争中，必需兵力和物力的不断接济，才能把敌人击至屈膝。"[1]

这段话概括了德国和红军战略主要的区别。红军战略计算到敌人方面抵抗力不断成长的可能；这是一种持久的战略，伊萨森（G. Isserson）说：

"当进攻者接近他的目标，而不得不尽其所有以加强进攻的时候，抵抗力便有一种增强的趋势，并到达战略上最高峰的顶点。……进攻力量的减弱，常多半是由

[1] 见《红星报》，一九三五年八月二十一日。

于防御力量的增强，而很少是由于进攻者力量的衰竭。兵力的最大消耗和危机的来临，总常在战争快终了的时候。作战的天才和坚决的领导，就在于它能预见和把握这决定的关头，而利用作战能力上的新波动，并充分占有必需的兵力和物力，以成功地完成作战。”[1]

西狄金也曾说了同样的话：

“敌人退到它自己的军略根据地以后，就有更多的时间来整理和集中它的兵力，结果，它的力量也许比原来进攻的兵力还要强，除非后者经过了后备的补充。”

对于一切莽撞的进攻，很难有比这更明白的警告了。

从上述一切所得的合理的结论，并不是进攻行动的放弃，而是使进攻行动应有充分的准备，并造成一种胜过敌人的有效优势；这种进攻的行动，在战争全程中是不能放弃的。

红军的战略，不仅在分析一种模范的战争，而在把握全程的战争。战争计划不过是整个战争行动所引起的一种暂时的局面。战斗行动只是经济上和战略上努力的

---

[1] 伊萨森:《战略的演进》，莫斯科，一九三二年。

逐渐发展的一部分。人力和经济的资源，都被用于战争的进行。结果，永久的动员和战略上的准备势必成为红军战略的中心思想，因此，可以说，它把握了全体性战争（Totalitarian Warfare）的理论和实际，大大超过了德国战略所能把握的范围。

四　红军战略是对付西方的

战略倚靠地理的条件；它受着一定的土地目标和一定的力量关系的拘束。红军不仅有它自己的军事理论，也有它自己狭义的战略。

在红军战略中，两面作战的问题，并没有像德国战略那样存在着。苏联同时对付德日的战争，跟德国同时对付法苏的战争，也并不具有同样的意义。在苏联的两面战线中间，没有有效地联结的可能。远东方面的战线具有纯粹地方上的重要性，因此，军需品和人力，都可取给于乌拉尔和西伯利亚区域新建的巨大工业和后备队。远东红军在经济上军事上对于欧洲俄罗斯是完全独立的，因此，它在人力和物力上所需要的一切的供给，不会耗尽西面战线的后备，或影响西面军队的战斗力。换句话说，日本突然对苏联的进攻，不会使德国得到多少的助力，德国著名的新闻记者佳斯特，曾经警告德国，不要过分重视日本军事上的助力说：

“远东方面的战争，让我们说诺伏辛比斯克（Novosibirsk）以东的战争吧，对于这里的日常生活不会有什么影响，这已经可以断言了。特种的远东红军，仿佛已建立了一个独立的国家，拥有着一切必需的资源。如果远东发生战事，欧洲俄罗斯所受的影响，至多不过像一个毗连交战国的中立国一样……。特种的远东红军，对于贝加尔湖以西和西伯利亚铁路以外的俄罗斯本部，也许可以独立无关。因此，一般以为苏联由于运输上不利的地位，决不能在远东发动战争，而不致严重影响它全部的经济秩序的意见，是可以驳倒了。”[1]

这并不因远东红军的特殊地位而有多大的影响；更重要的倒是因为远东有了这种突击的军队和它的工业基础，红军的全部力量就可以对付西方了。红军的战略是在西方应用的，那乌拉尔以西的所有经济资源和人力都

[1] 佳斯特：《苏联的军事力量》，北勒斯劳，一九三五年。

要用于欧洲方面的战线。有两点是重要的：一是红军备战的程度，比欧洲各国任何军队来得充分；二是红军驻扎在西方的边境，可以立刻应战。它的基干兵队已具有充分的战斗力量，可以不经初步的动员而就立刻出动。据最近所知关于红军驻扎地点的消息，在一九三二年，欧洲俄罗斯方面有三分之二的师团集中于乌克兰、白俄罗斯和列宁格勒三边区。从那时以后发生的变动，有增强边区军队的趋势，在这些区域中，军队也向西移动，更接近边境。这驻扎地点的移动是一九三六年初正式宣布的。这样一来，红军的进攻力量是增加了。一个军事专家对于红军的驻扎地点及其在攻势上的意义曾发表了如下的意见：

“为了防止敌人攻击而定的积极进攻的计划，是要把军事力量的主要重心放到边境附近的地方；至于战略上防御的计划，则要使军队可分布于较广的区域。”

把全部军队集中于西面的边境，比一九一四年要迅速得多了。跟旧日沙俄帝国的相比，苏联现行的疆界是更接近于东方；单是这个事实，使运输军队到西方集中点的时间，缩短了七天到十天。还有，铁道机构的装运力量也比一九一四年要大二三倍。最后，红军的普遍摩托化，可以使大队的兵士在长途中非常迅速地调动。在一九三六年莫斯科军区的秋操中，一个步兵师团，曾在二十四小时内全数运送到一百五十哩外的地方。红军在欧洲战场上动员和集中所需要的时间，比法国军队要快得多，跟德国军队相比，也许差不多。

由于它有组织的机构，它领土的位置，以及它的运输方法，红军是一当欧战爆发就能很快参加战争的。

五　波兰不是障碍

有人提出一种重要的反对理由，以削低红军在欧洲军事形势中的重要性，从而减低《法苏公约》的价值：说苏联跟德国没有共同的边界。阿契波在法国下院中的报告（这我们曾在上面引用了好几段），也含有这样的暗示。他们认为有波兰介乎德苏之间，就使红军不能得到直接参加欧战的最短而最重要的路线。

这种反对的论调，不能说波兰在军事上能够把苏联和中欧西欧相割断。红军和波兰的军队压根儿不能比拟；

红军在现代兵器上要强过波兰十倍。因此，这种论据原来是一种政治上的理由，认为波兰也许要阻止反德集团对于红军假道波兰领土的要求。

在各种可能的局面中，情形究将怎样呢？在有一种情形下，说德苏没有共同边界的反对理由，是根本不能成立的，这种情形，就是波兰当德国进攻苏联时倾向德国，或甚至允许德国假道它的领土去进攻苏联。这样，波兰就变成了敌人，而那时德苏的共同边界也就将到处存在于波兰的领土上了。在这样情境之下，西欧列强不会反对红军通过波兰的领土。相反的，法国和它的协约国将切望红军把德国阵营中的波兰迅速击溃；然后越过波兰，攻入德国的领土，使法国获得最大的军事上的支持。

如果波兰仍忠于对法的义务，而当德国攻法时给它以援助，但同时却不许红军通过它的领土，以援助法国，甚至在自己对德作战时，也拒绝苏联的军事援助，那么，这情势便愈形复杂了。然而，这种可能是微乎其微的，因为如果德国侵入波兰，波兰为了自身基本的利益，就不得不接受红军的有力援助，以保卫它的西境。

如果波兰虚骄地决定独自抵抗德国的进攻，而不接受红军的援助，那就等于自杀；因为在军力上，技术上和军备上，德国和波兰是不能相比的，德国一进攻波兰，就可以很快地把波兰完全占领。那时候，在波兰抵抗力崩溃而被占领以后，一条苏德的战线便将在波苏边界上建立起来，但却不在德波的边界上。如果波兰当德国进攻时拒绝红军的援助，那么，这正跟一九一四年比利时政府在德国开始侵入时拒绝法国的假道援助比军是同样的狂妄。而且，法国实际的利益，也将要求苏联的干涉，因为欧战如果一发生，法国就急切需要东欧的军事行动来解救它所受的压力，而较弱的波兰陆军，断不能做到这点。在东欧能够担负这种任务的只有红军，它可以沿着最短而最重要的路线，越过德国边境去作战。苏联为了自身的利益，也是需要干涉的。苏联不能坐视强大的德国军队，打倒波兰的抵抗，破坏波兰的军队并占领波兰的土地，而打开了从波苏边境进攻苏联的路。任何德国的进攻，必须马上和波兰军队合作，在德波边境上加以阻止，而且在击退敌人以后，还必须继之以追赶。如果以为当德国进攻时，法国与苏联将准备尊重波兰的愚妄举动而忍耐地等待着让德国的军队击服波兰，以准备从波兰的领土进攻苏联，那是完全违反了一切政治上的现实性的。

第三种可能是当德国进攻法国的时候，波兰也许要保守中立，但同时拒绝苏联通过波兰领土去援助法国，以履行它条约的义务。在这样情形之下，波兰的中立等于明白破坏波兰对法的条约义务；这将陷法国于战略上的危境，而延缓了苏联的援助。如果苏联不顾这种虚伪的中立，这至少可以解救法国所受的军事压力，或许把它完全拯救出来。因此，法国当然没有理由要求苏联应承认这样的中立。

如果波兰要维持中立，以隔绝苏联和纳粹主义的德国，必须具备下列的三个条件：

（一）德国方面必须尊重这种中立，而把自己限于对法作战；

（二）法国必须尊敬那个对它背弃条约义务的国家的中立，并准备放弃苏联从唯一决定的战略路线上给它的军事援助。

（三）苏联必须准备让纳粹主义德国在中欧和东南

欧自由行动，坐视西欧的强国弄到精疲力尽，同时又容忍纳粹主义扩增巨大的力量，以至放弃一切可从西欧国家得到的利益。

这些条件，没有一个可能实现，如果说它们都将同时存在，那更是绝对的不可能。

如果欧战发生，波兰可以阻止红军动员而使它与欧洲各国隔绝的情势，是我们不能想像的。

六　为东欧的霸权而战

红军的战略，决不为了对德或对日问题而烦恼。这个问题是不致发生的，因为红军决战的战场是在西方对抗德国。可以引起的问题倒是：战线究竟在北方，还是南方？苏联反攻的支点，究竟放在那里；在东普鲁士，波美拉尼亚和柏林的一线，还是在西里西亚，和德国中部的一线呢，这在俄国战略中不是一个新的问题。当准备世界大战时，俄国参谋部曾在两种可能间踌躇着：一个计划是进攻奥国，另一个计划进攻德国。在一九一四年，俄国军队的重心是放在奥国方面的，虽然没有确切表明多数军队集中的动向。另一方面，在一九二〇年俄波战争中，有四分之三的俄国军队，集中于西北线和西线，就是在以前进攻德国的路线。

在这两条战线上，红军的进攻和防御的机会怎样呢？在西北战线上，防御的可能性是存在的，因为德国对苏联的任何进攻，将通过波罗的海诸国在这里发动。德国进攻计划的开始，已是显而易见了，而发动的准备，也在实施中。

那最初的出发点，将在于德国海军的发展。树立德国在波罗的海的控制权，是任何德国战略第一个的自然的目标。一个有力的德国海军，可使德国在战略上获得重要的海军根据地，和空军进攻的坚强支点，这也将增进了德国陆上作战的战略形势。波罗的海的水面将成为德国对苏战线一个有力的侧翼。国社党的德国，要从桑得（Sound），基尔一带，琴尼亚（Gdynia）和波罗的海诸岛如德兰（Gottland），奥兰（Oeland），奥塞尔（Oesel），达哥（Dago）和埃伦岛（Aaland Is.）以至芬兰南岸，连设连锁的海军根据地。德国的战略，想扩充它的空军根据地，越过东普鲁士和波罗的海诸岛以至于芬兰，然后使芬兰成为猛烈空袭苏联的根据地，因为在这地点，离列宁格勒没有几哩远，正好是使苏联在空中受损害的唯一区域。最后，国社主义的德国还要开发从波美拉尼亚到芬兰的广大区域，以为陆上进攻苏联的作战根据地。

德国外交政策是依照这种战略计划的，它的目标，是要在德国领导之下组成斯堪狄那维亚和波罗的海国家的反苏集团。德国的外交政策，显然含有军事的目的。德国军事机关报欢迎芬兰海军上将叔耳茨（Admiral Schonltz）的宣言，认为这是两国间军事合作的一种程序。叔耳茨说：

“每一个人都知道威胁我们的最大危险来自东方。我们在军备上是不能和苏俄相比的，因此我们必须找寻同盟者。”

于是叔耳茨便认为德国，可以作这样的同盟者，并且问道：

“我们拿什么来贡献德国，使这样的同盟对于双方都有价值呢？”他毫不犹疑的首先考虑到埃伦岛，因为如果把一九二〇年禁止该岛设防的条约废弃，就可使国社主义的德国在波罗的海国家方面占了支配的地位，并在波罗的海重要的东部，掌握了军事上的枢纽。海军上将加陀（Gadow）曾对这建议公开替德国作了这样的回答：

“斯堪狄那维亚国家的重要利益，已存在于丹麦至芬兰之间，我们能以什么贡献德国作为导引物的问题是不致发生的。”[1]

这个明白的答复，是无需多加讨论了；总之，这导引物是芬兰很有价值的战略地位，因为这对于德国在海、陆、空方面进攻苏联时将是异常的重要。在一九三五——三六年，当芬兰还未确定中立的外交政策以前，德芬的军事合作已可以看出了。芬兰所建造的飞机场，多过它自己小小空军的需要。德国的军官在芬兰空军中服务。新的飞机场都沿苏联的边境建造起来。芬兰允许德国把柏林到马尔摩（Malmö 在瑞典）的航空线，展延到芬兰西南端的汉科（Hanko）。德国这条航空线所接续的一段，是从赫星法斯（Helsingfors）到苏联边境的赖奥基（Raiaoki），这显然是为了战略上的理由，因为

[1] 见《新军事科学手册》，柏林，一九三八年。

在经济上对它是毫无好处的。

然而，德国在战略上向波罗的海盆地扩展的可能，却是甚属有限的。没有一个斯堪狄那维亚的国家或很少的波罗的海国家，愿意让自己被国社主义的德国用作军事上的前哨。一九三七年，芬兰也加入了这些国家的队伍。现在，要把这些国家变成德国的根据地，只有在战时直接用武力占领。德国的海空根据地，在进攻苏联时只能处次要的地位，因为在西北边境也有深入的腹地。最后，决定的因素还是在于苏联的军事力量能否集中抵抗德国的计划。

在一九四〇——四一年以前，德国还不能真正在海上称强，即使到了那时，它也不能完全树立波罗的海的霸权。在最优越的形势下，它也是难以进攻苏联的，因为苏联的海军资源是极大的。克隆斯塔德（Kronstadt）屏障着列宁格勒，而这实是一个攻不破的炮垒。芬兰湾沿岸的防御是很强固的。苏联的海军空战队是强大的，也许比德国要强得多。自从一九三三年以来，苏联在波罗的海的海军力量增强了五倍。一九四〇年以后，苏联将在波罗的海中，拥有一种强大的舰队，包括吨数极大的战舰和速率很高的巡洋舰（依照《英苏协定》），此刻它还在建造各种的兵舰。在一九三九——四〇年，德国在波罗的海的优势，将感受苏联很有力的潜艇和鱼雷艇的威胁，甚至德国舰队的行动自由也将大受妨碍。苏联拥有着一个世界最强的潜艇队，到一九三六年年底，它的潜艇力量已比一九三三年增加了百分之七百十五。集中于波罗的海的苏联潜艇的力量，比国社主义德国全部的潜艇力量还强得多。据德国可靠的估计[1]，当一九三七年，苏联在波罗的海拥有潜艇七十八艘，而当时德国所有总共不过三十五到四十艘，所以，一旦战争爆发，德国必须提防苏联潜艇和海军空战队对它所有波罗的海港口作有效的封锁。

苏联还有许多较小的兵舰，鱼雷艇和鱼雷驱逐舰，速度和能力都是极大，实为波罗的海狭窄海面上一种很有效的兵器。自从一九三三年以来，这种兵舰增加了三倍。我们必须不要忘记，苏联的波罗的海舰队，还有两艘战斗价值很大的现代化的战舰。从这些情形看来，可以明白那在海上两面作战（在北海和波罗的海）的问

[1] 见《新军事科学手册》，柏林，一九三八年。

题，对于国社主义的德国，正同在陆上多方面作战问题同样的不能解决。苏联的波罗的海舰队，可以替欧洲的防御阵线担任一个很重要的任务，即从东北欧海面封锁德国。

至于空军，苏联无疑在它的西北边境占了很确定的优势，这种优势的维持，有着它全部空军的质量优势的保证。这个苏联空军占优势的地域，一直从克列里亚（Carelia）伸展到东普鲁士，如果战争爆发，还将包括芬兰和波美拉尼亚。苏联的飞机场和空军根据地的网状组织，一直到达北极圈，因此，如果德军在芬兰登陆，苏联就可能对它作两翼包抄的进攻。

另一个很重要的防御因素，是一条坚强的堡垒线的存在，它并非直接在芬兰湾中，而在更北的地方，从白海起，经过克列里亚沿着苏芬的边境。因此，红军在西北线的作战根据地和侧翼，就比任何进攻的德国军队要广阔得多。国社主义的德国，只有在芬兰登陆，才能对苏联实行包抄运动，而苏联却可以从北方施行更大规模的包抄运动。一切有利的条件，都在于红军方面：在军队的数量上，它可以超过在芬兰登陆的德军，或德芬的联军，如果后者加入德国阵营的话；它对天空的控制是无敌的；在芬兰的东境，有着缜密准备的作战基础，并可运用战略上很重要的铁路线（庇特罗萨伏兹克［Petrosavodsk］—列波拉［Repola］线和尼特伏斯克［Nedvoisk］—乌杜亚［Uhtua］线）；最后又控制着从科拉半岛（Kola Pen.）到北角（North Cape）的极北侧翼的海面。苏联驻泊波利阿诺亚（Polyarnoia，墨曼斯克附近）的舰队，掩护着到墨曼斯克（Murmansk）不冻港的海路，如果必要，并且可以派遣潜水艇和轻便舰艇从波罗的海驶入白海，以增强掩护的力量。这样的北方舰队，在欧洲的极北端占着不能攻破的地位。它使苏联获得到大西洋的通路，并在实际上造成这个区域中的海军霸权，同时，它又使红军在北方侧翼，得到一个重要的海上根据地。

但最重要的作战区域，却在那由列宁格勒，明斯克和米美尔所构成的决战的三角形。陆上的战争，将决定塔林（Talinn）到琴尼亚间的海空根据地的命运。各种军力的关系是有利于红军的。据一九三二年所发表的最近数字，在列宁格勒和白俄罗斯军区中，有十六师团步兵和三个半师团的骑兵。同时，莫斯科军区的军力（在一九三二年，有十一师团步兵和一个半师团骑兵）也可算为西线和西北线的后备，因此在当时，集中于这三军区中的军队约三十师团，但自一九三二年以后，红军的兵士增加了两倍以上，因此师团的数目也约增加了三分之一。同时，因为有更多的军队派到边区去，驻扎的位置也多少变更了。今天，单在白俄罗斯军区的骑兵就有六师团，而在一九三二年不过三个半师团。因此，今天我们必须承认红军在北方一半的战线上（从波罗的海到普利贝得的区域）可以在极短时间内集中四十到五十的师团，而在战时编制上动员起来，这数目还可以增加两倍光景。这些数字，也可以指出国社主义德国在这方面战线上所必须应用的军队的数目：最初必须有四十师团，以后如德国要在这方面发动任何猛烈的进攻，就必须立刻增加到八十至一百个师团。然而在波罗的海区域的争夺战中，它要集中这样的兵力，只有在两种条件下才可能：首先它必须使这次战争局部化，第二它必须倾其主力进攻苏联的西北边境。但即在这样情形之下，德国军队也只能希望与红军维持对等的力量，而断不能在数量上占任何的优势。在其他一切的情形之下，红军在这方面自始就占着数量上的优势。

这样，铁的事实证明了德国要迅速“向列宁格勒前进”的理想，只能算做一种战略上的神话。德国要单独从波罗的海区域进攻列宁格勒是绝不可能的。沿着海岸迅速进袭列宁格勒将等于自杀。德国要进攻苏联的西北边境，必须在白俄罗斯区有坚固的根据地；否则它就将在半空中吊死。如果要从爱沙尼亚和芬兰边境进攻列宁格勒，那么，在任何情形之下，必须从度那堡（Dunaburg）至维埃特勃斯克（Vietbsk）以及从波兰边境至明斯克和摩希列夫（Mohilev）两方面同时策应。在一九一五——一七年间，德国军队获得胜利而深入白俄罗斯区后，还是难以达到波罗的海西北战线上的里加；因此他们就在沿海区域停顿下来。两方面有关的距离也必须计算进去的；从东普鲁士边境飞到那尔伐（Narva，爱苏边境，到列宁格勒最短的路）相距约有四百哩以上。同时，东普鲁士的地位太孤立了，不能作为充分的作战根据地。还有，从西普鲁士边境到爱苏边境的距离在六百哩以上，比从莱茵河到比里牛斯山或比从苏俄边境到柏林还要远。在今天的军事政治形势中，向科尼斯堡（Konigsberg）进展实是比向列宁格勒进展还更值得注意的一个问题。红军究竟能否允许德国军队侵入波罗的海国家是大成问题的。自一九三六年春波罗的海诸国的参谋长访问莫斯科，以及一九三七年二月红军参谋总长爱洛夫（Egorov）访问波罗的海诸国的京城以后，波罗的海国家似乎都不愿意变做进攻苏联的作战根据地。像锡科斯基将军（Gen. Sikorski）这样审慎的一位军事观察者，也曾于一九三六年预料，如果战争发生，红军在波罗的海诸国中将得到一种很有利的战略地位，特别是立陶宛。他在一九三六年五月二十四日《华沙古旧报》（*Kurier Warszavski*）发表一文，宣称波罗的海国家如与苏联成立协调，波兰东面的军事形势必将根本改变。这样一来，波兰在北面的防线，将因立陶宛的敌视态度而大感威胁，因为红军是很易向西攻入格罗特诺到苏瓦尔基（Grodno-Suvalki）区域的。

一句话，从东北欧的形势看来，国社主义的德国要通过波罗的海国家进攻苏联的西北边境，其战略地位要比红军反攻的战略地位更形不利啊。

七　决战在西南么？

德国的重兵要集中于波罗的海区域内的苏联的西北边境，是可能的，它可以获得从海岸来的支持，它的侧面也可有掩护。在这种情势中，红军将很易碰到防御和进攻的两重任务。另一方面，在加里西亚至波兰的区域中，任何德国的重兵似乎不会在这里展开，因为这样一来，它们的侧面就不能掩护了。为了保护这侧面，德国必需占有东南欧的根据地，和夺取黑海的海岸。但在这种局面中，不论采取什么样的战略，红军总可占着极大的优势。因此，进攻是红军在这方面唯一可能的战略。

一九三二年所宣布的红军驻扎的地点，有一件事是值得特别注意的：它确定地把大批军队集中于基也夫军区地带内的西南战线上。在一九三二年，它已把驻扎于边区的一大半军队集中到这里来。因为北高加索军区也已作了西南战线的后备根据地，所以，在这条战线上，就是当一九三二年，也至少可以运用三十个第一线的师团，包括二十二个半师团的步兵，和七个半师团的骑兵。然而今天，骑兵在这条战线上的力量，却已增加到十三个半师团了。从那时以后，红军的基干兵力增加了一倍多，而师团的数目也有增加，因此我们必须估计这条战线上的常备军力，当在四十到四十五师团之间，而动员以后这数目还可以增加到一百以上。现代化进攻兵器的主要力量也已集中于这条战线上，此外，还有许多的流动部队。一九三六年在基也夫军区举行的秋操，几乎全由坦克车队，骑兵和空军等流动部队来参加。因此，那西南战线上的军队，确是一种具有极大攻击力和流动性的突击队。这种军队，也许可以代表目前欧洲军事力量最大的集中，而当欧战发生，苏联的西南军队，在欧洲联合防御国家中无疑是最强大的军团。事实上，整个战争的决战在那里进行是很可能的。

这条战线上技术和运输的形势，也确乎有利于红军。从基也夫到伏洛尼胥（Voronesh）线以南的紧密的铁路网，可以迅速从内地装运军队，并从北高加索和伏尔加区不断运输后备队。如果波兰加入了德国的阵营，那么，波兰南部加里西亚到伏尔希尼亚（Volhynia）这区域将变成法西斯集团的极危险的地带，不仅在军事上，同时也在政治上。这是一个广大的乌克兰少数民族的区域，在社会上和种族上都倾向与苏维埃乌克兰相并合。斯拉夫少数民族反对被德国法西斯战车所束缚的波兰的叛变，也许将促成波兰军队的崩溃和波兰资产阶级政府的毁灭。这种对于半法西斯，波兰政府的政治和战略的威胁，已为苏联的敌人喀哈宁上校（Colonel Karhanin）所明白指出：

“从基也夫到林堡（Lemberg）到克拉科（Cracow）的这条作战线，直接通到波兰的工业中心，它的丧失，将使军需供给发生严重的危机。而且，在这条路线所经过的区域中，所住的大都是俄国人，他们被剥夺了政权，他们必然的仇视波兰政府。……万一战争发生，波兰决希望不到加里西亚到伏尔希尼亚区域人民的拥让。”[1]

西南的路线使红军在军队调度上有一个较好的机会，而在争夺波罗的海海岸时（那是向西北进攻时所不能免的），就不必跟德国海陆军同时作战了。现在的红军参谋长沙波舒尼科夫（Shaposhnikov）曾斥责一九二〇年俄波战争时的红军领袖，说他们竟从东北方面对波军施行包括运动，却不从华沙南面予波军以决定的打

[1] 喀哈宁上校：《苏联军事地理演讲集》，俄文版，巴黎。

击。可见现在的红军参谋长，是赞成南面的战线的。

红军战略中对于西南战线的着重，并不因《慕尼黑协定》而减少；自然，情形是变更了。在慕尼黑之前，捷克可以从这方面，可以从黑海和普利贝得间的作战根据地，得到军事的援助，而一个大规模的东欧防御集团也可以在这里形成。今天，却必须在这方面去堵截德国的出兵了,《慕尼黑协定》所给予德国的军事霸权，此后可以使它向东（乌克兰）或向南（巴尔干和近东）进攻了。德国夺取捷克的鲁塞尼亚，说明了它有进攻乌克兰的意思。然而，红军在乌克兰的作战根据地，不仅适宜于防御，也适宜于进攻。波兰重要的战时经济的中心以及它深感困难的少数民族区域，都在这方面。德国进攻军队的侧翼在这里是不能得到掩护的，而在它的后方和交通线，又是许多不安静的外国人民：波兰人，乌克兰人，罗马尼亚人，匈牙利人和捷克人。

红军战略（即集中许多高度流动性的军队，以取得迅速的决胜）在今天西南线上的成功，比一九一四年德军领袖在西线的成功，有着更大的可能，因为它不会碰到强固的防御堡垒线，它也不会受到侧面的威胁，像一九一四年霞飞对德军侧面所施有效的打击一样。在这区域中，国社主义的德国，决不能用防御战术得到玛伦之战（The Battle of Marne）的胜利，像一九一四年法国在西线所取得的胜利一样。

第一次的世界大战，已表现了俄国西南战线的重要性，当时在罗马尼亚前线指挥的前俄国参谋总长高洛文（Golovin）说：

"战争的最后胜利，是在决战线上胜利的结果。世界大战中东线最初的作战，表现了加里西亚区域就是这么一个决战线。我们的战争计划，需要在加里西亚的西南战线上以坎泥（Cannae）式的战术进行方略战。"

这方面的胜利，将影响到协约国在西南全部战争的进行，高洛文继续说：

"奥匈军队在加里西亚决定的失败，对于我们协约国的帮助，实比侵入东普鲁士还要大。"

如果一九一四年俄国在加里西亚获得决定的胜利，它也许可以获得法兰瑟台斯庇雷（Franchet d'Esperey）之役的同样影响，因为这可从东方包围了中欧国家的战线。然而，一九一四年俄国军队的领导，却完全失败了；

它在物质上和战略上，都不能在加里西亚的战线上用坎泥式的战术发动方略战，就是说，他们不能对敌人施行大包围的运动，而突破它的阵线。在今天，红军战略的确已充分拥有了所有必需军事技术的资源，并完全把握了作战的方法，它是可以把苏联西南的战线，发展为全欧一等重要的区域了。

第五章　德国的军事力量

一　兵数及技术

德国大规模的重整军备惹起了国际军事政治上的大变动，这种变动到头是要把全欧洲转变为军营的。德国新陆军的创立已经给世界的军备树立了新的标准，今日欧洲其他各国陆军的实际力量，只有就其兵数上及技术上对德国陆军的比率来看，方才能够加以判断。国社党德国的陆军有着新的结构和新的技术。西欧各国，尤其是英法两国，一向由于军事思想上的保守主义，把红军的实力和德国新陆军的实力都估计得过低。起初西欧列强见着德国陆军兵数的增加及其有形的无形的实力的滋长，只不过有些担心。过了些时，由于戈林的空军的急剧发展，它们却少不得惊骇起来了，尤其惹得恐慌的是德国编成强有力的机械化师若干师。然而，在这时候，西欧列强也还把握不住这一问题的充分的意义，因为到这时候为止，他们所眼见的不过是德国向军备可能的发展的最大量跨进的一步，不过是显示着有计划的企图的一种军备量，——这有计划的企图就是要超越西欧列强的各项军事成绩。要明白德国陆军的实际战斗力，应当就其全部结构来考察一番。重要的问题是德国军事当局究竟要把军器，技术和兵数这三者怎样地来配合呢？

第一，我们应当把德国陆军的现在状况跟日后所可发展到的状况分别清楚。今日的德国陆军有着步兵师五十四师（一九三八年二月——三月扩充军额以后兵力的约计），这是基干的军队，其兵数及其装备的水准正在逐渐增进着。同时又热狂地准备着把陆军的战时力量充分地提高。这陆军还没有发展得充分，然而其主要的因素却已经形成了。如果在其次的两年中间德国总动员了，该也不是怎么可惊的事罢，因为其军备水准及其陆军的战时力量的发展已经显然可见了。

有一个德国军事刊物[1]把德国陆军战时实力约略

[1] 见《德国国防》，一九三六年一月十六日。

估计为三百师，内有摩托化师三十师，骑兵师十师，坦克车一万零五百辆，飞机九千架。

这些指数并不是出于幻想的；这不过说明着德国陆军明日的情形罢了。一九一八年德国陆军计有二三六师，然而凡是现代的师，由于其军事技术方面的水准较高，却不妨在兵数上减少些。上面所引的坦克和飞机的指数是跟德国工业生产力十分适应的。事实上，我们可以看出这些指数还得认为未来德国陆军的最低限度才好。这样的陆军规模在西欧各国是难以相信的，然而这跟红军的结构和军备量却显得很相类似。

德国军事领袖们已经领略到世界大战的教训了。从大战的初期，德国的军队数额就不够应付其当前的各种工作，其技术条件也不行。鲁登道夫将军（General Ludendorff）在他所著的书上写着：

"在战争开始时候，再添上八个军团就可以有胜利的把握了。"[1]

然而，就是据鲁登道夫的意见，这也并不是说德国缺少着那么多的军队，当时的德国实在是可以再出几百

[1] 鲁登道夫：《全体性战争》，柏林，一九三五年。

万人，干得好好的。在同一书上，鲁登道夫写着：

“在战争开始时，有五百五十万未受训练的壮丁，六十万已受训练的壮丁不曾征召入伍……德国只把全国壮丁百分之五十四放在战场上。”

一九一四年，德国不曾为工业的战时动员作着什么实际的准备。在开战后四星期进攻着巴黎关隘的德国陆军，就现今的标准来衡量，那装备是很简陋的：只有过山炮五十五尊，机关枪三千七百挺，步枪七千三百二十二支，现代的战争技术差不多完全没有；就是一九一四年，交通及信号的组织，和命令的传送方法也是落后的。德国陆军只有飞机二百十八架，而投掷炸弹这一种主意又还不曾想到。今日德国的战争准备则所谋求的是在兵力及军事技术资源上到达充分雄厚的力量。凡是可应军役的壮丁，悉数得从起初就准备好，凡是技术资源悉数得从开头就投放在充分发展、充分集中的组织里。一九三九年德国战争准备的目的是在兵数上，技术上造成充分庞大的对抗敌人的优势。不但可以随时袭取德国的敌人，而且可以一下子摧毁敌人，使敌人永没有回复的希望。

国社党德国的军事领袖们创造着用于全能性战争的全能性的陆军，这一陆军，他们打算使其一切军器都超越于敌人，其间包罗着最强盛的空军，最有力的坦克队，最新式的步兵以及效力最大的炮兵等。德国这一种企图究竟能够成就到多大的程度呢？

二 德国的空军

世界上别国的陆军再没有像德国陆军那样极端看重天空军备的了。天空军备是被认为全能性战争的特殊武器的；要在闪电似的战争中决胜负，要在敌人的本国，远离前线的后方，攻击敌人威胁敌人，非用这一项长距离的武器不可。德国的战争原则十分接近着杜埃的天空军备优势的理论，就是天空军备强于德国的苏联的红军战略也远没有这样的接近。在戈林当权以前，德国的军事思想上就已有了强烈的倾向，要求着尽量发展天空军备，那怕其他军备因而受到不利的影响。[1]如今《德国国防杂志》说着："我们打定主意要利用杜埃的理论了。"

[1] Buchfink：《昨天和明天的战争》（*Der Krieg von Gestern und Morgen*）。

有一个著名的德国航空专家，在德国陆军部的正式机关刊物上写有一篇论文，其中说道：

“在战争的尽早的阶段，用了意外的突然的轰炸攻击，使敌国物质上及精神上的抵抗都发生动摇，这等技术的可能性如今是存在着的。”[1]

德国有好些人竭力用技术的必然性构成了天空战争的意识形态，认为敌国轰炸机的攻击同炮弹的飞射一样，无法抵抗，而要有效地防御天空轰炸是不可能的。这等见解分明表示着德国怎样看重天空军备，并且打算给予它怎样的任务。

德国的战略公开地承认着要发动时间表式的天空战争，布罗（von Bulow）上校写着下列这几句话：

“一个国家只消准备好在财政及生产上尽其艰巨的努力，譬如说有计划地来组织在预先规定的什么日期发动的战争罢，那么，这一国家岂不是显然可能具备完全合时的空军的？”[2]

---

[1] Major E. Tartz 所作的论文 *Kriegsflugzeuge*，见《军事学评论》，一九三六年三月。

[2] 布罗的论文，见《军事学评论》，一九三六年十二月。

这不仅说着理论上的可能性，这又宣告着实际的程序：这意思就是说预先定下了爆发战争的日期，在承平时代完全动员了飞机工业，为的是战争一开始就得以运用实力最强设备最好的空军。德国航空准备的实际动态全是根据于这一计划的。德国空军的结构势必配合着这个目的：这大体是为了独立的攻势行动，为了在敌人后方的要点作远距离的攻击而组织的。

著名的法国军事作家玻雷（Didier Poulain）说：

“德国的空军是以袭击和破坏为主旨的。在战争的一般体制中间，这自有其种种独特的目标，少不得依照这些目标来行动。要叫它跟陆军合作往往是办不到的。”[1]

代表着德国空军的核心的是几个强有力的轰炸机队所组成的现役航空部队，这些轰炸机队是德国航空参谋长威浮将军（General Wever）所建立的，他在一九三六年因飞机失事而身死了。一九三七年秋季的演习第一次用到了大批的轰炸机。这一次为未来战争而作的盛大的预习，用意在显示空军在现代战争中所负的决定

[1] 见巴黎出版的《日报》（*Le Journal*），一九三六年九月三日。

的任务。著名的德国军事专家什斯加大佐（Captain von Zeska）曾经就这番演习的计划批评着说，空军是空前第一次不要把本身的活动限于辅助海陆军的行动，而要独自动作，往敌人的领土去进行天空战争了，《佛兰克福日报》（*Frankfurter Zeitung*）又记载着这番演习的情形道：

“这战斗是在才过中午时候因空军的干涉而决定了，胜利是在蓝军方面。”

关于德国空军的组织状况，外国的专家们一致认为其第一线飞机有百分之五〇至六〇是轰炸机。同时德国在西班牙内战中间也动用过相当数量的空军，德国航空人员的训练显得十分优秀，比义大利的还好些，而德国的战斗机，尤其表显出很高级的战斗性来。

这一切引起了今日欧洲所面对的极重要的一个问题。德国的空军是准备用于西欧及中欧的；其用意是在建立国社党德国在这些区域的天空霸权。

德国希望建立这一种霸权所凭借的物质基础有多么强固呢？无论如何这是无疑的：从一九三六年以来，德国的军事生产已经升到欧洲的第二位，仅次于苏联了，换句话说，这在中欧和西欧算是最大的了。一九三五年，据苏联方面所得的报告，德国的航空工业生产了各种飞机约四千架。同时德国的生产设备打算扩充到每月能够造出飞机二千架，飞机引擎四千具。然而在一九三五年，以及一九三六年里多少时期，德国空军的效能及其装备的品质实在没有跟这样的生产可能性相适应。据苏联方面同一的报告[1]上所推测，德国到一九三七年该有军用飞机四千架，其中二千六百架是第一线飞机。生产能力没有跟德国空军的战斗实力相适应是很显著的。这缘由大抵可以说，就在生产的品质低劣，航空工业的发展过速，以及有经验的驾驶员的缺少。就品质问题来说，德国的飞机工业到一九三六年也还比西欧列强和苏联落后，就各式飞机的生产来说，德国到那时候也还达不到那些国家的水准。那些国家在时间及经验上所享有的优点，并不是那么快就可以赶上的。连贯的大量生产的程序，照例需要经过三年光景的时间，这在德国的航空工业当时还不曾到了熟练的地步。而有经验的驾驶员的缺

[1] 见一九三六年十月六日的《红星报》及一九三五年七——八月的《战争与革命》。

少，则使德国的空军在一九三四至三六年间遭受了欧洲最大比率的航空失事的灾祸。

然而这些也不过是在急剧的发展期间所发生的困难情形，在一九三六这一年里，情势却急剧地改变了。亏着美国各工厂以及少数英国工厂对德的合作，德国飞机引擎构造上的缺陷是克服了。这本是德国飞机制造技术上最弱的一点。现在呢，德国一向所缺少的超装气量的飞机引擎似乎应有尽有了。因此，一九三六年，德国的航空工业就到达了很高的水准；德国当时还首先创出了用原油的飞机引擎，这有着安全性较大，航行距离较长，燃料费较低这几种优点。飞机发动机是大大地改进了，盲目飞行和自动驾驶的实验，便在西欧列强的前头，为德国军事航空所采用了。一九三五年，著名的法国航空专家亨利·布介（Henri Bouche）就预言着德国空军的勃兴道：

“凡是第一等的天空军备在发展上必不可少的科学的，技术的及工业的因素，德国的航空工业都具备到高级的程度，只有超装气量的航空引擎是例外。等到德国开始大量生产高度适中的超装气量航空引擎的时候，凭着它那高度发展的航空发动机的技术，及其各种技术机关和科学机关的质量，德国的空军要获得某种优势是十分可能的。一旦有了超装气量及其自动飞航的设计，德国的天空军备就可以成为可怕的因素了。”[1]

我们可以推定，一九三七年德国航空的质素到达了西欧列强的水准，而在若干方面还超过了这水准。一九三六年下半期，德国就新出了两三种型式，这虽不能超过英法航空工业的最上级的出品，但也可以跟那些出品相比较了。这就是效用普遍的“容克（Tunkers）八六”以及具有每小时二〇〇至二五〇哩的速率的轻快的轰炸机“汉克尔（Heinkel）一一一”和“陀尼尔（Dornier）一七”。一九三六至三七年间，德国的空军全部重整了一番，凡是老式的飞机都用功能优良的现代飞机来替换了。德国空军所经过的这一种革新的过程在西班牙的内战中间是显然可见的。起初，在一九三六年秋季到西班牙的德国飞机分明是质地平凡的，较老式的德国轰炸机，例如“容克五二”之类，压根儿显得不行，然而到了一九三七年春季，那些飞机却多少改换了较有威力的

[1] 亨利·布介的论文，见 *Revue de l'Armée de l'Air*，一九三五年十一月。

各种新式机，其中也有上面所说到的“汉克尔一一一”和“陀尼尔一七”这些轻快的轰炸机，这两种该就是现今戈林空军的标准的型式罢。

德国的空军近年来增进了实力及效率，是由于下列几个重要的因素：

它有着强盛的高度集中的生产基础。德国的航空工业所有的飞机工厂及马达工厂少于英法义诸国，然而那些工厂却都规模很大，其目前的生产量，有着高度的水准，而其生产能力的水准也是很高的。德国的航空工业已经彻底地精熟了大量生产的技术，就这方面来说，它是在西欧列强甚至美国的航空工业的前头了。

从一九三六年以来，德国航空工业在品质问题上，尤其是在飞机原动力以及航空引擎的经久性上，是大踏步地迈进了。德国飞机近时所造成的世界纪录有着很大的军事重要性，其中包括着战斗机的速率纪录，载重的高度纪录及水上飞机的远距离纪录等。这些纪录显示着德国的轰炸机及战斗机所可表演的效能的高水准；高射炮队要击落这些飞机是非常困难的，而水上飞机的表演则指示着德国海军飞机攻击远离德国领土的海道——

例如攻击英国的大西洋海道等——这一种用途。

德国的空军所享受的又一种便利就是飞机生产的集中，飞机的型式并不多，每一种都跟其所定的独特的功用，高度地相适应。这一来，德国空军可以备齐了各种功用的各式飞机，而不致为同一功用的各式飞机使生产力量分化了。飞机的一切类别由有限的几种型式代表着，每一型式在其技术的，策略的质素上，水准都是很高的。战斗机的型式现在是“美塞须密特德（Menerschmidt）BF——一〇九”，“汉克尔一一二”，“亚剌陀（Arado）六八”及“八〇”，“福克武尔夫（Focke-Wulf）一五九”及“八七”，以及最新强力的双引擎“美塞须密特德一一〇”。中型轰炸机和轻轰炸机的型式是“容克八六”，“汉克尔一一一”及“一一八”，“汉雪尔（Henschell）一二六”和“亚剌陀八一”。重轰炸机的型式是“容克八九”及“九〇”，“福克武尔夫五七”和“陀尼尔一九”。特种强扑式轰炸机的型式是“汉堡一三七”，“汉雪尔一二三”和“容克八七”。“汉雪尔一二四”特别是用作侦察机的，“福克武尔夫一八九”，“汉堡一四一”和“汉雪尔一二六”则供着侦察的用途，又用作轻轰炸机。德国水上飞机品质也很高，有“亚剌陀九五”，“陀尼尔一八E”，“一八F”及“二四”这几种。最后的三种型式有着二〇〇〇至三〇〇〇哩的活动半径，是精良的海上侦察机。

除了品质问题，德国的航空工业又竭力企图着在空军数量上超过西欧两强；戈林的天空战略无疑地是以两强的标准作为德国空军实力的最低限度的，这就是说要使德国的天空军备坚强到同英法空军联合起来一样。一九三八年秋季在捷克危机的前后，据德国人士，连希特勒在内，叠次的宣告，自从一九三八年春季以后，德国空军的实力是加倍了。法国众议院的空军统计报告员保尔·赖夫斯（Paul Rives）曾经估计过一九三八年十月德国空军的第一线实力是飞机四千五百架至五千架光景。然而现在呢，据赖夫斯所证实，德国的目的是要在一九三九至四〇年间造成具有最新式飞机八千至一万架的空军，这个目的是能够达到的。在一九三〇至一九三六这几年中间，苏联就造成了这么一种的空军实力，而它的技术经验和工业资源在当时究竟及不上德国呢，因此就技术方面来说，德国在一九三四至一九三九这几年中间有相同的成就并不是不可能的。有几个现成的数字已经使我们多少可以下一个推断了：德国现有的七百五十个飞机库，估计起来，能够容纳飞机一万架至一万五千架。这进一步证明着德国对于天空战争的准备已经到很前进的阶段了。德国无疑地有着世界最优秀的防空干部和组织。依照着作战的种种情势，起飞用的，强迫降陆用的，以及交替着降陆用的；德国各种功用的飞机场，已经布置好了。无论在怎么样的军略形势之下，德国的航空队总安心于到处有着可以降陆的场所。虽然一般地看来，德国是比西欧列强更容易遭受敌人的空袭的，可是它的空防干部及空防组织对于它的空军的保护却远比西欧列强来得周密，使它得以防止敌人的空袭。德国的飞机场散布得十分广泛，使敌人的空袭得不到集中的标的。如果遇着了这一种空袭，那些受威胁区域的航空队就立即飞上天空，直到接获了无线电的训示，方才依照着侦察站及听音站的情报进发到什么安全的机场去。

这天空军备不但是德国战略上特殊的攻势武器，而且还当作几面前线的战争上特殊的武器。布罗上校在所作的论文上说道：

"近代飞机的速率使它可能充分利用内线的种种便利；在两面以上的前线的战争中间，空军的效用显得更殷切了。空军的这一特征——即它能够在一小时光景之内从一个边境移动到别一边境——使它在战争行动上有着决定的重要性了。"[1]

在世界大战期间，德国充分利用了各前线的直接交通上内线所有的种种便利：整批的军队能够在十天至十五天的期间里从西线运输到东线，或是从东线运输到西线。如今加上可能性更大的航空内线的便利了。在下次的大战中间，德国的航空队上一天轰炸了列宁格勒或是不加勒斯多，到下一天就可以轰炸伦敦和巴黎了。

三　实力隐藏的陆军

德国的新陆军首先可以说是庞大的陆军，其近代的军事技术依附于很广大的基础。在全国强迫军役制度重复实施以后，德国的陆军兵数是在九十万至一百万之间，其中有职业兵三十万至三十五万名光景，是从旧国

[1] 见《军事学评论》，一九三五年十二月。

防军交代下来的。这些职业兵有着很高的军事素质，等到德国陆军有了充分的战时力量的时候，他们是都可以当作下级士官看的。两年兵役制的实施有着两重的目标：一则要增加兵额，一则要改善训练的标准。这一种军额的增加表现着德国在中部及西部欧洲武力争霸的途径上重要的阶段：如今德国陆军承平时期的实力差不多等于法国，英国，波兰，捷克斯拉夫和比利时的陆军联合力量。尤其值得注意的，德国陆军在兵数上对于西欧列强，有着压倒的优势。一九一四年，德国承平时代的陆军还比英法比三国陆军的联合力量薄弱些，可是如今呢，这比那些西欧陆军的联合力量却强到了两倍。军力比率已经从一对一改变到两对一了，且不说因后一比率而造成的一切作战的可能性。

一九三八年三月，德国陆军为承平时代而设置的师的数目，我们不要一看到就下错误的结论；德国陆军跟法国陆军的兵数比率是不能单用师的数目——五四对二六[1]——说明得确当的。现在两年期的兵役制已经

[1] 一九三八年底，德国常备军包含着三十九师步兵师，然而不久，现有的十八个军团却一定可以扩充到五十四师的力量，即每军团三师。

实施，德国陆军要把师的数目大大地扩充，人力就尽够了。按照承平时代的编制，也就是说，在一九三八年夏季动员以前，德国陆军是可以召集八十师的。今日德国的师说不定就是明日的军团，正同今日的军团说不定就是明日的军一样。

德国新陆军的主要的特征是在它准备好迅疾的行动。德国动员的手续跟欧洲其他各国很不相同。欧洲别国的陆军各有其受过训练的后备兵，即在陆军服役的公民；然而就德国来说，这等人们的数额却是隐藏的，他们虽在承平时代，也是军事准备上的精锐；他们实际上是代表着第二线陆军的。凡是应征服军役的公民只可以算是第三线的后备兵，跟旧德国的“国民军”（Landsturm）有些相仿。临到动员就召集的第一线后备兵是警察，劳动团团员特别大队（黑卫队）的队员，以及各种半军事化组织，如国社党汽车团，国社党航空团之类的人员。这第一线后备兵共有六十万至七十万人，除却很少的例外，他们经常在营房里生活着，因此平常意义的动员是无须的。这些人们立即可以再组成五十师光景。听候召集的第二线后备兵是挺进队

（黑衫军）和挺进队后备兵（前国社党钢盔团）和国社党公共汽车团的主力队伍。这第二线至少有六十万人，可以编成四十师至五十师。这些人们在承平时代并不住在营里，可是他们却在集中的领导之下，严格地组织着，而且他们还长受着永久的训练。换句话说，德国的常备军及其第二线陆军（第一线及第二线后备兵）能够编成一百八十师以上，而不必经过平常意义的动员。德国只能在狭隘的限度施行着平常的动员；那些并不属于各种半军事化团体的公民，临到动员可以征集入伍的，凑不到德国全军额三分之一以上。就此看来，德国不但如《德国国防》所指出，充其战时的力量有着三百师陆军的人力，而且亏着它那些半军事化的团体，它还有基干的组织，可以造成这些师的大半数。这就是说，只消向各种半军事化团体下一道命令，再不必有其他的什么准备，它就能够在承平时代暗中动员二百五十万人。而且这是在很短的时间以内就可以做到的。德国陆军准备迅速行动的程度无疑地是超过西欧列强的了。

四　摩托化和坦克团

德国闪电式的动员的可能性是出于两个有利的因素的：第一个，即就半军事化的各团体编成大部分后备兵，我们是已经讲过了；第二个因素则是运输问题。今日德国陆军的主要特征有三种，就是它的兵数的实力，它的技术资源的高水准和它很大的流动性。这流动性是凭借于摩托化的。流动性这因素从动员的时候就可以发生作用；这可以用于战地，这又可以影响全部的战争行为。那使德国陆军变成了保尔·勒诺德（Paul Reynaud）所谓“流星式的陆军”的就是流动性，即摩托化，摩托化是德国新战略的技术的基础，其用意不但要把战地上前进的军队急速地带到前头去，还要使两面以上的前线的战争，可能应付得顺利。德国是把它的内线，即下次大战时候免不了要作战的它的各个边界间的交通——摩托化的。德国用了摩托化的方法把全国变成了下次大战的陆军根据地，往昔对于实际上接触不到前线的内地所抱的观念现在是逐渐地消失了。

国社党德国正在施行着彻底的摩托化。据《德国国防》的数字，德国陆军的运输站共有卡车十三万五千辆，汽车四万辆和机器脚踏车六万辆。曳引车的数目则没有说到。摩托化是各方面都彻底地发展了：汽车公路铺筑着，人造汽油及人造橡皮的生产，各种汽车的生产都急剧地推进着，汽车运输周密地组织着，司机员大量地训练着，最后呢，摩托化的部队自身也急剧地扩充着。这一切活动是依照着综合的计划进行的；都以达到陆军摩托化的最大可能的程度为其目标。在一九三二至一九三六年之间，德国把汽车的生产增加了六倍。它在一九三二年所生产的是汽车四万三千辆，卡车八千辆，在一九三六年则是汽车二十六万三千辆，卡车五万九千辆。它有着全世界数量最大的机器脚踏车；对于摩托化骑兵，对于调动敏速的摩托化步队，这都是最重要的机械。国社党汽车团有团员四十万至五十万人，组成二十一旅；他们对于德国陆军的摩托化部队差不多可算是无穷尽的技术后备兵。

苏联的铁路多少是要用广大规模的陆军摩托化来代替了，然而德国的铁路网在欧洲算是最密集的，却用广大规模的陆军摩托化补助着。这两者的通力合作造成了战时可用的一种运输潜在能力，这是欧洲任何地方所不能抗衡的。铁路车辆不靠机车和路轨，也可以在公路上行驶。这些车辆是放在特造的台架，即所谓“克尔美尤台架”（Culmeyer chassis）上驶行的。坦克车放在特造的台架上就可以靠自身的摩托力行驶于德国的铁路线，用不到什么机车。这一来，最繁重的军事运输就能够占着那些现成的最合适的路线很轻易地组织起来了。

摩托化使德国陆军有了全新的战略上的可能性，这可能性，它虽在一九一四年前后也不曾有过。

直接配合着兵器的内燃引擎创造了战争的新技术：坦克战争，这在德国的战略上是认为有决定性的。一九一八年协约国军队曾经派去突破了德国阵线，使德国落到军事的失败的坦克，现在是要惹得德国发动报复，把它在西欧的军事霸权寄托在这上头了。德国陆军的领袖们计划着运用大量的坦克，那数量是西欧各国的陆军所梦想不到的，德国陆军充其战时的实力可以具备各种型式的坦克，从四吨的轻坦克以至于一百吨的巨型坦克。德国在军略上建立了用坦克进攻的最高标准：达到每公里一百五十辆坦克的地步。古德林将军是德国坦克战术上主导的权威，他甚至以为把坦克旅全部出动于两公里的前线，——即每公里前线上坦克车五百辆或是二百五十辆——是可能的事。这大约算得意想中的机械化军队最可能的集中程度了。德国的军事文籍主张着把坦克用得好像随意浪费宝贵的武器似的；譬如为了攻扑要塞，少不得把坦克一大批一大批地牺牲掉，使陷阱和壕沟得以填平。德国的军事文籍只讲到用坦克的一种方式：就是大批集中的用法。

一九三七年秋季，德国的陆军演习，意在证明集中地巧妙地运用着大量的坦克，能够收到大突破的成效，决定战役的胜负，而坦克队只不过受到最低限度的损失。《佛兰克福日报》的军事通信员见了这些多少布置好的结果，发表着感想道：

“从此以后，我们就容易明白：在现代战争中坦克的用途上，西班牙内战的经验是不能认为有决定性的。用真正大量的坦克来施行的攻击，在西班牙从未有过呢。”

西欧列强的军事专家们见了德国各装甲师的雄伟的阵列，是深切地感慨着惊骇着的，然而他们如果想像这些装甲师表现着德国陆军在未来大战中最高的机械化的集中状况，那就错误了。现代的德国战略固然多少是用心于装甲师的，可是在下次大战中有决定性的攻势行动却须用摩托化部队所跟随的坦克部队全部来贯彻。德国的战略采纳了奥国爱曼斯贝格将军的意见主张，创立共有五千辆坦克的坦克部队，以便在未来大战中实施决战的突破行动。德国的战略把坦克认为独立的攻势兵器，这就跟法国的战略不同，法国的战略大抵是把坦克认为步兵队伍的辅助兵器的。德国的战术规令宣示着：

“跟步兵的密切联络足以使坦克丧失其速度上的优点，增加其受敌方守军的破坏的危险。”

德国的战略不肯使坦克的速度来适应行动缓慢的步兵的速度，因而它便使步兵的速度来适应坦克的速度，组织了伴同坦克的摩托化步兵。

今日那么使人害怕的德国装甲师每师是备有坦克五百辆的一个坦克旅，一个摩托化步枪旅和一个摩托化炮兵团所组成的。这算不得德国坦克实力的最后一句话。德国陆军充其战时的力量必然会有编入坦克军的独立坦克旅，又会有许多种类的摩托机械化部队。配合着德国战略的观念，这些部队在编制上会有多种的变化。轻装甲师正在设立着，一九三八年年底，这样的（摩托化）师就已有四师成立了。第二步是要设立几个师所编成的轻机械化军团，再其次所要设立的是很重的装甲师，以战略上的突破工作为目标。

我们不妨推想，《德国国防》上所指出的德国陆军的坦克实力（一万零五百辆坦克和二十个摩托化师）是一个最低限度。临到多面前线的战争，德国参谋本部至少会感觉到两支坦克军的需要，即坦克八千辆至一万辆。这浩大数量的坦克经常是用不着聚在一块儿的，可是临到集中的时候，前线的其他部分却也少不得坚强的坦克部队。分别地来计算一下罢：临到两面前线的战争，德国该有四百公里光景的前线对抗着法国，九百公里光景的前线对抗着苏联。共计是一千三百公里的全前线。在正常的情势之下，每公里必须有十辆坦克，以协助步兵，可是照德国的坦克标准，却还得估量到更高的数目，尤其因为德国老是竭力要在大部分的前线采取攻势的缘故。因此临到多面前线的战争，一万五千辆坦克这一个数量在德国陆军不至于觉得太多呢。

一九三八年初头，德国陆军，据官方的指数，有着五个装甲师连同坦克约二千五百辆，四个轻摩托化师连同坦克约一千辆，此外又有分散在其他部队——主要是侦察分队和步兵队——的坦克约二千辆；同时还有坦克一千辆准备着，造成坦克总数六千辆至七千辆。然而德国参谋本部却并不满意于这种实力。在现代战争中坦克军备的标准明明白白地定下了，因此我们应当估量到德国的坦克实力在一九三九——四〇年间加倍的光景。依照德国参谋本部的理论，坦克这一项武器必须在战争发动的时候就猛烈地加以利用；这少不得是侵略军的核心。

就德国工业的伟大的能力来看，德国坦克实力的倍增是不会遇到什么无可克服的技术上或是组织上的困难的。从品质，构造和战斗上的价值的观点来看，德国陆军的坦克并不是一九三八年第一等的武器。在这一年，德国除却一二辆模型，再没有真正的重坦克，而现有的中型坦克数量也并不怎么多。而且在西班牙内战期间，德国的轻坦克只不过表现了一番很平庸的效能。德国的坦克军备只有在重行配备以后方才可以成为真正有力的因素。到一九三八年为止，德国的坦克还及不上德国的战略所分派的它的任务的水准。然而一九三七年九月二十八日，重坦克也曾当着希特勒和墨索里尼的面前，在游行队伍里驶行过——这大约是给公众看到的第一次罢。

五　步兵的优势

一九三七年德国陆军的天空军备和坦克军备在质和量上都没有发展到高度，至于德国的新步兵则在那时已经登峰造极了。现代德国步兵的阵容大约可算是德国陆军改革者最伟大的业绩了。德国的步兵在装备上比欧洲别的任何国家都更得当更坚强，这一面跟汽车，一面则跟专精的现代炮兵有机地联络着，因此这具有很大的流动性和火力。

德国的陆军中间，发展了一种新型的步兵，即摩托化步枪旅。目下这些部队是跟装甲师混合编成为旅的，可是在未来的战争中，却也可以作为各别的师独立地行动着。我们应当把这些部队跟摩托化步兵分个清楚，这是有着不同的任务的，这些部队骑在机器脚踏车上，或是由全个公路网的汽车装载着，移动是非常敏速的，这些部队发展到每小时十八至二十哩的速率，每天行一百五十哩的能力。这新式步兵对于运动战，尤其是对于追击败逃的敌军，占领防守力薄弱的领土，巩固受威胁的侧翼，以及急速地闭合突破点这些举动是非常适宜的。这些部队用最大可能的流动性，大大地超过了骑兵的流动性，把步兵的一切力量联合起来。

近代德国步兵师是武装得很重的，每师有机关枪四百五十挺，以及各种炮兵的配备全部，而往昔的德国国防军则每师只有机关枪二百七十挺，炮七十二尊。直到后来，每师所备的坦克防御炮是五十四尊，可是如今呢，据法国所得的情报，每师已有这样的炮七十二尊了。每师所备的高射炮从前是十二尊，现在据传有十八尊了。过山炮的数目依然是二十四尊。此外又有精锐的师属炮队。这一种伴同步兵的炮队，素质是高级的，而德国的坦克防御炮尤其被认为欧洲最精良的一种。有一个法国炮兵专家就德国的过山炮写着如下的话道：

“亏着各种装弹的可能性，这是为着直线射击及角度射击两都可以应用的。这是轻便的武器，有着战术上很大的流动性，这似乎特别适用于运动战。”[1]

德国步兵有力地配备着防御火器和攻击武器：坦克防御炮，高射炮，过山炮及师属炮队等。这种配备实际上可算是一切武器的综合，这是把流动的炮队铸成一个战斗单位了。德国陆军采取了义国陆军改革家维斯康底·帕拉斯加将军（General Visconti Prasca）所定的原则，把这原则实行得比义国陆军远更有效：这就是步兵配备了本身的炮队，变成一个独立的，攻势的战斗单位。德国的炮兵军备也在改革中。德国陆军的领袖们竭力用充分轻便而火力强盛的炮队（坦克车防御炮及高射炮等）配备着步兵，为的是要把意想中敌军所运用的最有力的攻势武器毁灭了，或者至少是摧残了。西班牙内战的经验显示着轻型的德国高射炮是欧洲最好的这一种炮。德国陆军似乎把奥国坦克和炮兵战术理论家爱曼斯贝格将军的观点完全接受了，他在所著的书上写着：

“师属炮队的主要火力必须使其不在对于敌军的壕沟，而在对于敌军的坦克和飞机的攻击上收到急速的效

[1] 见 *La Revue d'Infanterie*，一九三六年二月。

果，这也许是未来战争中很容易发生的情势罢。如果它适应得了新任务，获得了流动性，那就对于现代炮兵的前途有着决定性了。”[1]

德国的新军器技术指示着：它是决意要进行一种运动神速的战争的。

这并不是说德国企图着减弱“正常的”炮兵。相反的，师属炮队要增加到十足的两团，一轻一重。轻炮兵团（每团三连）里七七公厘口径的野战炮现在是用一〇五公厘口径的曲射炮代替了。重炮兵团每团计有两连，其中一连还用着马匹，又一连则已经摩托化了。每连有一〇五公厘口径的炮一中队，一五〇公厘口径的曲射炮一中队。中级及重级的炮队还是德国军器技术最优秀的产物，正同世界大战期间一样；而德国炮队的精确性尤其是程度很高的。德国七七公厘口径的野战炮有着七哩半光景的射程，一〇五公厘口径的野战曲射炮有着七哩光景的射程，一〇五公厘口径的曲射炮射程差不多到十哩，而军团属炮队的一五五口径的曲射炮则射程到十二

[1] 见《军事学情报》（*Militärwissenschaftliche Mitteilungen*），维也纳，一九三五年一月。

哩半。重炮队的效能是惊人的，其一一英寸口径的曲射炮甚至有着二十五哩的射程。德国陆军的重炮部队到一九三七年还没有编得完全。

德国陆军是新式的陆军。跟今日的德国陆军相比较，那博得了查勒罗和丹能堡诸役的胜利的，一九一四年的德国陆军就是装备简陋的拙笨的机构了。跟今日的德国陆军相比较，西欧列强的陆军在人数及配备上就都大有逊色了。在今日的德国陆军中间，一切都是为流动性，进击力及火力而设计的。在一九三九至四〇年间，德国一定可以完成了军事改革；到那时候，由于战争物质的加倍，德国陆军一定可以充分发挥其战时力量了。

第六章　国社党德国的战争原则

一　全体性战争

德国的战略及其非常优秀的工具，即德国陆军，并不是独立的因素；单是军事得失上的考量是不足以决定它的发展的：国社党德国的战争原则使德国的战略担负了种种的任务，那种原则的全部观点是全体性战争这一概念所支配的。我们就全体性战争这口号仔细来考察一番罢。全体性战争的意义就是在军事准备以及作战上全国一切力量的动员，也就是全国军事化。战争不再是如克劳塞微支（Clausewitz）所指出，用着政治以外的手段的政治的继续；恰好相反，政治仅仅成为用着另外方法来继续上次战争，并且准备新战争这一种手段了。鲁登道夫有着几句名言道：

“克劳塞微支所定的一切原理颠倒过来了……战争是民族生活的最高的表现。因此政治应当附属于战争了。”[1]

有一个德国的军事刊物把这点也说得相当明白：

“战争已经变成了民族生存的一种方式，有着同和平一样的权利了。任何人类的或是社会的活动，要不是对于战争的准备有着贡献，就没有存在的权利。新的个人是完全充满了战争思想的。战争以外的事，他尽可以全不想到的呢。”[2]

这一来，战争本身变成了目的，而国家仅仅成为发动战争的机构了。

这是在仅仅意识形态以上了。战争本身是扩大了。那在国社党当权以前，本质上就已有着发展的德国新战争原则宣布着：军事战是不会有最后的决定的，于是战争的两种新形式即经济战和士气战发展了。国社党一当权就把这个原则实现而且扩充了。经济战的意义就是充分地动员了经济体系，来准备战争，经营战争，尤

[1] 鲁登道夫:《全体性战争论》，柏林，一九三五年。

[2] 见一九三五年六月十二日出版的《德国国防》的增刊《德国民众力量》。

其是用武力破坏着敌人的经济体系。未来的战争一定是不但对着敌人的军力，还对着敌人的经济中心而施攻击的，这就使天空军备的重要性大大地加强了，因为天空军备是长距离军事行动的武器，用以攻击敌人的经济中心的。士气战则目的在于摧毁敌人的士气，消灭敌人的抵抗意志，并且用宣传争取公众的意见。梅区将军——他偏不是国社党员——写着如下的话道：

“宣传是同炮队或是化学军备同样厉害的武器。我们不应当把宣传单认为是向动摇的军队施致命的打击这一种手段，还得认为是战争爆发时立即可以当作战争上自然的事象来应用的武器。”

这一位极有学识的德国军事作家居然把宣传比之于毒气所造成的云雾，这是值得注意的。士气战应当用心理技巧上一切可能的手段，尤其是凭借着无线电来干。据慕尼黑陆军士官学校司令希伯德（Siebert）中佐的考量，在全体性战争的起头，恰跟袭击的陆军的侵略同时，强力的无线电台就得加入军事行动，来折磨敌军的士气。然而这宣传战却也并不仅限于用现代传布新闻的技术手段，来进行的巧妙的战争，这又是意识形态的战争，是法西斯体制反对民主体制的“圣战”（Crusade）。

全体性战争，又是时效的战争，是预定了日期来发动的战争；侵略国准备这战争，少不得用一切可能的力量和彻底性动员了它那全部的经济体系，训练了造成了大量的陆军。要作时效的准备，人力和战争原料两者都得顾到。从敌对状态的第一天起，所有可以作战的人，协同了充分发展的战时潜在能力就立即用全力向敌人进扑了。全体性战争就是用了一切可利用的资源来干的战争。

全体性战争又决定着战争的目标。除了完全控制欧洲这一个目标，再不能用其他的什么目标来进行全体性战争了。这极大的努力及其所包含的巨大的冒险，只有在预期的胜利相等地巨大，或是有世界历史的重要性的战利品可望获到的情势之下，才有着价值而可以进行。要是为了有限的目标，那就不值得作这等巨大的努力，和这样的冒险了。全体性战争是拿一切来孤注一掷的战争。这是为着一切的战争，如果不得已，又是反对着一切人的战争。这样的战争自然而然使种种有限的目标成为不可能的了。然而抱着无限制的目标的战争却也须估量到敌人数目无限这一种可能性。全体性战争的目标，——欧洲的霸权——是跟其准备的方式——时效战——密切地互相关连的，当德国外交政策和德国战略并不以欧洲的霸权为主旨，而只考量着有限目标的战争那时候，德国的军事政策并不赞成时效战，希克德将军（von Seecket）就宣布过他是反对这种战争的：

“巨量军需品的堆积是再浪费也没有的事；同时由于废弃的危险，其军事上的价值是很可疑的。大量配备的方式只有一个；就是看所需要的武器的类型下个决定，然后用全力来准备临到需要时候大量的生产。”[1]

然而这一种制造原型的方式对于时效的战争却是没有什么用处的。要是在预定的日期，要用全部可以运用的巨量物料来进扑敌人，那就没有废弃的危险了。为什么一开头就得用大量积贮的战争物料来压倒敌人呢？因为在长期战争中，是否无间断地办得到军需品是拿不稳的；譬如有效的天空轰炸之类的危险就在所难免。至于在时效的战争，军需品堆积量过大的情形

[1] 希克德将军:《一个士兵的思想？》（*Gedanken eines Soldaten*？），柏林，一九二九年。

是不会有的了。

全体性战争是彻底破坏的战争。这不但是要对敌人的种种军事力量作战，还要对敌人的全部人口作战。战争的结局不会是一种解决方案，或是战败国方面一种有限的损失，却是战败国的政治的破灭。国社党德国是再不能用其他手段来夺取而且维持欧洲霸权的了。国社党德国的主导的军事记者之一，即《知识与国防》（*Wissen und Wehr*）的主笔林内巴赫说道：

“破坏性的战争是以破灭敌国为政治目标的战争。”[1]

又一个德国军事刊物，甚至把这主意说得还狠些：

“不但就各种实力为作战而动用来说，而且就战争结果的范围来说，未来大战都是全体性的；换句话说，全体性战争会落到全体性胜利的结局。全体性战争的意义就是战败国彻底地破灭了，并且从历史舞台全然地，最后地消隐了。战胜者不会跟战败者谈判什么和平的条件，因为对方是不够谈判资格的。他要把自身认为合适的任何条件强定下来。实际上，全体性战争只不过是大

[1] 见《知识与国防》，一九三四年十一月。

规模的歼灭，其结局可怕而无可变更的。”[1]

就此看来，国社党德国打算在欧洲强制造成的局面，并不是“德国凡尔赛”的问题，却是全然不同的一回事，同一刊物上宣布道：

“事实上，世界大战没有什么决定的结果就结束了。交战国终究是没有一方面退出了世界舞台，或是甚至被迫到永远隐伏着。”

国社党德国所遵守的这个新决定，是要使欧洲其他列强落到最后的毁灭，作为造成日耳曼欧洲的主要的预备条件。要在欧洲确立德国霸权，要大规模地发展德国军事技术的资源，要残酷地消灭它所有的敌人，这种种坚决的主意，在德国的新战争原则中结合起来，形成了它的新战略的基础。

二 闪电的战略

德国陆军的战略是显然单独根据于攻势行动的；战略的攻势不外乎是突然的侵略；那一种攻击的用意正同

[1] 见一九三五年六月十三日《德国国防》增刊《德国民众力量》。

野蛮的侵略一样。德国战略在其战争准备上的主要任务就是组织一种可以速决的攻击。胜利非在战争的初期就获致不可；德国陆军准备着充分地利用它的发动性，即它下着攻击的突然性以及敌人的猝不及防。德国战略甚至并不估计着德国要受攻击的可能性；为守御的，甚至敌人方面反攻的可能性而作的准备是一点也没有的。

德国的新战争原则认为在第一次有力的突击上就获得战争的胜利是十分可能的事。它把眼光注集于迅速的胜利这一种梦想，以为只消以惊人的速度——借着天空和陆上的摩托化，这是办得到的——使各种实力庞大地集中起来，迅速的胜利就可以获致了。

一九三二年，梅区将军就写过下列的话道：

"这样的袭击甚至可以求得什么决定也说不定罢。"

一个权威的德国专家约斯脱劳（Justrow）中佐又写道：

"要是交战国双方的军队在实力上相差很远罢，那么那在现代战争的一切工具，军队，武器及装备上从开头就有着极大的优势的一方面冒了果敢的大规模军事行动的险，一下子就战胜也是可能的。"

在别一节里，他添说道：

“攻击着那一种准备好应付一切事变的守军，如果终究可以获得决定的胜利的罢，那是只有用着猝不及防的袭击手段才可能获得的。”[1]

我们已经知道德国全部军备计划目标是在确立对于西欧列强的优势，像约斯脱劳所指出一样。义国军事专家穆列太·洛加（Moretta-Rocca）上校在他所作的《下次大战的情状怎样？》这一书上把德国的新战争原则正确地列举如下：

一、具有着第一等装备的陆军像闪电似的施行着突然的强力的侵略，深入到敌人的动员区域，并且在敌国全境散布着恐怖。

二、以极大的准确性和敏捷性施行着不住的攻击。

这一种以侵略求速决的概念无疑地是根据于现有的可能性的。在一切未来战争中，决战将在劈头就开始。大陆的列强，尤其是德国和苏联把突击的军队结集着，这些军队驻扎在战略的地点，配备着坚强的武器。在敌

[1] 一九三四年六月《知识与国防》上所载约斯脱劳作的 *Die technischen Probleme der neuzeitigen Kriegfürung*。

对状态的最初二十四小时以内就能够深深地侵入到敌人的领土。有决定性的天空攻击则在敌对状态开始的数小时内就能够实施了。亏着现代的运输方式，陆军摩托化之类，军队的动员和集中，可以远比一九一四年快得多。在下次大战中，交战国要是没有什么顾忌，则不消几星期的工夫就可以动员舒齐，同时边境一带少不得进行着预备的小接触，为的是交战的军队要试探彼此的实力。于是拼死活的大战立即可以发生，侵略军立即可以尽全力来进击敌人的军事根据地，至少是来突破敌人的第一道防线，到这地步，德国的战略是十分切实的。此外又有几种理由，使它的计划容易实行。一开头，西部的德国陆军在兵数及军事技术资源上，就可以到非常强盛的地步，而且它的移动又是非常敏捷的，因此它在最初享有明确的优势是十分可能的事，而这优势也许少不得使它决计要立即进行决战罢。

有一个对于他所谈到的事十分熟识的人把德国计划中的侵略情形给我们描写了一番，读去好像是预言式的陆军战报。这个人就是德国装甲师总司令古德林将军，他是命定着要领导这一种突击的。他的描写发表在德国陆军部正式机关刊物上头：

“一个晚上，凡是飞机库和军车库的门户都要打开，飞机和汽车都要整备好，而各种部队都要出动。第一次的突击要不是可以把重要的工业区域和原料区域占领起来，总也可以用空袭手段破坏了那些区域，使其不能参加战时生产。敌国的政治中心及军事中心，可以使其残废，敌国的运输体制，则可以使其凌乱。无论如何，第一次的战略的突击一定是可以依照着所经过的距离，以及所遇到的抵抗力量，多少深入到敌国的领土的。

“接着第一次天空的及机械化部队的攻势，摩托化步兵师出动了。他们将调到占领区域的边端，防守在那里，以便流动部队作又一次进击。同时进攻者将集合巨量的军队。他选定了下次大举进击的地区和时间，便即调集各种的兵器，用以摧毁敌人的抵抗力，突破敌人的阵线。于是他迅速地集中了他的流动部队，出动了他的空军，这样地用最妥善的办法，趁敌人的不备，突然来一下猛攻。待到最初的种种目标达到了，装甲师不再停留在那里；他们倒要充分利用了他们的速度以及他们的活动范围竭力来完成突破敌人交通线的工作。为了要席卷敌人的阵线，要尽量深入地进攻敌人的领土，势必一次复一次不住地发动着攻击。空军则将攻击敌人的后备兵，阻止他们参战。”[1]

这就是未来的德国侵略的景象：突然的攻击——在晚上——以及整备周全的部队将给调动神速的大军开路进到敌国的心脏地带去；现代技术资源将充分地集中起来；空军将立即出动发挥其全力；冲锋陷阵的庞大的装甲师将开向前去，初则开路，继则突破敌人的阵地；最高可能的速度将成为一切军事行动的特点，行军的步骤将看充分利用坦克速率的程度来核定，凡是所调用的步兵差不多将显得全都摩托化了。正如约斯脱劳所指出：

“无论如何，用了技术的优势一举而获决定的最大机会一定是在敌对状态开始时。”[2]

而全部的军事行动一定是兵数，技术及流动性的巧妙的配合。

这方式在一九三七年秋季，德国东北部所举行德国大演习中间是试过的：那次演习的主题就在表演那些辅

[1] 见《军事学评论》，一九三五年十二月。

[2] 约斯脱劳中校：《知识与国防》（*Wissen und Wehr*）。

以摩托化部队的密集的坦克队伍和空军的联合的效用。

三　缺少持久性的战略

国社党德国的战争原则，就其那么重视战争开始时的军事行动，那么重视这一战斗阶段上技术优势的组织来说，是彻底地现实性的。这个概念完全适应着军事技术及军事科学上最近的发展。然而德国战争原则的弱点却是显而易见的：它在主体上集中于初期的前方战斗；它把战略的攻势，而在事实上，又把全部的作战行动看作了跟侵略的第一幕同一的事态。它用未免武断的神气臆断着未来战争的顶点是在战争开始时；它似乎把红军战略上所准备的“努力的累进性”完全无视了。德国战略注集于独幕的战争；这是缺少着持久性的战略。

把德国战略跟红军战略比较一番是很有意义的事。两者有着若干的共通点，两者都是很明确的攻势战略。两者都估计着现代军事技术资源大规模的使用，两者都提倡着机动和流动。可是类似点就此为止了。一面德国战略在突然的袭击及突然的猛攻上把一切孤注一掷以求获得决定的形势，一面红军战略则估计着敌人方面长期抵抗的可能性，因而准备着随同需要的增进，逐渐提高本身对于战斗的努力。红军战略跟德国战略不同，它并不就独幕的侵略来考量，却就连串的大小战役的全体来考量。它准备着应付持久的战争；苏联的军事专家们便从这一观点批评着德国的战争原则，并且警告着不要把袭击及流动的重要性，估计得过高。E. 塞尔盖夫（Sergeiev）在所作的论文上说道：

“不单是突发性一定不足以决定开端的军事行动的结果。优势终究是会落到兵数较强，技术配备较优，准备较充分，尤其是全军明了为何而战的军队的。”[1]

F. 诺伏斯洛波茨基（Novoslobodski）在所作的论文上说道：

“急速的开端的军事行动可以使进攻者获得战略的利益的，然而单是这样却不会决定战争本身的结局，因此相信着未来战争能够凭闪电似的攻击而获胜，相信着现代军事技术使这成为可能的事，相信着优秀的军事领导能够使这理想实现的那些军事专家所抱的希望是落空

[1] 见《红星报》，一九三六年五月十六日。

的。”[1]

这种批评对于国社党德国的战争原则是致命的打击。在未来战争上，是否真正能够一下子就获得了胜利，不使它变为持久战，以致发生各种于德国不利的后果呢？这在领导着战略的德国当局自身也是不免疑惑的。甚至世界大战所产生的最暴烈的攻击主义倡导人鲁登道夫自己也表示着这样的疑惑：

“就战败军方面军队的大量动员，后备兵可以调用的程度，以及那种使军队得以急速集中急速移动的高度发达的铁路网看来，要在战争初期的几次战役获得了定局似乎不一定是可能的事罢。”[2]

在世界大战期间，鲁登道夫属下，最高军事参议院的战术主任，也就是威马共和国期间德国陆军参谋长，现今《军事周刊》的总主笔威采尔将军（General Wetzell）则把他的意见说得还要明白：

“就大小各国虽在承平时代也用各种军事要塞防卫着他们边境的情形看来，一九一四年那么规模的运动战

[1] 见《红星报》，一九三六年六月二十四日。

[2] 鲁登道夫：《全体性战争》，柏林，一九三五年。

是否再有可能，似乎很可疑了。”[1]

威采尔将军不但质疑于速胜的可能性，他还把受攻击国家可能的防御力量估计得很高，甚至怀疑着攻击者，即德国是否能够发动像一九一四年那么规模的运动战，至于国社党德国的正式战略呢，则拼着一切，以求德军第一次总攻的胜利，以求其后甚至比一九一四年规模还大的运动战的可能性。可是虽在现存的世界大战时代德国几个战略家的顽固的头脑里，也有几许疑惑流露出来了，这实在是值得注意的。结果是，国社党德国的战争原则显出矛盾来。德国《军事周刊》载有一篇论文，题叫《一九一四年的配置及今日》，其中分析着现代战争的因素[2]，指出现代的攻势，武器虽然是效能强得多了，可是现代的防御方面效能也大了不少，而用比较小额的守军来抵御进攻的敌军，实在是有着十分顺当的机会的。那篇论文又指出现代发动着攻势的军队，一定比之一九一四年的军队远更依赖着军火，物料尤其是石油燃料的无间断的稳妥的供给，因而他们一定远更敏感到

[1] 见《军事周刊》，一九三六年六月四日。

[2] 见《军事周刊》，一九三四年十月十一日。

军需供应脱节的一切情形。这一种很警觉的态度并不是没有效果的：德国的策略不主张让坦克单独作战了，要不是有摩托化步兵得力地辅助着，坦克就不得出动。坦克冒昧地向前冲击这一种主意是认为要不得的，生怕机械化部队要受着敌人的包抄，跟根据地相隔绝。十月二十八日，《军事周刊》则发出了更见紧要的警告：

“战略的袭击是很费考量的事情，因为虽然这提供着引人的机会，这又表现着大而可怕的冒险。我们尤其应当牢记在心头：在战争开始时，凡是作着这样的袭击而失利的国家少不得丧失了威望，而这一种损失是无可计量的。”

如上所说，我们见着那因闪电似的侵略而胜利，这一种原来的愉快的希望已经有些儿减色了。速决的战略多少是跟现代战争所具有的技术条件互相抵触的，尤其是这还留下一个没有解答的紧要问题：如果德军第一次总攻击被阻住了，德军怎么办呢，德国怎么样来进行战争呢？德国对于持久战争的情势在战略上是没有变通的应付方法的。

四　德国战略对苏联无效力

德国的速决战略显然是要用于西欧的，而在德奥合并及《慕尼黑协定》以后，更其是要用以对东南欧。这个战略得以运用的决定的作战地区包括着法国，比利时，荷兰及瑞士。德国的军事力量所由造成的一切因素有着在这地区迅速应用的意图：第一是现代的攻势武器，其中最可注意的是强力的空军及坦克部队；第二是德国的运输体制，尤其是全都向西的宽阔的汽车路以及德国西部密集的铁路网；最后是德国战略本身，因为速决的战争照推想只有在西欧狭隘的地区以及东南欧防卫力薄弱的地区才能够进行。德国战略的几张好牌，即突发性，猝不及防的袭击及闪电似的侵略只有在西欧才能得手罢了。

在东欧呢，速决的战略必然是要失败的。对苏联作战的，也许是对苏联和波兰作战的地区少不得使德国战略家遇到还待解决的很不同的问题：军事上持久的努力，广大地域的归附，进一步的作战根据地的征服，最后呢，则是对兵数及军备都占优势的敌对方面的战斗。

在这里突然的侵略是不能获得定局的；在这些广大的地域，突然的闪电式的攻击不待逼近目的地就难免丧失了效力。国社党德国的新战略不但无法解决东欧战争的种种复杂问题，而且它甚至也没有仔细考虑过那些问题。

因这理由，德国的战略不能解决其他的重要问题，譬如说德国怎样来进行几面前线的战争呢？如果德国的战略本身显得不能把战争方法发展到适于因苏联的勃兴而造成的东欧新局势罢，那么，在东方及西方即对苏联及对西欧列强同时作战这一个更大的问题，它怎样来加以解决呢？

矛盾是显而易见的。国社党德国的战争原则主张着意在确立欧洲的德国霸权的全体性战争，这战争是非在几面前线对抗数量未可知的敌人（至少是对抗着法国和苏联）不可的。德国陆军的领袖们主张着用速决的战略来解决这任务，然而由于其过度的急躁性，这只有在西欧及东南欧才可以行使罢了。德国的战略不能造成足以对抗东西两方敌人的作战方法是明明白白的。鲁登道夫和希克德这两位世界大战中著名的将军，对于这问题都没法作满意的答复。他们两人都隐约地属望于具有战略的雄才及铁的意志的未来大元帅的天才，鲁登道夫便在他所作的书上说道：

“军事领袖的意志非在生活各范畴都有决定性不可。他的地位应当是无所不包的，正同腓特烈大帝一样。军事领袖应当只信赖着他自己一个人。他独个子站在那里。他定下了政策的方针，这一定是有助于战争的。”[1]

希克德将军用了同样含糊笼统的语调称赞着那未来大元帅的决断力和毅力。他们这些话正表示着，他们从国社党德国因几面前线战争的必然性而遇到的种种无可解决的问题，逃避到德国战神的膝上了，这战神是可以现出一种神秘的军事天才的凡形来，而用奇迹来解决一切无可解决的问题的。

然而在几面前线同时作战这问题究还固执地存在着，国社党德国总有一天不得不临到其一切顽强的后果呢。

[1] 鲁登道夫:《全体性战争》，柏林，一九三五年。

第七章　德国与几面前线的战争

一　新外交政策与新战略

国社党德国的领袖们已经在德国战略上定下准备几面前线的战争这一项任务了。德国法西斯主义要求着在从属的东欧开拓殖民区域，要求着在中欧及东南欧创立德意志法西斯帝国，并且来一次顺利的报复战争，以求确立德国在西欧的霸权。这些目标每个都包含着向特殊方面大举的进攻，而每一方面又代表着未来战役的前线。德国的军事领袖们从来没有临到过这样艰苦的任务，虽在一九一四年也不曾如此。

在威马共和国时代，德国防军领袖们连同稍有势力的保守派人士曾经充分体味了世界大战中德国战败的教训，要在外交政策及军事策略上把德国未来战争的准备引导到安内的途径。他们的主要目标是在决计避免又一次两面前线的大战，因而他们的外交政策是在使德国脱出大陆的包围形势。争取欧洲霸权的致命的斗争是放弃了，德国的领袖们所要遵循的是目标有限，手段也有限的现实政策，举例说，第一件事大约是要解决跟波兰的纠葛罢。若干世代以来，德国民族主义第一次准备采取冒险性有限的温和政策了。在外交政策上，它主张着遵循积极的大陆政策，而跟其主要的两个大陆敌国的任何一国，即法国或是俄国订结同盟。这个战略的目标是在使未来的德国战略上解除一种不能胜任的任务；而两面前线战争这一种可怕的光景是要永远摒除了。结果是德国外交政策上发展了两个主要的倾向，互争着雄长：即东方政策和西方政策。这两个政策本质上有着大大的差异，然而目标却相同；这就是要就那两大大陆国中间争取一国作为同盟国，要使德国成为别国所想望的同盟者。希克德将军连同德国国防军中间最有势力的人们，有些保守分子，以及若干工业家集团都主张着对苏联同盟，而巴本（von Papen）连同黑棱总会（Herren-Klub）

最有势力的会员们，《集团周刊》（*Ring*）派[1]的人们以及另外几个工业家集团则主张着对法国同盟。关于联莫斯科呢，还是联巴黎这一决定的问题，大家的意见得不到一致。德国应当搭着谁同走，应当为着什么来对抗谁呢？两种方针都含有冒险性，因为两都预示着新的军事同盟，而客观地看来又预示着新的大战的可能性（虽然要经过了相当的期间才会发生），然而在这两种情势之下，战争的准备终究都是被认为于理正当的，无论最后采取着那一项解决方针，战争的准备总可以使德国造成了种种新的军事可能性，即德国前在世界大战中不曾具备的那些可能性。这两项计划都显示着一种现实的进取性：统治阶级的一部分要求着跟世敌的法国同盟，而另一部分则要求着跟赤俄同盟。这两种可能性都可说是民族主义德国外交政策上的冒险。

国社党的执政消灭了积极外交政策上两项新方针的可能性，回复到德国争霸这一种反大陆的外交政策，及

[1] 黑棱总会是德国一个著名的交际俱乐部，曾经做过一个政客集团的中心，这一集团凭借着他们对于贵族社会和高级官吏的联络，在德国获得了很大的势力。一九三二年白鲁宁内阁的颠覆就是这一集团所策动的。巴本内阁的大多数阁员也属于这一集团。《集团周刊》是他们所办的机关刊物。

其无可避免的几面前线战争的战略体系。国社党德国的理论家及政治家放弃了旧时德军领袖们的审慎合理的战略，而政治当局则在德国历史上并非第一次，对于军事政策，比军事当局还主张得更激烈更冒险。前例是在世界大战期间就有过的，福尔根汉（Falkenhayn）在他的回忆录上记述着这种情形：

“最高军事参议院对于价值可疑的军事成绩的竞赛，或是含糊的战争目的，是坚决地不肯加以赞助的。”[1]

这番话只不过讲到福尔根汉的政府罢了。在德国的大战史上，我们看得到下列几行军人对于政治当局的抱怨的话：

“战时的政治领导应当从开头就守着明哲的慎重态度。”[2]

这么隐约地抱怨着大战中的政治赌徒的大战史作者并非别人，就是当今主导的国社党军事理论家之一，劳工服务计划部长希尔上校（Colonel Hierl），他主持着在

［1］ 见一九二〇年柏林出版的《最高军事指挥部》（*Die Oberste Heeresleitung*）。

［2］ 希尔上校：《粗具轮廓中的世界大战》（*Weltkrieg in Umrissen*），沙罗腾堡，一九二二年。

营的德国未来士兵初步的步兵训练。今日他对于德国的战争目标一定思虑得没有当时那样的谨慎而且周细了，然而他的书却是一九二二年写的，那时德国的军事领袖们还不曾从大战的失败所引起的消沉心理回复过来呢。

同时希特勒强迫着军事当局接受他的战争目标，连同他的战略，以及可怕的问题：如几面前线作战，对抗着法国及西欧，对抗着苏联及东南欧。那一种从维也纳难民收容所里一个住客心头发出的夸大的理想压倒了普鲁士及德意志帝国伟大的军事的传统观念，压倒了从昔日的毛奇（Moltke）一直传到希克德将军的政策。国社党德国的军事机构是退化为仅仅政府的工具了；它放弃了那以合理的战争准备为目标的先前的外交政策及军事策略，主张着全体性军事化。以希克德将军为首，从前赞助着对苏联同盟的人们现在积极参加了对赤色共和国作战的准备，正同以巴本为首，从前赞助着跟世敌的法国同盟的人们现在积极参加了向西进攻的准备一样，他们对于国社主义的归附出于报仇的心理：紧随着他们的从顺，德国战略的深刻的危机就发展了。

二　希里芬计划的后果

在这里来一下简略的历史的检讨是必需的。两面前线作战的问题在德国并不是新问题，这早就经过了很仔细的考虑，而解决这问题的种种计划又是拟定了的。德国西部和东部间的军事地位在客观上是确定的，同时德国战略的可能性及限度也如此。大战前关于这点的种种讨论，战争本身的教训以及德国最前进的军事专家及战略专家从事势上求得的结论，我们都知道。在一九一八至一九二八年，德国战败以后的几年间，德国军事专家们把本国军事力量的限度，以及招致失败的一切因素考验得十分透彻，尤其是他们悉心考验过德国几面前线上任何战争的情势及后果。从这种考验所得的结论在今日看来是极有兴味的：国社党德国的全部战争准备及全部军事策略，德国本国军事历史家早就指出其错误了。大战的教训给予了我们非常宝贵的根据；就此可以考验几面前线的战争对于今日的德国会有怎样意义这一个问题。

我们从最精彩最完满的德国战略的成就希里芬计划

说起罢。这一计划是一八九二至一九〇五年间德国总参谋长希里芬伯爵所草拟的，对于其后一世代的德国军事理论家有着差不多催眠性的影响；在直到大战为止的全时代，这一计划的要点始终是德国的军事原则。

鲁登道夫的股肱，继承着他任东线总参谋长的马克斯·霍夫曼将军（General Max Hoffmann）在他所著的书上写着：

"德军胜利的唯一可能性在于这个计划，在于确切而且极快地贯彻这个计划。"[1]

几年前做着德国陆军总司令的弗里区将军在他给希里芬的著作《坎泥》(*Cannae*)所作的序文上说，希里芬还是德国卓绝的军略家，他指点着胜利的坎泥路。

这精彩的计划的主要特征是什么呢？柏林大学军事史教授爱尔慈（Elze）讲道："希里芬的几种原则，就是战争期间相当的短，用攻击及包抄方式取得的西线的完全胜利，以及使敌军歼灭。"这三个特征无疑地就是希里芬计划的主要原则：

一、短期战争的绝对的必要性；

---

[1] 见一九二八年柏林出版的《马克斯·霍夫曼将军回忆录》。

二、西线方面主要的军事努力的集中，那方面非获得了决定不可；以及

三、为要成就这种决定而设计的明确的作战技术（包围，右翼方面主力的集中等）。

希里芬计划的伟大不但是在它把德国向西的攻势放在军事行动的前端，而且在它用毫不妥协的现实主义的态度承认着德国临到两面战争的时候，它那军事可能性的限度的狭隘。希里芬计划实在同时是一种警告，含有德国可怕的难境的要素：不是速决就是崩溃。希里芬并不相信德国所处的地位足以支持长期战争。希里芬的门徒，玛伦战役中的总指挥之一，后来做着巴伐利亚太子军团总参谋长的库尔（Kuhl）将军在他所作的书上写着：

“由于我们敌人的无限的资源，由于我们自己的孤立，消耗战的战略必然要引到长期战争，要引到我们自身的精疲力尽。时间是反对我们的。”[1]

希里芬计划的意义在于选择最适当的目标并且集中军队来攻击这目标。希里芬认为向法俄两国同时进攻是不可能的事；他又见到德国胜利的唯一可能性在于方略

[1] 见一九二一年柏林出版的《玛伦远征》（*Der Marne-Feldzug*）。

上精明的打算以及用于一个目标的各种努力的集中。因此他的计划是战略的理论，也是浅显的事实的论述。

在关于动员及运输技术的一切问题上旧德军的主导的权威斯太勃将军（General Stabb）在所著的书上写着：

“自从那时（一八九〇年）以后，德军的统率人员一直不曾料想到两面同时进行的大规模攻势行动。各国军力的对比总是使德军至少不得不在一面保持着守势的。”[1]

希里芬从这一情势引出了逻辑的结论。他反对着兵力的分散，反对着进攻地带并非绝对必要的扩大。他只料想着对法国这一种攻势，而且这攻势，也只沿着一部分前线：即德军右翼从北面经过比利时。就此看来，他所见到的德国胜利的可能性只有一个，而这一可能性非用极度的准确性加以充分的利用不可。至于其他的可能性则都是包含着极严重的危险的，例如对法俄两国同时的攻势，缓慢而且持久的对法攻势，或是对俄的攻势等等。这位德国大战略家对于两面战争中威胁着德国的种

[1] 斯太勃将军：《向两条战线的进军》（*Der Aufmarsch mach Zwei Fronten*），柏林，一九二五年。

种可怕的危险是再明白也没有，而世界大战的经验又充分证实了他的忧惧的切当。

三　对俄国的戒心

希里芬审慎地定下了德国战略的种种制限，他认为对俄作战是不能速决的，他把俄国方面雄厚的防守力量分析得非常深刻，从此对于俄国的顾忌成为德国战略上永久的传统观点之一了。一八九二年十二月希里芬所写的备忘录上有着如下的一番话：

“经过了多年的准备，俄国已经把它的动员组织得那么周全，把陆军的平时防区布置得那么适合于战时的需要，把铁路体制改进那么得当，我们可以说，虽然它的领土辽阔，而人口密度很低，它在战争准备上，比之那些得天独厚的邻国决不至于显得劣势的。况且它在筑有要塞的大河后面布置动员也十分安心，他比其他任何强国更其不必怕受袭击。”[1]

---

[1] 摘自格隆纳（Groner）：《希里芬的遗箴》（*Das Testament des Grafen Schlieffen*），一〇一——二页，柏林，一九二八年。

在一八九三年十月一日所写的又一件备忘录上，他宣告着“对于俄军是再不能用袭击手段来制胜的了”[1]。——有先见之明的希里芬认清了德国临到两面战争的时候怕要承当的东线上那一种严重的任务。

希里芬的传统见解在德国陆军中间一直有着深固的根苗；他的继承者，较年青的毛奇也保持着这个见解，采纳了希里芬的论据。毛奇在一九一一年十一月所写的备忘录上列举着各种新事实：

“自从对日战争的不幸的结局以后，俄国把陆军彻底地改组了一番……它变更了军队的布防，以求战时调动的便利。它化费了巨量的款项使铁路体制发展到只消用五年前所必需的时间的一半就可以把军队分发到西部及西南部的边境了。”[2]

在玛伦战役一年以后世界大战期间，关于意在获得定局的大规模攻势应当在西面发动呢，还是在东面发动这一个问题，在德军高级统率人员中间曾经作过一番剧烈的讨论。毛奇的继承者，即德国总参谋长福尔根汉一

[1] 摘自《希里芬的遗箴》，一〇二页。

[2] 摘自《世界大战一九一四——一八年》，柏林，一九二五年。

直是信守着希里芬的传统见解的。他反对着东线上德军的司令官兴登堡和鲁登道夫他们，甚至在一九一五年德军大胜利以后，也还否定着东线上获得决胜的可能性。他在一九一五年写给兴登堡的一封信上，警告他不要在那方面作任何大规模的军事行动：

“我们不能希望把兵数较强而在后面又有俄罗斯这广大空间的敌人包围得怎么有效。在这一种军事行动上制胜的要素，即袭击手段，如果实行起来，是决不足以防止敌人同时采取反抗策略的。”[1]

福尔根汉的见解的主要点就是希里芬计划的精彩部分绝对不能运用于东线，换句话说，这并不适于广大的俄罗斯平原。希里芬计划有着地域的制限，这是为西部的战场而设计的。这所以不能施行于东部，因为制胜所必需的严密的包围行动在这等广大的空间是无法进行的，要是尝试着这种行动罢，那就不是急速地落到了失败，就是使战事转变为消耗战，而消耗战是于德国不利的。

兴登堡和鲁登道夫不赞成福尔根汉的见解，坚决主

[1] 福尔根汉：《最高军事指挥部》，柏林，一九二〇年。

张在东部寻求决战。兴登堡深信“达到最后的定局，达到强制的和平的途径横在战败的俄罗斯的身上”[1]。从一九一四年直至一九一八年，鲁登道夫始终要以东线的决战博得对协约国的最后胜利。有一个赞佩他的军事家就他的对俄计划写着如下的话：

“一九一五年六月初头，鲁登道夫心里就明明白白有着一个大歼灭战的主意，要用从北和南的双面包抄来消灭敌人。”[2]

他的主意并不曾实现。又有一件事，大家较不熟悉，就是：在一九一六年的上半期，鲁登道夫计划着向乌克兰深入的侵略，这一企图是福尔根汉所禁止的。如果国社党德国的战略家如今计划着侵犯苏联，这就是说他们决计不顾世界大战的教训了。权威的德国军事专家一向坚决地否定着东部胜利的可能性。前进的德国军事史家之一，卡别虚将军（General Kabisch）在一九二四年根据了世界大战的经验所写的书上说道：

“向守着堑壕的俄军施行急速的，制胜的总攻击这

[1] 兴登堡：*Aus meinen Leben*，柏林，一九二〇年。

[2] 福斯德：《希里芬公爵与世界大战》，司徒嘉德出版，一九二四年。

一个主意缺少着任何客观的技术基础。在任何有计谋的军人看来，要把俄军摧毁到长久沮丧的地步，这一种速战思想不过是幻想罢了。”[1]

最近，鲁登道夫一九一六年所定的乌克兰计划又为他部下战术主任威采尔将军（General Wetzell）所非难了，他在所作的论文上写着：“当福尔根汉将军拒绝作这冒险的时候，我们是只好赞成他的。”[2]外国的军事专家们有着同一的见解。洛旭将军（General Loizeau）大约算得现今法国主导的军事理论家了罢，他在大体上同意着福尔根汉的态度：就是说一种定局，即德国方面一种战略的成功是只有在西线上才能够获得的。权威的俄国大战史家萨容支可斯基将军（General Sayontchkov）则对兴登堡和鲁登道夫的东部计划下着如下痛辣的判断：

“一九一五年的局势很糟糕地把德国引向东方去，迫得它一步一步地放弃了希里芬的传统见解，使它因把军团一一抽调到次等战场的缘故，削弱了西部的兵力。一九一五年的战役把重担放在俄国的战场；这次战役从

[1] 卡别虚：*Streitfragen im Weltkrieg*，司徒嘉德出版，一九二四年。

[2] 见《军事周刊》，一九三六年六月十八日。

德国别的战线上抽出了重兵，使英法获得了足足一长年的呼吸时间。那使德国丧失了世界大战中最后的胜利希望的就是兴登堡和鲁登道夫自己。”[1]

那些接受了希里芬的意见的德国军事专家们，证明着他们自己能够从这上头推定各种政治的后果，这是值得注意的。格隆纳将军评论着德国大战前的外交政策说：

“攻势和政治主张并不一致……我们的政治家们应当遵循一种适应我们攻势理论的政策，这才一面可以向西进行战争，一面又可以在东部尽量保护我们的后方。”[2]

换句话说，制胜的德国攻势的希望只存在于西部；在东部呢？则任何攻势该都是没有目的，没有希望的。因此格隆纳要求着东部德军后方的保护：即两面战争的避免及对俄国的媾和，作为西部制胜的攻势的预备条件。如果在对法国及其西欧同盟国的斗争中间，德国可以胜利罢，那么它就不应当卷进对俄战争中间了。甚至大战开始之后，在德国军略的危机期间，福尔根汉也竭

[1] 洛旭：*Succes stratégique succes tactique*，巴黎，一九三四年。

[2] 格隆纳：*Der Weltkrieg und Seine Probleme*，柏林，一九二〇年。

力要用政治手段获致同样急剧的解决：为要获得西线胜利的机会，他要求着跟俄国单独媾和。他就这一点，在所作的书上写着如下的话：

“总参谋长因此提议着：政治当局应当设法跟俄国接触，以求达到谅解；他郑重地说，从军事的观点，那一种因东部的和平所可获得的利益是非常大的，任何领土企图的放弃在比较上也就显得无关紧要了。”[1]

作为陆军领袖也罢，作为政治家也罢，总之福尔根汉在作着这一提议的时候，显出了大大的胆识：一九一五年东线作战的德军获得了大胜利之后，他提议着把那边全部军事行动清算一番，便就维持现状的和平基础作政治的退却，为的是要在西部获得行动自由。他的提议代表着兴登堡和鲁登道夫的战略，以及贝士曼·霍尔惠格（Bethmann-Hollweg）的外交的恰恰反面。福尔根汉随后在他的书上描写着贝士曼·霍尔惠格怎样漠视他的提议，惹得这提议一直不能实现了。这事件正说明着德国战略的瓦解，由于政治当局放在其上的无可忍受的重荷。国社党的德国似乎要重现同样的情势罢。如今德国

[1] 福尔根汉：《最高军事指挥部》，柏林，一九二〇年。

政治战的目标要求着德国战略规划对乌克兰的侵略，希里芬或是福尔根汉对于那些目标应当怎样的说呢?

四　西部的军事集中

德国军事理论家们差不多一致采纳了希里芬的主张，即西部的决定的攻势。“德国的全部兵力应当向一个敌对方，即最坚强最危险的一个敌对方进扑，而这敌对方不外乎是西方的英国和法国。”这一个希里芬所定的公理在德国军事界的战略法则上保持过一种势力。世界大战的教训证实了希里芬的理论的正确，这是大战史家都认为确切地证明了的。一种攻势要有确当的目标，同时为了大规模的急剧的攻击，又要有运输的便利，只有在西线上才可以得到。希尔上校宣布着：西线所代表的是“高级的目标”。卡别虚将军则写着：

“如果德国打算在一两个月之内，把它的敌人之一摧毁到只消用比较少数的兵力就容易把他解决了，那么只有在西线上才办得到。只有西线提供着急速展开的可能性，提供着轨道阔狭合于通常欧洲标准的密集的铁路网，又提供着接近战区的重要都会，即巴黎；因此只有在这战线上，才可以希望获得超越寻常的胜利，获得真正决定的胜利。”[1]

世界大战终究证明着：只有当德国准备好把东部方面同时取攻势的念头完全放弃的时候，才能够在西部取有效的攻势。两面同时的攻势是绝对地不能成为问题的：要进行对俄国的攻势行动，就不能向法国进攻了。德国军事力量的限度在这问题上是显然可见的。东线方面德军的配置超过了掩护德国后方以备俄国所必需的绝对的最低限度，必然危及了德国对法的攻势威力；东线方面德军认真的集中则必然破坏了西线德军攻势的机会。福尔根汉将军在他所著的书上写着：

“当西部前线还没有巩固的时候，要把兵力调到东部去的任何企图必然地要招致西部撑不住的情势，而在东部也得不到决胜的希望……

“有人以为等到俄国战败了，我们西方的敌人就会屈服，这是很严重的错误。东部的决战无论怎样的彻底，总不能使我们有余力在西部战斗到底，德国对于这一层

[1]《世界大战：一九一四——一八年》，柏林，一九二五年。

无论如何应当有所准备的。更不消说军队在俄国无尽的平原上要被牵制住。而在法国境内要扼守到决战的时刻或是要获得决战的局势，那些军队是迫切地需要的。

“然而仅仅为了要获得所想望的对那东方大国的决胜，把这等军队用在东部该也是必要的。即使如此，那所想望的目标也并不一定会达到的。”[1]

就此看来，把强大的军队调到东线去并不足以保证获得对俄的胜利，这倒绝对确定地保证着不能获得对法的胜利了。

情势甚至坏得还过于这样的程度：大量的德军牵制在东线甚至可能危及西部方面对法英军的防御力量。库尔将军（General Kuhl）坦白地承认着德国战事上这一种可怕的危险：

“对俄的进攻这才需要着很多的军队，于是所留下的不够防守西部前线了。”[2]

世界大战期间德国的军事领袖们发现了临到东线德军大攻势的时候，两线所发生的一种重要的结果：东部

---

[1] 福尔根汉：《最高军事指挥部》。

[2] 库尔：*Der deutsche Generalstab*，柏林，一九二四年。

的攻势不能获得所想望的目标，而这攻势的结果却是，西部的防御力量也许会瓦解。

五　西部的危险

一种非常重要的因素现在是发生了：这就是德国西境对于任何严重威胁的极度敏感性。德国几个主要的经济中心紧靠着这边境，从边境后退一百哩少不得直接招致了经济的灾难和军事的崩溃。孚斯德在所著的书上写着：

“从开头就于弱势的德军不利的情势，是在它无论愿意不愿意，必须靠近边境，跟甚至远更坚强的敌人作战，因为不如此，它就不得不放弃了重要的经济中心，例如劳兰和萨尔盆地这些工业区等，并且见到其他如莱茵地和威斯特法利亚等这些地方的工业陷于停顿。同时德军在边境附近不得已的守势行动也只能在极度不利的情势之下进行着。因此，为了两线的顺利作战，西部德国经济中心的保护，是比维斯都拉河以东地区粮食供给线的保护来得重要的。”[1]

德国的重要军事专家们这样坦白地承认着：法军具有采取制胜的攻势的好机会，因为只消略略前进一步就可以打通进到德国最重要的工业区中心的路了。因此德国不能放弃它在西部的攻势计划；如果这放弃了，它尽着取守势，那就势所必然地，法国要取攻势了。换句话说，法军进行攻势的能力要看它那同盟者俄国的活动情形。在世界大战期间，由于俄军无力进行大规模对德的攻势行动，法国这才丧失了发挥攻势的可能性。希尔上校作着如下的意味深长的观察：

“临到德国在东部取着守势的时候，它的军事领导者是能够估计到俄国军事调动的迁缓，以及德国作战的优势的。就另一方面说，临到西线取着守势的时候，则德国就不得不保卫重要的工业中心以防力能发动攻势的法军，因而危机也就要发作得更早了。”[2]

在世界大战期间德国所以能够把它的大部分兵力集中于西线，是因为它用不着害怕严重的俄军攻势的缘

[1] 孚斯德：《希里芬公爵与世界大战》，柏林，一九二四年。

[2] 希尔上校：《粗具轮廓中的世界大战》，沙罗腾堡，一九二二年。

故，然而就是东线的胜利也不足以防止它在西线的战败。格隆纳将军说得很好：

“如果西部的守势行动归结于莱茵河后面的退却了，那么东线最大的胜利就容易证明为得不偿失的胜利了。”[1]

这实在是一九一四至一八年间德国全部战役的结果：德国在东部的胜利是得不偿失的胜利，这招致了西部进攻的几次失利，终于落到了德国防守力的崩溃。俄国进行着守势战的三个年头给一九一八年协约国的最后胜利铺好了道路。这就是德国所进行的两线战争中间，两线的种种关系在那最后一年发生作用的情形。这就是德国军国主义饱尝着两线战争这一种苦味的现实的模样。在今日，就德国来说，两线或是多线的战争，展现着怎样的前途呢？

六　军队的新配置

在世界大战以前及那期间，德国两面战争战略上的

[1] 格隆纳：《希里芬的遗箴》，柏林，一九二八年。

一切估计现在是为全新的事实所推翻了：这就是红军的存在。德国最强大的军事敌，即欧洲自卫集团中间，历史上空前强大的陆军，不在西方，而是在东方。德国现在将不得不在东线跟一个大军战斗，这大军的力量不仅在于兵数，而且在于因现代的军事技术及攻势战略而可扩充好多倍的兵数。这大军的实力在兵数以及在军备上都优于德军。德国的军事领袖们必须估计着：临到几面战争的时候，他们跟红军战斗所必需的战时编制是三百师光景的陆军，配以飞机八千至一万架，坦克一万至一万二千辆。这红军又将把较强的军备的一切优点和最大可能的流动性配合起来。在下次战争中，东线将呈现着新的意义，而德国战略将不得不第一次来考量敌军强于自国军队的问题了。这事实不但推翻了一九一四年那样德军在东线的配置计划，而且还使一九一四至一八年间所进行的那样两面战争的战略概念全部革命化了。

然而，要在东部取强烈的攻势这一种政治的情绪在国社党德国却比在一九一四年霍亨索伦王朝的德国显得更强烈了，而德国目前所结成的同盟又几乎专一地直对着苏联：日本是如此，波兰说不定也是如此。今日德国的同盟国所处的地势决定着德国首先应当用自身的力量来对付苏联，远过于一九一四年那样的程度。这些同盟主要地是在反俄政策的基础上发展着，为的是要获得对苏联的军事优势。那横在一面日本，一面德国和波兰之间的苏联是国社党德国的敌人，受着最直接的威胁。德国的同盟只有在大陆上对付苏联是有效力的，对付其他任何强国可就不济事了。而且国社党德国在苏联的领土上寻求着立即可以到手的征略的物质目标，它又给那些目标套上了意识形态的外衣，其形式就是“对布尔雪维主义的斗争”。要把反苏联的斗争组织得好像国际性的对布尔雪维主义的征讨，或是要用这种假装把反苏联的斗争昭示于世界，这主意，国社主义是决不轻易放弃的。国社主义认为这样的办法可以创造跟西欧列强，尤其是跟英国“和睦”的可能性。如果使第一次“阶级战争”局部化确乎是可能的罢，那么，德国只有在东线方面才可以估量到最大多数的同盟者和最小少数的敌人呢。当希里芬起草着他那西部战略计划的时候，他说道：“我们在一八七一年所战取的土地，不要靠那列夫（Narev）河或是布格（Bug）河，却该靠赛因河来防守。”希特勒少不得很愿意把这理论改换一下说："一九一八年我们所失掉的土地不要依赛因河（Seine），却该依都那河（Duna）及特尼伯河（Drieper）来加以收复。"

由于意识形态的动机，又由于它的同盟体系，国社党德国命该只得向东部发展，它将在那里跟苏联冲突，而它的陆军将难免跟那跨着两大陆的世界最强的军事力量搏斗了。德国的陆军和德国一般的战时潜在能力将临到非常紧张的形势，因而德国的战术也将不得不在东部考量到强于自身的敌人，这是腓特烈大帝以来，从未考量过的。

七　西线的政策及战略

军事的诸因素和各国军力的一般关系自从一九一四年以来改变得非常厉害，然而这种改变对于西线的影响却最少。德国的攻势力量已经增进得很可观，可是法国的防守力量也如此，比国呢，程度略差些，也是大有增进的。我们多少可以说西部在战略上保持着原状。德国必须把兵数、火力以及流动性上尽可能的实力集中起来，才可以进行西线上任何的军事行动。如果德军在西线又复尝试着对法比的攻势，它不得不把至少照一九一四年一样的兵力集中，这一来，德国军事实力的大部分又复牵住在西部了。无论怎样尽可能地把军队集中在西线，德国从不曾感觉着那地方军队的足够：在玛伦如此，在凡尔登如此，甚而在一九一八年三月鲁登道夫的总攻击期间也如此。克林培尔将军（General Klingbeil）[1]就一九一四年八月南赛·爱比奈尔（Nancy-Epinal）战线上德军几次失利的进攻说着："可动用的军队不够执行规定的任务。"现在大家认为德国攻凡尔登的战役自始至终是没有希望的了。威采尔将军在所作的论文上写着：

"用着不到二十五师的后备兵，这怎么会有一点可能性的呢，当敌人方面有着倍于那种实力的后备兵，而其炮队，飞机和军火又占着更大的优势的时候？"[2]

他又补充着说："陆军最高当局所命令的进攻是超越了德军的实力的。"在下次大战中间，德国西线的需要是不会变得少些的。

---

[1] 见《军事周刊》，一九三六年七月四日。

[2] 见《军事周刊》，一九三六年八月二十五日。

然而军事的策略却要求着主力的攻击应当向法比发动。希里芬的各种重要的论据复活过来了。在过去半个世纪中间，德国的作战理论是就西欧领土上的种种条件和目标着想的。新德军的军事技术及战略全针对着一九一四年西线剧烈战役的重现：如摩托化，冲锋队的编制，强力的空军，以及速战速决的理论等。

然而从战略上看来合意的事，从政治上看来也许是危险的。那打算以反布尔雪维主义的欧洲文化保卫者现身于世界的国社党德国，在任何对西欧列强的战争中间少不得使欧洲资本主义制度感受到剧烈瓦解的恐慌，而它的破坏性的武器则又少不得指向着西欧文明的中心。施于法国的各种打击一定要招致西线战事的扩大，要招致至少法比英三国防守战线的确立，而在这战线后面，还有美国作着经济的及政治的后备，也许又作着军事的后备。要不冒列强建立敌对集团，以及战斗期间那一集团几乎无限制地扩大起来这一种危险，德国是不能在西面发动进攻的。在目前的情势中间，对西欧列强的战争实际上等于是牵动欧洲全部的战争。兵力分散这一种不利形势曾经在世界大战中招致了德国的战败，只怕又会发生，而在预约着军事胜利的战略和配合上述情势的政策之间，所发生的矛盾则日益尖锐了。较高明的德国军事专家们对于这一种可怕的难局，虽在世界大战的准备期间也并不是不曾见到，格隆纳将军在所著的书上写着：

“对英国的政治谅解译成了军事术语就是任何对法国的攻势的放弃，因而也就是照希里芬所定的意义，胜利的全部放弃。”[1]

格隆纳认为德国和英国的谅解在军事的意义上是不能接受的，因为要获得这一种谅解只有放弃了对法比的攻势作为代价，他以为德国应当听任敌对的西欧集团的形成才是。一种在西部有效的德国战略必然惹得英国参战，而德国对西欧的优良的外交政策，即对英国的谅解则使任何对法的攻势再没有成功的可能性了。战略的计划愈是有效力，其政治的后果就愈是危险，到最后政治形势就使德国的敌人占了上着，促成德国战略的没落了。我们见着格隆纳的解决办法是：对俄国的谅解，这可以缓和德国政治的及军事的情势，使它得以自由自在

[1] 格隆纳：*Der Weltkrieg und Seine Probleme*，柏林，一九二〇年。

地在西部进行战争。且不说别的，单是德国国社主义的降临就使这种解决办法成为不可能的事。一面德国的战略还是牢守着用于西面的希里芬计划，一面国社党的外交政策则把外加的任务，放在那种战略的负担上，这任务就是在跟一九一四年大不相同的条件之下，对东面的苏联作战。

八 《慕尼黑协定》所产生的战略的后果

《慕尼黑协定》是把欧洲的战略形势改变得于德国有利的。捷克斯拉夫不再是军事的因素了，这一番改变以后的中欧形势对于欧洲全局是有极大的重要性的。在一九三四至三八年间，强有力的捷克斯拉夫国的存在曾经使德国对于几面战争所当考虑的条件跟一九一四年有了大大的差异。在那一期间，比之于今日德国的进攻该不得不遇到大得多多的阻难；相对地，欧洲自卫集团的地位则该有利到不知多少。直到《慕尼黑协定》成立的时候为止要是德国在中欧前线进攻，则所需要的努力比之一九一四至一八年间，在中欧列强的东南前线，即对塞尔维亚和罗马尼亚的前线，仅仅德国部分所尽的力量一定要大得多，而其所产生的连带关系一定也要危险得多。因此该项协定所造成的战略革命，就其真正意义来检讨一番是一件相当重要的事情。

捷克斯拉夫在受宰割以前是一个很可注意的军事的强国，能够派遣四十师的陆军上战场。捷克的军队训练精良，装备优秀，尤其是自动武器的供给和精锐的大炮，坦克及飞机的配备都很周全。而且他们在很坚强的防线后面该又有着良好的战略的地位。德国该要用六十师光景的军队，才可以进攻捷克斯拉夫而有胜利的机会；可是据德国的官报，一九三八年秋季，集中在进攻捷克斯拉夫的第一线的陆军却不到三十师。

捷克斯拉夫在受宰割以前，无论就地势就军事来说，都十分适于担任东南欧洲诸国自卫大集团的前哨，和组织者。它算得最坚强的障壁，阻挡着德国向东及向东南扩张其军事及政治的势力。在世界大战期间，中欧列强控制着这区域，奥匈和土耳其从开头就用两支包抄的军队把这区域扼住了。俄国的大战史家萨容支可斯基就世界大战期间东南前线的局势写着如下的话：

“一九一四年十一月，土耳其参加了世界大战来帮助中欧列强，这是德国的大成功。它不但切断了俄罗斯跟其西欧协约国的唯一便利的交通线，它又把一个重要的根据地给予了德国，使德国得以进行巴尔干的外交行动及其对塞尔维亚的军事斗争。北面一个战胜的奥地利和南面一个好战的土耳其可以把保加利亚和罗马尼亚包围起来了。”[1]

独立的劲健的捷克斯拉夫国的存在阻止了中欧局势回复到一九一四至一八年的状态，即在德国霸权之下，前奥匈帝国东南区域的动员状态，而最后呢，因为捷克的军事力量沿德国最脆弱的边境布置着的缘故，它妨碍了德国在欧洲的进攻，扼住了西里西亚中部德意志和东巴伐利亚的咽喉。

再进一步说，捷克斯拉夫曾经控制的又不仅限于纯粹地方意义的战略的主要据点；在《慕尼黑协定》以前，它又代表着大陆反侵略集团两翼间最重要的连锁，而它的位置是使它可以保卫东欧和西欧两方面的。德国有一个军事刊物就捷克斯拉夫的战略的重要性，登载过如下

[1] 萨容支可斯基:《世界大战》，俄文版，莫斯科，一九二九年。

的一番话：

“捷克斯拉夫对于它那西欧及东欧的各同盟国是极其重要的，因为它代表着它们之间军事的桥梁。一九一四年，这么一个跟俄国和法国都相当接近的区域不曾有过，因此，跟战前时期比较一番，法俄两国在中欧有着一个同盟国，这件事对于两国是非常重要的。法俄两国的共同目标也就是因捷克斯拉夫而联络起来。法国和捷克斯拉夫间最短的交通线横在美因河道和阿尔卑斯山脉之间，穿过德国的中部和东部。”[1]

因此，正如德国军事专家们坦率地所承认，集体安全政策操着很高的胜算了：德国在欧洲任何地方的进攻少不得都带有可怕的冒险性，因为，由于捷克斯拉夫的存在，红军该可以向中欧长驱直入不至于有多大的困难，而同时法军要经由德国向中欧推进，该也有着好好的把握了。用武力使捷克斯拉夫屈服这一种特别任务对于德国该含有三面战争——也就是它全不能支持的战争——的意义。换句话说，它就既不能像一九一四年那样把军队大量地集中于西线，来威胁法国，又不能同

[1] 见《军事周刊》，一九三五年十二月十八日。

时把充足的军队留在东线来抵御红军的优势兵力。一种于德国极其不利的情势也就少不得在天空方面开展着：第一，德国大量的空军力该从事于攻击捷克斯拉夫；第二，强大的苏联空军从捷克领土来施行可怕的报复空袭，德国该不得不加以考量。因此捷克斯拉夫可算是西欧列强——不但法国而且英国的天空安全上很重要的因素。两年以前，法国前陆军部长法勃莱上校（Colonel Fabry）在 *L'Intransigeant* 写过这么一段话：

"英国是否可以听任波希米亚飞机场遭受袭击的呢？现在到英国必须说一句决定的话的时候了；波希米亚飞机场威胁着柏林，也就是间接地保卫着伦敦。"

《慕尼黑协定》不消说是把那局势完全改变了。由于要塞及大块领土的丧失，捷克斯拉夫无法求谋有效的自卫了；它那经过宰割的残剩的地方不再成为地理的及经济的单位了。它那军火工业的诸中心，如比尔森（Pilsen），沃尔谟兹（Olmutz），布隆（Brunn）等地方现在跟德国的新边境相隔不到十公里或是二十公里，而布拉格本身，则从德国领土就可以用重炮加以轰击了。勃刺底斯拉跋（Bratislava）和摩拉维亚的沃斯脱劳

（Moravian Ostran）这些工业区域现在是仅仅用了德国边防别动队就能够急速地加以占领的了。由于铁路及其他运输设备的丧失，摩拉维亚的各工业区现在是实际上跟波希米亚切断了联络，正同鲁塞尼亚隔绝了斯洛伐克一样。

德国从《慕尼黑协定》直接获得的领土及其他方面的利益已经是可观的了。它的人口增加了三百五十万，其中约有三十万人是在捷克陆军中间受过充分的训练的。它获得了好些重要的工业区域，尤其可注意的，它占据了扼要的战略地位，这可以给德国当作大开的门户来控制中欧及东南欧。

然而比它眼前所得到的那些物质的利益，远更有意义的是它战略地位上巨大的进步。中欧方面各个关连的据点，它现在是都能够加以占领或是加以控制的了。阻挡着它向东南欧洲扩张军事的，政治的及其经济的势力的任何障壁不再存在了。独立的而且劲健的捷克斯拉夫国曾经阻塞了德国向多瑙河盆地和乌克兰的进路。现在呢，捷克斯拉夫遭受了宰割，交给德国统治着，那种障壁不再存在，而德国在东南欧洲军事扩张的可能性现在是几乎没有限制了。它能够把鲁塞尼亚转成为对罗马尼亚或是对乌克兰作战的根据地，它又能够把这地方用作侧击的据点，用作对波兰和匈牙利两国的威胁。

戈林和芬克的经济政策，现在着眼于使东南欧洲各国在军事上不得不依赖德国，而所用的手段是经济侵略，垄断那些国家的进出口贸易，以及用德国的经济体制来联系那些国家等。在东南欧洲方面，德国不再有什么严重的军事敌国了。要是东南欧洲诸国，无论是罗马尼亚，是南斯拉夫或是匈牙利有一国打算抵抗一番罢，那就立刻可以见到《慕尼黑协定》所给予德国的战略利益是大到了不得了的。能够取得那一协定以前，捷克斯拉夫所占那样有利的地位的国家在现今的欧洲一个也没有。要是罗马尼亚，南斯拉夫或是匈牙利抵抗了，那战事就该发生于多瑙河下游，不会发生于易北河沿岸的。

德国对于捷克斯拉夫的清算，不仅是当作于东南欧洲全局有基本影响的局部问题的解决方案，甚至还是当作比这更重要的事情来实行的；德国的领袖们是把关系欧洲全局的一番战略妙计实行成功了。由于越过波希米亚山岭的顺利的进兵，现在德国在东南欧洲所确立的霸权，本身并不是结局，却是为未来的欧洲大战而巩固德国的一种手段。希特勒所以把捷克斯拉夫灭亡：不但因为它是小协商和巴尔干联盟的“枪尖”，而且因为它是法国和苏联间战略的连锁。他要使东西欧洲集团在其反德国侵略的防御战斗中间，失去了沿德国边境，动员其中欧军队的机会。德国这一着正是要在欧洲中部及东南部废除第三战线的一种预防的措置。

由于捷克斯拉夫的消灭，德国的战略家现在可以合理地希望着：德国最不幸也只遇到两面的世界大战局势，而三面或是多面战争的恶梦就此消除了。德国的战略家现在能够用较轻松的心情回头来想一想希里芬计划的老问题：大攻势在西部呢，还是在东部？

《慕尼黑协定》大大地减轻了德国战略的任务，然而这协定所发生的作用另外也还有，这协定给希里芬计划的两种变化都提供了新的论据和新的军事的胜算。我们应当记得一九三八年夏秋间所进行的对捷克斯拉夫的行动伴同着两种重要的军事措置：即德国西境防线的建立，和德国空军实力的大增。如果捷克斯拉夫不曾为大家所弃置罢，那么这两种措置都是不会有决定的重要性的，然而捷克斯拉夫不再是军事国了，这两种措置也就有了很可注意的意义。

主张着德国在东部的攻势的新论据现在有着两项。德国进攻东欧的路径现在是开通了，它用不着经过多大的困难就能够把多瑙河流域转变为对苏联军事行动的根据地。第二项论据就是德国西部的新的要塞系统可以使法军无能为力，因而无论如何，在理论上，德国也就能够只把单薄的一批防守军队留在西部，而把它那大多数的军事力量集中在东部了。在那些要塞所具有的战略的机能上《慕尼黑协定》以前及其以后的差别是显而易见的。当捷克斯拉夫还是重要的军事国的时候，德国决不能够把那些要塞用作掩护的烟幕，而暗中把它的兵力为东面的攻势而集中起来，单是因为捷克斯拉夫在中欧牵制了德军大量的兵力罢了。然而现在呢，德国却考量着在它那西部要塞系统的掩护之下，能够为东部的攻势集中其绝大多数兵力这一种可能性了。

在另一方面，主张着德国在西部的攻势的重要的新论据则有着三项。德国现在能够考量在东南欧洲充分获得了农业的，及原料的根据地，使它得以进行西部方面持久的军事的努力了；用德国的术语来说，也就是它成为“封锁耐抗”（Blockade proof）的了。同时，德国原要用以制服捷克斯拉夫的那一批很可观的兵力，德国可以自由自在地加以安排，而欧洲中部及东南部压力的宽弛又使它可以重新集中大量的军队来抵敌法国。法国杜福将军（Gen. Dufour）在所作的论文上写着：

“捷克斯拉夫削弱到毫无军事能力了，从此德军可以调动了全部力量向我们行施压力来支持德国的种种要求，如果不得已，则攻击我们。”[1]

第二，现在捷克斯拉夫不再存在了——尤其是德国跟义大利同盟了，虽然德国军队在东部集中得十分雄厚也未必能够使德国占到对红军的兵数的优势，可是如果在西部这样地集中了军队来对付法国罢，那是很快就可以达到那一种优势的。

第三，因捷克斯拉夫的消灭而开展的西部大举空袭的可能性使希里芬计划的西线战争论特别地诱惑人。苏联的空防几乎是攻不破的，如果强有力的德国新空军要找有指望的目标，它就非转向西面去不可。因此，从天

[1] 见一九三八年十月八日 *Epoque* 所载的一篇论文。

空战略的观点，捷克斯拉夫的放弃，引起了对西欧列强的双重的威胁：第一，德国原要用以对付捷克斯拉夫的空军力量现在可以随意用于西线了；第二，欧洲的自卫集团再没有中欧可以作为施行天空报复行动的重要的战略根据地了。在《慕尼黑协定》签了字，捷克斯拉夫受了宰割之后，戈林的喉舌爱森《国民日报》上得意洋洋地写有这样的一段话：

“这一种天空威胁的破坏性势所必然地足以使德国所受的压力缓和，同时又足以使它空军潜在能力大大地增加。”

捷克斯拉夫的消灭大大地增加了天空方面对于西欧列强的危险。依照粗略的估计，我们可以说，要是战争在一九三八年发生，德国该有着第一线飞机约五千架，其中二千架左右，它必须用以对付捷克斯拉夫，只剩有三千架可以用于西线。然而如果战争在一九三九至四〇年发生罢，那么推想起来，德国同时是把它的空军力量加倍了，它不再有应付捷克斯拉夫的必要，尽可以把它的一万架飞机全都集中起来对付西欧列强，而不会有从捷克国境过来的天空报复行动来缓和这一种压力的了。

九　一九一四至一八——希里芬计划的末运

就此看来，《慕尼黑协定》有着回复一九一四年两面前线的倾向，因为世界大战期间对罗马尼亚及塞尔维亚的第三前线是一点独立的意义也没有的。在一九一四至一八年间，德国甚至对于进行两面战争这问题也无法加以解决，最后，它便落到当时多少发展为西部的一面战争的境地。《慕尼黑协定》根本地改变了中欧的情势，然而这却没有使德国非进行两面战争不可这一种情势起了根本的变化，因此当前发生的问题是：一九三九年德国的战略形势跟一九一四年的不同到怎样的程度呢？跟《慕尼黑协定》以前所存在的形势比较起来，德国的战略形势是相当地进步了，可是跟一九一四年比较起来，两面战争中间各国军力的比率却还分明地显得不利于德国。

然而，在任何欧洲战争中间，德国总该又复享有“领土整一”这种大便利；这给予它运输制度单纯，而领导齐一的交通内线。德国军事史家爱尔滋（Eltze）认为这种环境是世界大战期间德国所具有的超过其敌人的一个重要优点。下次大战中德国的作战一定有很明确的侵略性；今日的德国战略决不会筹谋进行目的有限手段有限的战争的。像韩斯 · 台尔勃拉克（Hans Delbruck）所提议的那样，进行世界大战的战略计划——如建立坚强的对法防线，力戒破坏比国中立的任何企图，发动审慎的对俄攻势等等——是今日德国的军事领导者看来绝对不成问题的。这样的解决该是既非可能又不合意的事。把强盛的德军牵住在西部，就不能对更强盛的苏联取急速的成功的攻势，或是对红军的优势部队作任何有效的防御。台尔勃拉克所提议的战略的解决办法对于目的在确立德国在欧洲的霸权的战争是没有用处的。虽是在一九一四年，最好的情势之下，这也只能造成东部方面寻常的军事胜利，决不能造成足以决定整个欧洲斗争的总胜利的。这样的计划即使成功，那结果也只是“部分的妥协”而不是“日尔曼的和平”，即德国军国主义所需要的和平。因此这等脆弱的半完不完的方案不能用于国社党德国正在准备的全体性战争是显而易见的。

军事的侵略不消说得了，可是在那里进行呢？一九一四年的德国军事计划即希里芬计划在今日还可运用到怎样的程度呢？

希里芬计划在世界大战的前夜定下了德国战略的种种基本原则及其制限。这种计划宣布着：（一）东线方面顺利开展的攻势是不可能的；（二）只有在德军绝大多数集中西线，而仅留单薄的一批对俄的防军在东线的条件之下，西线德军制胜的攻势才是可能的。

希里芬的战略上那第一个消极的原则在今日还可以适用，而且事实上，比在一九一四年远更显得适用呢。希里芬宣布着东线方面用速战手段来获致的胜利，即对俄战略的，决定的胜利是不可能的，虽说俄国当时是德国敌人中间的较弱者。至于今日，要那么地战胜配备着最新军事技术的坚强的陆军，战胜那德国敌人中间的最强者当然是绝对办不到的事了。希里芬的这第一原则明明白白地使希里芬的概念全部不能实行，希里芬计划不仅定下了西线进攻的作战技术；这又包含着两面战争问题的解决办法。这解决办法所根据的一点就是德国可能只把八分之一光景的兵力留在东线，作为对俄国的防军。这可能性今日是不再存在了；正惟这不再存在，整个希里芬计划是不能实施的。当国社党德国打算跟苏联一决雌雄的时候，它所需要的军力可以分作两项情形来估计：其一是取着攻势，其二是取着守势，这两项情形都非就两国军力比率的基础来估计不可。据《德国国防》杂志所载，德国陆军的实力照战时编制是三百师，这一个估计并不是全然出于幻想的，可是我们却不要忘记，红军在必要时候，是能够结成四百师的战时实力的。在世界大战期间，每百万人口两师半这一个估计并不算过分的高，当大战临了时候，德国甚至每百万人口有着三师半呢，今日，德国和苏联这两个大军事国该尽可以很快就达到其军力的最大量的罢。然而在德国陆军三百师中间，该只有一百师光景受过正常的军事训练。这些就是第一线的陆军师。第二批约一百师该是各种半军事化组织中间受过某种程度军训的人们所组成的，至于第三批的一百师则多少该有民团的性质，全是不曾受过正常的军训的平民。这三百师陆军的编成少不得完全耗竭了德国后备的人力。在另一方面，则红军的三百师该都是受过正当军训的后备兵所组成，而且在这巨大的兵力之外，该还有数量更大的民团性质的后备兵可用以补充正规军。两国陆军兵数上的实力比率这才差不多是二比一，红军占上着，同时德军方面在军器上也没有什么优势可说。这些事实是非常重要的，因为这决定着下次大战中间国社党德国在东线所需要的军力。如果德国打算进行对苏联的攻势战争，那么它就必须用它陆军的全部力量来这么干，只能把很单薄的一批防军留在其他的边境，那防军正像一九一四年它留在东部边境的军队一样。战略的矛盾是明显的:《德国史》所发表的一篇论一九一四年军事形势的精彩的军事著作上宣布着:“在德国后方存在着不曾战败的法国的时候，对俄国的战争是不可能的。”[1]虽是在最有利的情势之下，譬如说跟波兰订有军事同盟来对付苏联的时候，德国也必须费了几星期甚至于也许几个月的时间，才可以在靠苏联的边境把它的军事根据地和交通线组织起来。然而在那一时间，法国却少不得就“国民军”的基础充分完成了它的军事动员，直到法军一百师准备好向防力薄弱的德国西境来一下突击。

希里芬认为薄弱的德军防线足以抵御俄军的进攻，这一种估计不再适用于目前的情势了，德国若要抵挡武

[1] 见《世界大战：一九一四——一八年》，柏林，一九三五年。

装雄厚、调动神速的红军那样的大军，必须运用它的军力的大部分，即使如此，胜利的机会也还是可疑的。照一九一四年的情形，德国陆军牵制在东线的不到八分之一，然而在未来大战中，却从起头就要有五分之二至五分之三牵制在那方面了。依照着欧洲各国军力的新比率客观地来考虑一下，在几面战争中间德国战略的决定的问题应当是：对于苏联，对于那一个领土几乎牢不可破的强敌，怎样来保持一个有利的守势。今日的德国战略应当就军事技术的诸因素和兵数的诸数量作一番冷静的估计，同时注意德军在东线战败的可能性，这一可能性是从希里芬以至鲁登道夫，先前德国陆军的司令人员一个也不必加以考虑的。这一可能性的存在使欧洲整个政治军事的形势起了革命，使希里芬计划受了致命的打击。

德国武装军队的大部分留在东线这一种需要把实行希里芬的另一原则——即西线德军的大量集中——的可能性全然断送了。然而在下次大战中，西线方面的军事需要量却不会少于上次大战，同时德国东线方面的军事需要量则要扩大得很可观，要满足这些增进的需要只有出于削弱西线的一法。一九一四年，德军就有八分之七集中于西线。虽是这一种雄厚的军力集中也不曾证明其足以达到种种的目标；虽是如此，当时德国最高军事当局也只能够取一方面的攻势：沿着东北的战线。

最新出版的《德国世界大战史》载着如下的话：

“因为西线方面德军所可调度的兵力有限，要守住亚尔萨斯—洛林，准备在洛林作一场对法军的歼灭战，而同时又经由比利时和法国北部进行包围行动是不可能的。”[1]

“兵力有限”这句话差不多是用得不切当的，因为当时除却实力较弱的第七军驻扎在东普鲁士，德国军力全部是集中于西部的。德国军力的最大量的集中既然证明过不足以获致胜利，今日的德国战略是不会再来组织一下这样的军队集中的了，因为这是客观环境所不容许的。由于西线方面德国军力大量集中的不可能，任何急速的决战，任何德国方面迅疾的胜利也就成为不可能的事，因为胜利是只在西线才想像得到的。如果德国

[1] 见《新战争科学手册》(*Handbuch der Neuzeitlichen Kriegswissenschaft*)，柏林，一九三六年。

的新战略偏决定着牢守西线方面发动第一次攻击的主意——有许多征象暗示着它正是如此——那么它就冒犯着东线方面战败这一种可怕的危险了。如果德军的领袖们计划着对法国和比国的新攻击，这就是说他们只采用着希里芬计划的一部分。当希里芬计划起草的时候，在这计划所考量的环境中间，希里芬计划有着精到地领导两面战争战略的功用，并不是仅仅西线战争的军事指导。然而今日呢，对法国和比利时的闪电式的攻击却就不会是两面战争中间致胜的捷径，而是逃避两面战争的环境和危险的战略手段了。这一种逃避手段同时少不得暴露了其他前线的脆弱。希里芬计划所由产生的各战线的对比不再存在了，因此这计划本身各重要点都变得不适用了。

今日各战线的对比，是全然不同的了。在希里芬的时代，甚而在其各继承者的时代，那对法国和比利时的急速的压倒的攻势可算是两面战争的机构中间决定的行动。对法国的胜利在那些时代等于最后的胜利，等于对一切敌人的集体战争的胜利。一九一四年法国军事的崩溃势所必然地招致着帝俄军事上的失败。今日的形势是不同了：虽是假想中的德国对法的胜利，在现有的各国军力比率上，也不会含有两面战争中战略的最后胜利的意义的。格隆纳将军说着世界大战期间德国在东线所获得的得不偿失的胜利。在未来世界大战中间，则德国在西线的得不偿失的胜利并不是想像不到的，今日欧洲反侵略集团中间最强的军队和后备队该处在东面和东南面，至于世界大战期间，则这等军队是在西面。虽是德国或许在西线战败了法国之后，一个东欧集团在苏联的军事领导之下该也尽可以把德国打败的罢。在里尔，甚而至于凡尔登陷落之后，那到斯德丁，柏林，不莱斯劳和德莱斯登去的路还是打得通的。今日的德国战略应当考量红军攻势对于西线战事的影响，因为无论是攻是守，红军都能够给予法国宝贵的援助的。较年青的毛奇甚至承认着这一种可能性，“虽是在法国最严重的战败之后，全线胜利的俄军无间断地向柏林前进也可以鼓励法国重作极端可能的抵抗”。这可能性并不曾在世界大战期间实现，因为当时帝俄军的攻势力量不够强，而其对于协约国的重要性充其量也只在于坚强的防御，这就是说以消极的抵抗为主。今日的形势则不同了。红军一参加战斗，他们所可采取的种种攻势方略就能够把攻势行动发展到这么强盛这么深入，可使法国在较短的时间之内获得采取攻势的机会。

说到这一点，少不得要注意德国军事专家们根据了世界大战的经验所承认的一个因素，这就是德国西部边境的特殊的脆弱性。要进到德国各经济中心，从西去比从东去更可以快些，从而法军也许可能利用了东线方面苏联的大攻势来强制造成西线方面战略的决定形势。就此看来，欧洲自卫集团在东面准备好胜利，而在西面来实现，原是容易的。红军一渡过维斯都拉河，法军就容易渡过莱茵河了。假如德国军力的大部分会集中在东线，法军该尽可以在动员了各个队伍，把他们集中在边境之后，立即来发动攻势了。一个法国军事专家论到法国战时的战略目标写着如下的话：

“在我们完成了集中之后，我们应当进攻敌军的前线，并且突破它。我们应当把敌军击退到远离我们自己的边界，把战争带进敌人自己的领土以内去。”

就此看来，俄国军力的大增不由得使希里芬计划受了两重的清算：即在东线及在西线。这计划的主要的两根战略支柱（只把较小量的兵力留在东线以掩护德国后方这一种可能性，以及从而发生的西线强势集中的可能性）一碰到取着攻势的强盛的红军是非坍塌不可的。伏洛希罗夫和莎坡什尼可夫（Shaposhnikov）已经使德国一九一四年的战争计划失掉功用了。近数年间欧洲的军事形势跟一九一四年比较起来，那决定的差异并不是捷克斯拉夫的存在不存在，却是红军的实力比之旧帝俄军大大地增加了。

然而虽有《慕尼黑协定》，东南欧洲方面反德的第三前线却也还是免不了在两面前线战争的过程中间发生的。前奥地利陆军部长朱留士·陀许（Tulius Deutsch）在题叫《慕尼黑协定以后的军事形势》的一篇论文上说："维斯都拉河和多瑙河下游那方面要树立起阻止德国扩张的新障壁来，这是十分想像得到的。"这一层所以想到，有着两个理由：第一，正如陀许所指出"东南欧洲的各种民族具有强烈的民族精神"，这些民族的爱国情绪非常强盛，而他们的经济利益发展的路线则始终不是跟德国的平行的。第二，德国以外欧洲的列强尽可以从外边施行很有效的压力。在黑海和维斯都拉河之间这一区域，红军对于任何敌军或是甚至敌军集团都可以占绝对的优势，因为苏联空军的有效的活动范围至少扩展到匈牙利和波兰西部，而黑海的海军威权又操在苏联手里。英国则在东地中海，连爱琴海在内，保持着稳固的统制力量。因此，临到德义进攻的时候，从这两个区域发生干涉的行动，从而鼓励东南欧洲来抵抗德国的雄心，这是十分可能，甚至多半难免的事。虽是受了宰割的屈服的捷克斯拉夫对于德国也还显得是一个危险的哑谜。在某种环境之下，捷克斯拉夫的战略重要性也许是可以复活的。换句话说，国社党德国所发动的战争，即侵略性的两面战争也许是很容易发展为三面战争的。在历史上的一个时机，东南欧洲已经证明是德国军事希望的坟墓，世界大战的教训应该是引以为戒呢。俄国的军事史家萨容支可斯基，斯维钦和高洛文（Golovin）等大家认为中欧列强是在这一前线战败的：协约国的最后胜利的获得多亏着奥匈帝国的崩溃，这崩溃形势起于俄军在加里西亚的几次胜利，而因法兰瑟台斯庇雷（Franehet d'Esperey）的军队的突进到达了战略的定局，而当时西线的德军则还有着大量的后备兵和抵抗力。换句话说，先于巴黎——柏林这一直线上协约军的决定的胜利的是巴黎——萨洛尼加——维也纳——柏林这一线上决定的胜利，而这胜利实际上，是在多瑙河获得的。在未来的欧洲战争中，这同样的前线也许再会在几乎同一的地方出现的罢。在巴黎——斯坦部尔——多瑙河和莫斯科——基辅——米德留洛巴这些战线上同时进行的欧洲自卫集团的突破的攻势也许是足以抑遏德国的进攻的。到那时候，法兰瑟台斯庇雷战略该可以得到伏洛希罗夫战略的补充。从这双重的包围形势发展的集中的攻击该可以把希里芬计划的残余击得粉碎。今日的德国参谋本部所焦思苦虑的问题显然只是战略上无法解决的问题罢了。

十　德国的战略指望着什么

德国的战略，据我们的推想，可能求得对于它的问题的解决么？国社党德国将竭力避免几面战争，如果这证明是不可能的，那它也将竭力减少附带的种种危险性。在外交政策的范围以内，德国将尽其全力来拆散凡是可以发展到反对它的侵略的任何自卫集团，使英国跟法国分离，法国跟苏联分离，小协商国跟法国分离。这方面已经取了一个成功的步骤：亏着《慕尼黑协定》，它得以顺利地了结对捷克斯拉夫的地方化战争。这国家现在是从法国的同盟系统被抢出了。国社党德国将尽可能地使它对敌的阵线收缩，使任何不免爆发的战争地方化，又使它本身集团的阵线扩大。它理想中的策略的解决办法，一个是联合了匈牙利，波兰，巴尔干诸国和日本来进行的反苏联的地方化战事，又一个则是对英国所丢开的法国进行的西欧的地方化战争。

然而，临到德国卷进了反欧洲列强自卫集团的战争的时候，凭着它那较壮大的战争技术的准备，凭着它那因急速集中的攻击——即事前没有宣战的突然的侵略——而可获到的战略的便利，它却将竭其全力用种种军事手段来对付那些敌对国的优势了。全体性战争的准备，全国经济资源的战时动员，新的精到的战争技术及其取攻击行动的很大的可能性，这种种都可能算是今日的希特勒德国胜于一九一四年霍亨索伦王朝德国的优点，这种种鼓励得新德国的参谋本部相信德国今日如果进行几面战争，它所处的地位就该优于一九一四年。临到几面战争的时候，德国参谋本部的策划显然是以两项假定为根据的。第一，德国的领袖们希望着它有一种比它在一九一四年还大的对法国的优势，因而希里芬计划的复活似乎也是可能的事。作为一面前线以上的战争的指导来看，希里芬计划对于德国战略是不中用的东西了，然而作为西线的作战步骤上军事的及技术的指导来看，那么，希里芬计划却还确确实实没有失去那些足以惹得德国参谋本部关心的古老的特色。我们应当注意，那足以使希里芬计划变得不适用的并不是法国国防实力的增加，只是整个欧洲自卫集团的力量的增加。就从这一点发生了德国军事领袖们的第二项乐观的假定：他们希望着这一集团的行动缺少着精诚的团结，缺少着决心；他们希望着这一集团的反德战争进行得马马虎虎，没有效力，又没有计划。在这样的环境之下，我们觉得：德国充分利用了国防内线的便利，战略的发动性以及军力的大量集中，虽在几面战争中间，也是能够把敌人一一加以击破的。

就此看来，德国几面战争的可能性，和自卫集团对国社党德国战争的前途大抵是两个主要的因素所支配的：这就是法国的国防力量以及欧洲自卫集团有组织，有决心，团结一致地来进行反德战争这一种实际的能力。

第八章　法国的军事力量

一　法国陆军的现状

在列强中间，感受着国社党德国的危害最深切的是法国。它既没有英国那样海岛地势所造成的天然的屏障，又没有苏联那样广大的空间。西欧自卫的列强要防止德国的进攻全体依赖着法国的军力。国社党德国是否能够确立它那对于中欧和西欧的军事霸权多少要看德国陆军在军力上是否超过了法国陆军，即使是超过了，也还要看超过到多么程度。就法国陆军单独地来考虑，是说不到强或是弱的，只有跟国社党德国的军力对比一番，才能够测量它的强弱。一九二〇至一九三〇年间法国的军事优势是凭借于德国的解除军备的。

魏刚将军（General Weygand）在所作的论文上写着：

"一九二八年法律上所规定的法国的军力足以维持本国的安全——因为所防备的德国依照着《凡尔赛和约》的条文是把它的军备削减了。"[1]

然而由于德国大规模的重整军备，两国的实力比率却起了急剧的变化。一九三五年初头，贝当上将（Marshal Petain）所著的书上写道：

"我们目前的军力依据于我们对于当时的德军的比率，这德军现在不再存在而且是跟今日的德军大不相同的。德法两国之间在这方面现存的不安状态有着酿成悲剧的威胁性。"[2]

如果国社党德国的陆军，在兵数，军事技术，干部以及战略的便利上都强于法国的陆军罢，那么，受到威胁的就不但是法国一国的安全，而且是西欧全部以及德国除外的中欧的安全。

讲到一九三八至三九年法国的陆军，少不得要考虑三项因素。

---

[1] 魏刚将军：*L'Etat militaire de la France*，见《两世界评论》（*Revue des Deux Mondes*），一九三六年十月十五日。

[2] 贝当上将：*La Sécurité de la France*，见《两世界评论》，一九三五年三月一日。

第一是法军方面各种有机的力量，各种永久而且稳定的势力和组成部分。法国是欧洲大陆上最大的金融强国。自从世界大战结束以来，它为军事的用途耗费了三万五千万法郎以上。各类的军需品是完全的，法国的陆军立时能够配备好充分的战时实力。临到战争的时候，可以征召入伍的人数多到六百万，其中四百五十万该是受过训练的后备兵。就受过训练的后备兵，连军官团（军官二万七千人）在内来说，法国居着欧洲第二位，在苏联之下，却也在德国之上。而且，法国在其殖民帝国的领土还保有着很雄厚的人力及物资的后备，这些是立时可以用于国防的。法国的海军是欧洲大陆国家间最强的海军，而法国的要塞体制又在全世界最是精良。这种体制使法国陆军获得了独特的国防形势，又使德国的顺利进攻的机会从起头就受了限制。法国这才另外又有了两张胜牌。其一是不住地进行着的稳定的军事组织，这跟德国和苏联不同，是有多年的根基，而一向又顺利地发展着的（尤其是协约国在世界大战的胜利以后）；其二是经过历次试验的审慎的战略，这战略是流动性，防守性和反攻性所组成的。

现在我们应当考虑第二项因素了，这就是一九二七至三四这危机时期，在这时期中间，法国的陆军在技术及策略上两都落了后，便失去了在欧洲的第一位。一九三二年六月，苏联主导的军事刊物上，很苛刻地批评过法国的陆军，说是它的军事技术退步了，它的装备虽也依照了现代观念正在改换着，只是慢得很，因而那装备大半是又老旧又拙笨，那些队伍的调遣和动作都欠敏捷，高级司令人员战术上的打算则太呆板太迂缓得厉害，总之，法国陆军的攻势威力是不够的。这一批评所以值得注意，第一因为这表现着一个以高度的流动性和进步的技术为基础的新兴的陆军里，军事专家的态度，第二因为这本身也是很有价值的。

法国前进的军事专家之一，热烈地赞助着陆军改革的阿里霍特将军引了这一批评，说是“一个俄国军事批评家的严肃的判断，其事实根据不幸是我们所不能予以否认的”。

法国人方面对于法国陆军的批评同样地值得注意。贝当上将宣布着，法国陆军兵数上的实力并不足够，它的训练由于军役期短的缘故也并不适当。

“由于不幸的昏悖，我们恰在现代战事技术愈益变得复杂的当儿，采取着趋向民团制度的步骤。”

世界大战期间，曾经在法国参谋本部襄助过霞飞将军，又做过陆军司令的卡斯德尔瑙将军（General Castelnau）尖刻地批评着法国受过训练的后备官兵的情况；这种情况，据他说，少不得使法国陆军变成了既不流动又不胶结的笨拙的机械。军人以外的专家的批评也很严刻，而并不是出于党见上的什么动机的。研讨着法国军事问题最有声望的专家们之一，安特莱·比罗纽（Andre Pironneau）在右翼的《巴黎回声报》上写有一篇论文，指摘着法国陆军的固执的平庸，说它缺少着各种用于战略攻势的有效的武器。前法国航空部长，急进党议员谷特一九三五年二月在众议院指摘过法国陆军采取被动政策而陷于技术的退化。还在一九二八年急进党机关报《事业报》（*L'Oeuvre*）的记者约翰·毕阿德（Jean Piot）就在所作的论文上说过：

“一切事都进行得仿佛那一个迫得德国把它各种军事观念现代化了的《凡尔赛和约》允许我们回到了一九一四年的军事路线便即可以睡熟似的。”

一九三六年五月他在所作的论文上又说过：

“在显然平静的氛围气中间睡熟，也许是疲倦或是懒惰的结果罢。然而故意闭起眼睛来却是固执的行为，不能不加以强烈的斥责的。我们可不是已经听到我们参谋本部的专家们的伟大的主意，是要在第一道防线后面建造第二道防线，而再耗费几万万钱钞在水木工程上头么？但是尽着预想敌人的进攻又何苦来呢？我们可以用于长距离活动的武器在那里？我们可以用于突击行动的陆军师又在那里？要是进攻的敌人果真突破我们的防线了，那有高度流动性的摩托化部队可以迎头击破敌人呢？”

这一种对于法国陆军的批评是从右翼以至左翼，法国社会生活各方面发出的。到结末，我们可以把法国众议院军事委员会副主席、共产党员吉顿（Gitton）的意见引一下，他在一九三六年夏季指出，法国的陆军不够摩托化，而其军事的技术资源也还是落后的。

法国军事实力的凭借的坚强的，十分稳固的基础及其大量的潜在能力并不曾阻遏了这些发生于一九二八至一九三四年间的弱点和缺陷。这一时期之内，政治上的筹谋倾向于裁军和紧缩，于是军事的进步迟慢下去了。在一时，至少到一九三三年为止，这政策似乎是有几分切当的，因为那些时欧洲各处没有真正危险的敌人，然而那结果却是法国的陆军养成了分明守势的不流动的特性。当德国开始了大规模的重整军备，而用很大的速度前进的时候，法国不曾用对应的方策来报答。在这全欧重整军备的初期，法国不曾跟了德国和苏联这两个新兴的，强盛的军事国一同进步，于是法国陆军把它在现代军事技术上的优先地位退让给德军和红军了。就是武器方面来说，法国陆军在欧洲的相对实力也降落下去了。

然而这只是暂时的现象，我们现在要说第二项因素了，这就是现在法国军事思想方面所进行的要求现代化和改换装备这一种强烈的倾向，要拼一切以求质素方面的优势这一种准备。负有分明攻势的任务的独立的空军是在创造中（虽然空军的战时人才还不够格），陆军的摩托化是大规模地进行着，而且由于各种新的可能性的展开，法国的战略显示着各种重要的发展了。苏联的军事批评家们现在承认着：法国陆军的现代化配合着对于世界大战各项教训的细细的研讨，可以使法国陆军虽在料想得到的非常复杂的战争情势中间，也能够进行顺利的军事行动呢。[1]

二　陆军组织

法国陆军的种种可能性，就其守势的及攻势的要素来考察最看得明白。在这两种要素的组成体中间，前者显然占着优势。如果空军和若干部分的摩托化部队算在攻势武器中间罢，那么法国陆军的整个组织一定是显着守势的，——我们从法国陆军的结构上多少辨得出它的战略的法则和宗旨来。

最足以证实法国陆军的守势性质的是其平时实力相对的低。现在驻扎欧洲的法国军队如下：

步兵师二十师，

北非步兵师四师，

阿尔及利亚骑兵旅三旅，

骑兵师（其四分之一正在改编轻摩托化师）三师，

轻机械化师一师，

[1] 见《红星报》，一九三五年四月九日。

总司令部直辖后备队（坦克队及炮队）。

一九三九年初头，这些军队的总数约计五十万人，包括职业兵约十万人。就指数看来，法国平时的陆军实力约相当于红军实力四分之一，德国陆军实力三分之一，也就是，一九一四年法国陆军实力二分之一。跟红军和德国陆军不同，法国陆军的平时实力不足以发动攻势。这很分明地是要用作外层的兵力，临到战争的时候来扼守边境，用作战略的外幕，在这后面可以进行战时编制的大量陆军的动员，而不至于受敌人侵略的阻扰。法国陆军既然要用于要塞化的边境，它在那里的地位也就决定着大规模防守战役中全军的配置，这战役，依照着法国的战略，是大战一开始就要进行的。从边境起，我们首先见到的是马其诺防线的守卫军，其次是可以最先参加战役的机械化部队，其次是摩托化步兵后备队，在这些后面则是总司令部直辖的雄厚的各色兵种所组成的后备队，最后是后备兵新编的战时陆军师。换句话说，法国兵力的配置代表着一种深厚的守势的梯阵。

法国陆军的守势意向又从其动员的徐缓上获得了证明。战时陆军的各师必须首先经过了编制，方才能够派到边境去。阿里霍特先前引用过的那一苏联军事家估计着：战争爆发后的第八天，有二十个步兵师能够集中到东线，第二十天，再加二十个步兵师，经过了两个月，合计可有六十师；换句话说，最初的六个月中间，可以扩充到八十师，至战争的第一年完结则可以到一百师。法国的军事家似乎以为这一估计还是太乐观的。阿里霍特将军认为这动员的徐缓是法国陆军组织的决定的缺陷，他便就本国的军事制度下着如下的批评：

"他们给予我们一种机动不够敏捷的陆军，干部不充分，训练不充分，动员又迂缓，而且由于动员的程序只好分批地参加战斗前线的。"[1]

据贝当上将的判断，法国后备兵所可编成的师，就战争的准备及内部的协调来说，要比一九一四年的法国陆军来得落后，因此这些新编的师必需经过了相当的时间，方才会有充分的战斗价值。换句话说，这一层表现了时间浪费这又一要素，这是必然地阻碍着法国陆军的攻势行动的。

---

[1] 阿莱霍德将军：*Etre Prêt*，巴黎，一九三五年。

三　法国的空军

法国的军事力量就全部来说并不是单独倾向于守势的。法国的攻势武器少不得是很重要的因素，尤其因为这些武器好比是“西欧的利剑”，是几乎独一无二的最重要的砝码，可以平抑德国庞大的攻势武力。发动迅疾，强盛的攻势这一项任务在法国战略上大半是派给空军的。法国众议院军事委员会主席，一度任过航空部长的古亥·拉·谦布莱（Guy la Chambre）写有关于战事的爆发的如下的话：

“在作战上攻势方面的全部措施应当交付给空军，至于扼守从北海至朱辣（Cura）的前线，使其牢不可破这一种无功可图的任务则应当交给陆军。”

一九三〇至一九三八年间法国空军的发展反映着法国一般军事力量的发展。起初，法国空军占着全欧的魁首，这地位是它在世界大战期间所获得的。过后，它比陆军更深受了法国军事领袖们保守主义的影响，便即开始落后了。在红军还没有精熟了现代空军技术的期间，在德国还在废除军备的期间，法国空军的优势是不成问题的。然而等到扩充空军竞赛开始以后，形势却急剧地变化了，在一九三二至三三年间，法国不再是“天空的主妇”了。先前由于别国空军的落后不曾显露的法国空军的弱点现在是显而易见了。法国的空军跟不上技术的发展，它的战斗价值及数量实力近数年来依然没有多大的进步。在苏联和义国都注重着空军的，一九三〇至三二那些年头，法国不曾参加天空战略的大革命。法国的空军当时还只看作陆军的副属，没有任何独立的战略任务，还只看作用以保持联络及侦察的工具，补助炮队行动效力的手段。正如当时一个军事批评家所说，它的任务就是“一个精细的瞭望员和平庸的炮手”的任务。法国空军的技术资能直到一九三四年为止原是十分不适切的：战斗机每小时飞行一二五至一九〇哩。轰炸机每小时飞行一〇〇至一二〇哩，而平均每机的炸弹装载量则不到半吨。用着资能比大战时期所造诣的好不了多少的武器，法国的战略是没有机会来试探现代意义的天空优势的问题的。

论到这一危机时期，谷特写着：

“有人认为法国占着天空的第一位，这一个见解是不切实际的。直到一九三三年为止，我们参谋本部是把空军纯粹作为合作的工具而加以关心的。”

面对着非常重视天空战争，而要确立天空霸权的国社党德国那样的敌人，法国空军的任何弱点少不得就是天空方面对于法国的严重威胁，实际上又少不得危害着它全国的安全。天空是无所谓马其诺防线的，法国最无法防守而最容易受到的威胁就在天空。

法国空军的改造是分两个阶段进行着的。第一阶段结束于一九三六年，第二阶段则开始于一九三七年。空军的组织，天空战争的原则，以及现型式的建造都在第一阶段有了大大的进步。最初的方案，即创立独立的空军这方案于一九三三年四月一日开始实施了，这才给新的天空攻势战略奠定了绝对必需的组织基础，及至一九三四年夏季，德本尼将军便宣布道：“我们有着充实的本体了；现在让我们展开翅膀来罢。”在一九三五年至三六年间，法国创立了约有一二〇〇架第一线飞机——即组织完备，一接通知就可以起飞的现代飞机——的空军，这空军当时是顺应着现代技术的种种发展的。这些飞机中间有七百架是轰炸机，或多种功用的战斗机，其余则是驱逐机和侦察机。这时候，驱逐机和侦察机的平均速度是每小时一八〇至二五〇哩，而平均的炸弹装载量则已经增加到一吨了。法军这才终于有着发动天空攻势的武器了。一九三六年编成了“Division de la Garde Aerienne”（空袭师），这就是受有高级训练的天空突击军的核心，配备着一切攻势的天空武器，连用以装载远征的步兵和坦克的运输机在内。跟这技术的进步相并行，法国的空军展开了一种积极的攻势战略，这正符合着前航空部长台内因将军（General Denain）所定的一项公理：“用袭击来报答袭击，用炸弹来报答炸弹。”前法国空军总司令弗旷德将军（General Fequant）写着如下的话：

“我们空军的任务不要限于防卫我们的国土以免天空的攻击。它已经有了各种坚锐的武器，足使它临到战争的时候占有优势，它靠着它的种种攻势战术，可以摧毁敌人的意志，一直追究到它的威力的根苗。我们的空军部队可以远打到敌人防线的后面，攻击敌军的军需供给及其继续存在的物质的根源。更进一步，等到它用这样的攻击行动削弱了敌人以后，亏着那广大的活动范围和飞机的高速度，它尽可以从前线的各部分调集了军队，在紧急的当儿把它的战斗实力集中于前线的一点，便这样地给陆军造成了有利的突进形势。”[1]

一九三六年后半期，法国的空军组织完成了改革，使空军的流动性和准备有了大大的增进。

一九三七至三八年中，法国空军的发展显出了多种的缺点，同时却也显出了很可注意的技术的进步。法国航空工业的潜在能力是很雄厚的。在一九一七至一八年中，它造出了飞机三三〇〇〇架和飞机引擎五五〇〇〇具。据苏联航空专家的估计，法国航空工业尽可以在未来战争的第一年中，造出飞机二五〇〇〇架和飞机引擎四〇〇〇〇具，大战期间的经验指示着这些数字并不过分。然而近几年中，法国航空工业的生产能力却甚至在寻常的平时生产范围也没有利用得充分。一九三七年，法国航空工业只雇用四〇〇〇〇人，跟这相比较则英国和义大利航空工业，各有六〇〇〇〇人光景，德国航空工业约有一二〇〇〇〇人，苏联航空工业约有二五〇〇〇〇人。据谷特所说，法国在一九三五年生产了军用机七八五架，在一九三六年生产了八九〇架。然而据

[1] 见一九三六年十一月十四日 *Vu* 所载弗旷德将军的论文。

一九三八年四月二十日《事业报》所载，一九三七年的生产额却低落到五〇〇架。这样，几家很大的工厂集中制造几种第一级型式，这一种真正大量生产的问题是谈不到的。法国约有飞机工厂三〇家，都小量地制造着许多式样的飞机。因此跟德国和苏联的飞机工业一比较，法国的飞机是又小又落后的。就在一九三八年十月，法国众议院航空统计报告员保尔·赖夫斯（Paul Rives）也宣布着法国的航空工业与其说是像现代大规模的工业，还不如说像手工业。只有中等数量的实力的法国空军，连原型机在内约有十五种不同式样的战斗机，而中型及轻型的轰炸机的式样数目差不多也相同。

改换装备的过程不幸也是很迟慢的。从原型以至标准模型出现所经过的生产期间在法国需要着好几年，而在德国及苏联则缩减到一年至十八个月，亚孟哥特将军（General Armengand）在所作的论文上写着：

“我们有着失去原有地位的危险了，因为要完成我们的原型机以及其后标准机的生产，我们比其他国家需要着更多的时间。我们最新式的飞机还在构造中，可是别国的却已经服役了。”[1]

一般地说来，一九三七年法国还正制造着一九三四年原型的飞机，至于德国，苏联和英国则制造着一九三六年原型的飞机了。这结果是，在效能上，质地上，法国都落后了若干程度，虽然在一九三四至三八年间未始没有优秀的原型机构造着。这是很重要的一点：法国的航空技术水准很高，品质问题是可能地获得解决的。法国至少有着七种原型和标准型的战斗机，都具备着很高速度的能力（每小时二六〇至三〇〇哩）：勃洛克一五〇，莫兰四〇五，罗尔二五〇，考特朗·雷瑙德“旋风机”，台伏丁五一三，和慕罗四九〇。在西班牙内战中，装有自动炮的法国战斗机显示了很高的技术的和战斗的品质。说到现代轻型及中型的轰炸机，法国也有着好些原型和标准型，例如博德慈六三，勃洛克一三一，汉廖德三二〇，勃莱盖德四二〇，雷奥四五，罗尔四五，勃莱盖德六九〇，还有最可注意的，中型轰炸机阿米沃德三四〇和阿米沃德三七〇，这都是全世界最好的。一九三八年十一月至十二月所举行的巴黎航空展览会还陈列

[1] 见一九三八年四月九日 *L'Europe Nouvelle* 所载亚孟哥特将军的论文。

着好些高级品质的原型机，内有台伏丁战斗机五二〇 C I，和罗尔纽波德战斗机 CAO 二〇〇（各有每小时三〇〇哩以上的速度），快速的四引擎轰炸机勃洛克一三五 B4 和汉廖德 · 生忒二二三，超速轰炸机和 B4 生忒一五〇以及许多快速的现代侦察机。一九三七年，法国的空军开始改换了装备，采用最新式的飞机，如莫兰四〇六战斗机及轻轰炸机卜德慈六三等，这两种飞机现正大量地生产着呢。

然而品质问题，即不同于法国航空工业生产能力的法国空军现有的实际力量问题却也还没有获得了解决，尤其是跟德国和苏联的空军的发展及这两个空军的标准和目的比较起来说。近几年中，法国的空军尽管增强，它在欧洲局势中间相对的实力却衰落下去了。

现在少不得要说到一个很重要的问题了，一九三九至四〇年间的法国空军要是用作战时法国天空战略所需要的武器，究竟可以发挥多少程度的功效呢？在战争的时候，战略上种种数量的及物质的需要跟战争开始时空军的实际力量之间，也许发生了进一步的不均齐状态，这可是有着危险性的么？据谷特所说，一九三六至三七年间，法国轰炸机队的能力增加得不止百分之四〇〇。这种巨量的增加，一部分由于轰炸机生产额的增加，然而大半却由于法国把好些侦察机队连同人员改编为轰炸机队。我们应当知道，在这种实力增加以前，法国的轰炸机队是比较地受着忽视的。在一九三五至三六年间，法国只有着少数的重轰炸机：几十架发尔曼二二一式轰炸机，具有炸弹装载量二吨至三吨。我们不妨推测，经过了一九三八至三九年间种种的发展（谦布莱［Guy la Chambre］的计划上规定着这时期中出产军用机近二六〇〇架），法国空军在一九四〇年可以有炸弹总装载量约一五〇〇吨。这可算是十分惊人的战斗实力，尤其是跟一九三〇至三四这几年间，欧洲各国空军的能力比较起来说。然而我们如果就空军临到战时不免要对付的各种各样的目标来考虑一番，那么这种情形也就并不见得怎么惊人了。换句话说，法国空军有着很分明的制限，把它作为攻势的武器，作为报复的工具来看，它的效率还是比较地有限的。只有等到法国空军建设计划大大地扩充了，它的战斗价值才能够增加。

法国空军的守势可能性也是有限的。据法国报纸上所载，第一线战斗机队有着飞机三〇〇至四〇〇架，可是临到国社党德国突然向法国进行天空攻击的时候，却也有轰炸机一五〇〇至二〇〇〇架可以使用。因此有人提出了要求，以为法国空军的战斗机在数量上应当增加三倍。现在德国跟义大利订结军事同盟了，这两个强国联合对法的空中战争又是有着可能的。这样的德义集团用其一切的攻势资源是能够派出了三〇〇〇架轰炸机来对付法国的。因此，天空方面法国所感受的危险分明是大大地增加了。

四　坦克团和摩托化

现代陆军的攻势威力，一般地说来，是其摩托化武器的威力所决定的。法国陆军的摩托化武器面对着跟其空军多少相同的问题。据德国的军事家所说，一九三四至三五年间，法国陆军约有坦克三千辆。一九三八年，则它有着下列的摩托化部队：

轻机械化部队一师：坦克两团，用公路汽车装运的摩托化骑兵（Dragons Portes）和摩托化炮兵一团。

部分地摩托化的步兵师七师，所属的炮队及其全体人员（工程司信号员等）和运输部门是摩托化的。步兵则能够用卡车装运。

正常的骑兵师三师中间的摩托化部队：装甲车，机器脚踏车战斗员，摩托化骑兵等。

受总司令部调遣的坦克团约十团。

此外，炮队约有百分之四〇是摩托化的，其重炮队差不多全体摩托化了。

陆军摩托化方面，法国的种种成就是值得注意的。前红军摩托机械化部队的司令却里普斯基（Chalepski）说着："法国尽着极大的努力以求战时有尽多的各种车辆可以调用。"法国陆军现在有着特种摩托运输队及其分属于师部和别种体制的指挥部的各支队了。特种摩托运输队准备着依照需要来输送各色兵种的部队。法国陆军的摩托化与其说是集中的不如说是散布的，然而如果它想要把其种种摩托化效能集中起来罢，那么总司令部原也能够在那些本来存在的以外，设立新的摩托机械化部队的。要编成这样的部队，只消把坦克队和摩托运输队附加于步兵部队，再配备上早就摩托化的炮兵队就行了。

法国陆军摩托化的效用上有着两个显著的特点：

坦克大抵是常作步兵部队的补助武器，或者，依照着德国一个军事刊物上的说法，是“当作照步兵的行动速度前进的装甲炮队”[1]的。一个法国坦克专家宣布着：法国对于坦克的行动所抱的策略的概念，就是坦克在跟步兵合作的时候，应当派到前面去做进攻的先导，这就是说坦克应当充分发挥其大大的流动性和广阔的活动距离，正如其独立地运用的时候，所当发挥的一样。[2]这番话说明了重坦克的意义。法国是采用着超重量的坦克（计重七〇至九〇吨）的欧洲的第一国呢。

再进一步说：法国陆军的高度摩托化是被认为获致最大可能的流动性并且确保最大可能的机动能力的一种技术的手段的。摩托化的用意是在解决急速移动的军队——如流动步兵及摩托化骑兵等——的运输问题。这是法国关于陆军摩托化的权威理论家卡蒙将军（General Camon）和库尔曼将军（General Culmann）所

[1] 见《德国国防》增刊 *Truppendienst*，一九三六年五月二十八日。

[2] 见《法国军事评论》（*Revue Militaire Française*），一九三六年七月。

抱的概念，正同坦克多半并不是向高速度发展着一样，法国陆军摩托化部队的发展和装备，与其说为的是最大可能的攻势的和突破的威力，不如说为的是流动性。

法国陆军的摩托化和机械化的弱点一部分在于真正技术的范畴。法国的坦克库里有大部分全是从世界大战时代传下来而其后经过一番刷新的老式的雷瑙德坦克。据德国的参考资料[1]，一九三四年法国陆军所备的坦克全部简直有一半是这些旧式坦克，勃莱卡特将军（General Brecard）则在《巴黎回声报》抱怨着道："有威力的快速的坦克我们并不够：我们是错过了好些时间了。"在国会里鼓吹着法国陆军的现代化的保尔·雷诺特也说着同样的话。一九三六年论到当时存在着的唯一的轻机械化师，他说：

"这一师的得用是无疑的，然而它的效能却在任何方面都不能跟威力巨大的德国装甲师相比较，我们固然也已开始建造现代坦克了，可是在量的方面，我们却还是很落后。再进一步说，我们分明还没有决定在战场上

[1] 尼林中校（*Lieutenant-Colonel Nehring*）: *Kampfwagen an die Front*，波次但，一九三四年。

怎样来运用这些坦克呢？”[1]

保尔·雷诺特在这里接触到法国陆军摩托化的又一弱点：就是摩托化部队的冲锋威力和攻势能力不充分。这些在摩托化的理论和实际上法国所具有的弱点，德国军事刊物是公开地加以指出，加以批评了，大约他们是不免感到几分满意的罢。他们说到法国流动部队的兵力的分散和战斗威力的不够强：

“没有战斗威力的速度是不中用的；一切运动都归结于战斗，就在战斗的时候速度的成果非摘掉不可了。如果到所想望的目标去的路给敌人挡住了，而流动部队的战斗力不足以打开一条路，那怎么办才好呢？”[2]

就是到一九三八年，法国陆军也没有像德国陆军和红军都所具备的那样，为攻势的用途而设的正规组织的摩托机械化冲锋军。在论着现代欧洲各国机械化兵力的用途的一篇论文上，一个法国军事专家写着如下的话：

“法国似乎并不打算在战时照德国所计划的那样，

---

[1] 见 *Paris-Soir*，一九三六年九月五日。

[2] 见《德国国防》，一九三六年十月二十四日。

大量地用着坦克来对付敌人的集中。”[1]

就法国的战略看来，机械化和摩托化的部队首先要执行一种守势的任务；这些部队代表着外层防守兵力的核心，并非代表着用于攻势行动的冲锋军的核心。甚至魏刚将军那样的军事领袖也抱着这一种意见，虽然在别方面，他是反对法国陆军的活动基本地限于守势，而且要求陆军从事于攻势行动的训练的。可是就在他的意见中，摩托机械化部队也有着如下的战略机能：

“在我们的要塞附近行动的时候，我们外层防军的流动后备队应当充分利用其装甲武器的速度在受威胁的数点填补罅缺，并且用其轻疾的队伍在我们后方交通线消减敌人进攻的效果。”[2]

在这一段描写中，坦克武器和摩托化部队的守势的定命是分明可见的：这些要用于守势的机动。创立攻势的坦克部队这一个主意一直只是很踌躇地打算着，而德本尼将军则建议着编成有威力的装甲师，虽然一九三八年底，这样的师在德国就已有着四师了。

---

[1] 见 *L'Illustration*，一九三六年三月二十六日。

[2] 见《两世界评论》，一九三六年十月十五日。

然而这是无疑的：一九三六年，法国陆军的技术和战略都起了若干的变化，而这种变化则有着编制这等摩托机械化突击军的倾向。跟苏联和德国的概念相似，要为攻势的用途特别来编组装甲军队，这一种主张显然是已经得势了：一九三六年八月法国陆军所发布的关于重兵器队伍的用途的战术规令规定着坦克队应当用于长距离的比较独立的行动（Chars de manoeuvre d'ensemble）[1]，渐渐地，法国一般人也承认着坦克特别是攻势的武器，承认着现代陆军所急需的是摩托机械化突击队了。

一九三六年秋季大演习之后，《小巴黎人报》载有如下的话：

"只有坦克队和炮队的联合行动才能够造成突破……我们正需要着好几师装甲师呢。"

一九三四至三五年早就有两个著名的军事作家，高卢中校（Lieutenant-Colonel Gaulle）和阿里霍特将军要

[1] 在这里我们应当指出：据苏联军事专家们的意见，法国的坦克战略还是颇守旧的，著名的坦克专家爱曼斯贝格将军则批评得还更进一步："据我的意见，一九三六年法国战术规令把现代装甲武器看待得仿佛这些武器还是在技术幼稚时代似的……这项公文上所规定的装甲队伍的战术，可说是极大的误解。"见《军事周刊》，一九三七年五月二十八日。

求过编一支摩托化突击军，包含着可以用作攻势战略的工具的装甲师六七师，只是他们两人的技术意见是不同的。一九三六年秋季，法国内阁会议通过了添拨一四〇〇万法郎作为陆军现代化及改换装备的补助经费，及其他的决议案，这些决议案显然说明着使坦克队实力增强，数量增加，以及设置职业兵所组织的专门人才的兵团的必要。

军器和人员——两方面都显示着：法国陆军现在要建立雄厚的摩托机械化部队，用以进行独立的攻势战术了。一九三七年初头，法国着手新编两师轻机械化师。达拉第在众议院的演说则承认创立重装甲师的必要了。装有重量铁甲的法国新式的一一吨雷诺尔德坦克已经显示了高级的战斗能力。在一九三七年诺曼底大演习期间，装甲师各要素的综合运用第一次经过了一番试验。

编制摩托化突击军这一问题，现在法国似乎也把它肯定地解决了。还没有解决的只是其实力及其编制迟速的问题罢了。

五　法国的战略地位

法国的战略是该国非常强固的守势地位所决定的，这守势地位说明了法国战时陆军的结构（其“国民军”观念，及其在要塞线后面缓慢的动员步骤），又说明了常备军的机能，即配置在各要塞线，以备击退敌人的第一次攻击，而使大量陆军得以不受阻碍地动员这一种机能。这开始的地位又决定着法国参谋本部的种种战术，如在防线后面策动流动部队，要使第一次守势行动获得袭击和主动的机会之类。法国要塞地带的布置在欧洲军事实力的整个形势上似乎是一种有决定性的战略因素。这要塞地带的重要性是世界大战期间，德军进攻的势头冲破了它的时候所证实的：不仅在一九一六年凡尔登被围的时候，而且在许久以前，一九一四年德军第一次总攻击，和西线上剧烈的战斗期间。从柏尔福以至凡尔登这条要塞线的各部分在一九一四年尽了它们战略的使命。柏尔福保卫着勃艮第的门户，起初用作法国亚尔萨斯陆军取攻势时的出口，过后则用作它的退路；在另一方面德国第六军的攻势突破了南锡—厄比纳尔的防线。凡尔登呢，虽是在开初，德军正向巴黎前进的时候，它就已尽了强固的堤防的作用：它分散了德军前线的兵力，挡住了德军的侧翼。结果是德国西部的前线变成了大凸出形，这在全期战役中，证明是使德军陷于困恼的；这又阻止了德军进一步的各种攻势，而同时则给予了协约国军队战略运动上广大的自由。德法两国的军事专家现在都一致承认凡尔登地位有决定的重要性了。

蒙底格尼司令（Commandant Montigny）在所作的论文上写着：

"在一九一四年四月至九月三日的退却期间，凡尔登是用作我们的战略据点的。在玛伦河战役期间，缪司河沿线的守备保护了我军右翼的交通，使我们避免了总退却的必要性。"[1]

德国研究军事要塞的前进的权威之一，克林培尔将军（General Klingbeil）抱着相同的意见，他写着如下的话：

"在玛伦战役期间，那横在大战场侧面的两个要塞，巴黎和凡尔登保有着决定的重要性，前者间接地，后者

[1] 见《两世界评论》，一九三五年十二月。

则直接地。凡尔登显著地缓和了第五军要在法国莫塞尔前线的后方行施的压力。”[1]

后来，他又就法国设防地带全部的战略重要性写了如下的话：

“首先第一，这使法军得以从右翼撤回了相当的兵力，亏着他们高度发展的铁路系统，便把这些兵力用在紧要的各点；在另一方面，则把强劲的德国军队牵制得不能活动，也就阻止了他们参加主力大战。”[2]

今日的德军如果取着攻势，该要遇到同样的任务，同样的困难的罢，所不同的只是自从世界大战以后，法国的要塞系统是扩展了，加深了，而且技术方面周全到极大的程度了。我们尽可以说，军事要塞艺术上技术的进步甚至是大于现代进攻武器的效能上的增进的。要击破深深埋伏着的现代防御工事，轰炸机所能尽的功用是很微细的，就是坦克也并不见得很有效呢。

一九三八年十月二十八日，德国《军事周刊》载有如下的话：

---

[1] 见《军事周刊》，一九三六年一月四日。

[2] 见《军事周刊》，一九三六年七月四日。

“依照着现代科学上最新的技巧来装备的马其诺防线及其多排的装甲炮台，无法渡越的地带和沼地是不能凭袭击手段来占领的。”

要塞问题这才有着两个方面：技术方面和战略方面。前红军参谋本部副参谋长西狄金（Sediakin）一九三五年秋间视察过马其诺防线，他以苏联赴法军事考察团领袖的资格就那技术方面，给予我们宝贵的报导：

“我们在那设防的区域到处看见最新式最有威力的武器。这些武器必然是可以发挥最大量的效果的，不仅在防卫本国抵御攻击的当儿，而且也在那设防区域用作出发点，用作为报复可能的侵略者而发动的反攻的据点的时候。这要塞系统的设计，组织以及构筑都是值得惊叹的。我来总说一句罢，这类的要塞系统，在军事技术的现阶段，一定可以使防守区域牢不可破的。”

西狄金接着从战略方面来探讨这一问题：

“当然，这一结论是以两件事情为前提的：第一，驻扎在这设防地带的军队显示着充分的警觉性，不至于使本身遭受到猝不及防的袭击；第二，临到敌人进攻的时候，他们显示着必要的抵抗力和毅力。”

在结论上他又补充着说：

“为要确保设防地带内部行动上及策略上最大可能的自由而建造的铁路网的密布使这些伟大的防御工事更进一步地增添了重要性。”[1]

就此看来，这不单是仅仅要塞艺术的问题，而且是各防线跟军事行动主要根据地，跟全军前方以及跟后方的那些联络的问题。这又是法国战略家的见解。法国战略家知道一九一六年凡尔登所以能够守住，亏的是它跟前线的联络，又亏的是时常获得休息的训练精良的众多的军队作着坚韧的抵抗。法国的战略家考量到敌人方面集中了一切资源，向全线上选中的部分发挥其惊人的努力；考量到那时候他们用着最有威力的攻势兵器，连也许预先不得而知的新式兵器在内；用着最精锐的军队，而且充分明了着那被攻击部分的组织和形势。法国的战略家又发出了一个警告，不要过分信任孤立的防御工事。下面这句话便是阿里霍特将军说的：

“如果我们说防御工事尽足以保障完全的安全罢，

[1] 见《苏联新闻报》，一九三五年九月二日。

那是我们欺骗着国家了。”[1]

法国陆军所遵守的关于防守工事的组织及其战略上的应用的原则是根据于世界大战的各项教训的。这原则已经发生了极大的意义，这决定着卓绝宏伟的复式防御工程的用途。费了极大的代价，孤立的性质是避免了。旧时意义的炮台不再存在了。在这里，我们探讨着的是扩展到设防的前方的设防区域。这些永久性的要塞可说是防御工事的骨干，彻头彻尾地跟后方，跟战场上的军队密切地相联络，而有强固的侧面凭依着天然的或是人造的非常深厚的障碍物。设防区域中间这一大地带可使法国得以进行全国的动员，同时又可使法国的军事领导者获得策略上的行动自由，获得对于发动总反攻的时间和地点的选择权。法国的军事领导者可以得益于兵力的大大节省，而把军队调度得极其适当了。这些设防区域可以收容退却的军队，可以变成牢不可破的防守的壁垒。这又可以使沿全线进攻的敌军分离，或是散开。而最后，等到军事领导者在防守中间把全国的兵力集合了，准备好率领着去攻打敌人的时候，这些设防区域又

[1] 阿里霍特将军：*Etre Prêt*，巴黎，一九三五年。

可以变成决战的战场。这一种为应付一切事变而拟定的原则指示着未来大战中间法国战略上的各种可能性。

自从一九三六年以来一直有着进步的法国陆军的改革又少不得使法国的要塞系统周密些，扩展些。不但是世界大战期间西线的南面部分以及中部设了防，其北面部分现在也要设防了。从伐仑西恩（Valenciennes）伸展到摩柏日（Maubenge）的防御工事是要延长了。同时南部的“巴塞尔缺口”（“Basle Gap”）则要填塞，而沿诸拉（Jura）山脉的要塞线则要加强。用前法国众议院军事委员会主席谦布莱的话来说，法国不久就可以把最后的吊桥上最后一块吊板除去了。法国北部的防御工事不至于会有马其诺本线那样雄伟的规模，然而法国北部的和比利时的防御工事联合起来，却可以比那从龙威（Longwy）起到劳透堡（Lauterburg）为止的防御工事线还深厚些。从列日（Liege）到丹刻克（Dunkirk）又从安特卫普（Antwerp）到凡尔登，断断续续地蜿蜒着的那北部的凸出多处的防线，因有好些狭隘的通道，可以成为德国进攻军的死阱，而同时这又使法国军队获得着运用战略的广大可能性。希里芬计划上所定的攻势线对于国社党德国现在是有着双重的危险性了；一则由于法比两国的防御网，一则由于机敏的法国战略会对这一线加以密切的注意，法国的守势地位是一天比一天地改善了。

六　法国战略的精神

法国的战略是依照着彻底现实主义的格调进行的，所依据的就是法国军事形势的既成事实：法国陆军的构造和法国的守势地位。目前法国的战略无疑地是欧洲方面最守旧，最小心，最头脑冷静的了。要是说法国的战略杀气沉沉，那是根本的错误，然而它的确也不是单方面守势的。这是推演着活动守势战术的问题，而以采取攻势为远景的唯一的战争原则。

法国战略的主要特征是它对于一切事变顾虑得周详。福煦将军旧日的名言至今还是法则：

“只在有着估计得周详的攻守配合形势的地方，任何攻势行动才能够在决定点开展。”

洛旭将军则宣告着：

“在战事的最初数月中，一切部队的战略行动需要着攻守战术的配合。”

不惜牺牲的攻势的理论，在一九一四年曾经决定了法军初期的作战方式，后来便遭受了贝当上将的非难，说是太过冒险的，这理论现在是放弃了。贝当上将在论到大战初期形势的地方，说着，当时开到前方去的法国陆军对于他们的气势比对于他们的装备更有着自信。据陆军部长达拉第在众议院军事委员会所发表的言论，法国陆军要利用了强固的守势地位，在下次大战开始时，在各边境进行防守战，是明明白白的。谦布莱说着相同的话：

“在冲突开始时，就陆军的行动来说，除却明确地依照着守势来作战以外，不会有其他的问题的。”

然而这一种作战态度也只是为战争最初的诸阶段着想的，就是在那些阶段，运动战的形式上也显示着在后一阶段准备取攻势的意向。苏联国防委员会的机关报上载着：

“依照着法国的看法，敌人的侵略可以使其停止，而停止以后，又可使其发展到敌军的完全失败的。”

这种战术得用敏速的机动来实施。摩托化的发展和流动部队的设置，足以给予法国陆军这一种机动的可能性，并且使它有了技术的基础。

阿里霍特在所著的书上写着：

“亏着战略的及技术的流动性，一方面我们作战的军队的机械化，另一方面多少是广大规模的摩托化都必然地引起机动精神的复兴。我们现在眼见着机械化的队伍正在发展运动的理想，而这理想又倾向着袭击的理想。”[1]

守势只是攻势的预备阶段；战争的第二阶段就是攻势了。这一点谦布莱说得很清楚：

“在我们的现役陆军有大半日夜看守着的壁垒后面，必须为了决定的行动，也就是为了志在必胜的战争，来组织法国的武装人民。”

要担当这一任务，法国陆军的攻势资源可会见得足够的么？

[1] 阿里霍特将军：*Etre Prêt*，巴黎，一九三五年。

七　法国可能发动攻势么？

这个问题的答案对于欧洲是同对于法国本身一样地重要的。在法国看来，这一问题就在趁平时给它的陆军置备了数量充足的现代攻势武器，造成为进行强有力的反攻所必需的军事技术工具。它的空军和摩托机械化的突击军必须比得上国社党德国的有威力的攻势武器。如果法国不能应时解决这个问题罢，那么，法国的战略，除了自限于守势的机动就没有别的什么办法了。法国的军事专家尽有抱怨着法国陆军只好算是受围攻的炮台的守备队的。现代战争中两种主要的攻势战略的武器就是天空军备和集中的摩托机械化军备。这些军备的现状可以决定法国陆军在欧洲的相对的实力。正同法国的防御工事不仅保卫着法国的领土，还保卫着西欧全部以防德国侵略一样，法国的突击军也可说是西欧方面用以对付国社党德国的唯一的攻势武器。只有英国的空军才能够给予些它补助的力量。因此，欧洲自卫集团中法国所负的任务也得依靠于它的攻势武器的力量。安特莱·比罗纽多少确当地指出：除非法国陆军具备了有威力的攻势武器，法国在欧洲的军事布置一定老是装饰的点缀罢了。国社党德国可会在西欧获得现代攻势武器的独占权的么？苏联在自卫集团以内可会获得同样的独占权的么？或者，法国这一欧洲第三位的军事强国临到要它来击退德国侵略的时候，可会有办法来发展它自己独立的攻势战略的么？法国方面顺利的攻势战略对于欧洲的意义该是非常重大的罢。

台·高卢（De Gaulle）为了他那创立摩托机械化突击军的计划，列举着政治战略的论据说：

“如果我们到了多瑙河和斯瓦比亚，我们就能够阻止‘德奥合并’了。如果我们向莱茵河推进，捷克斯拉夫就感受到新力量了。如果我们占领了德里佛斯和爱佛尔（Eifel）区域，我们同时就掩护了洛林，比利时和卢森堡了。谁控制了杜塞尔陀夫（Dusseldorf），谁就能够使鲁尔区域的一切工作全陷于停顿。”

那些阻止德奥合并和保卫捷克斯拉夫的现成的可能性，不是法国的战略所能运用的，然而台·高卢的主要论点却还存在着：现代军事技术的大量利用是任何攻势战略的基本条件。

第九章　英国扩军的结果

一　英国整军的方式

英国军力的薄弱，曾使一九三五——三六年欧洲集体安全集团的潜在力量，极难加以发挥，但这种情况，并不是这世界上最大的帝国永远不能加以改变的。在一九三六年三月，一九三七年二月和一九三八年三月英政府的白皮书中，已宣布了英国扩军的计划；而这大规模的和有系统的计划，是以政治的威权和英国巨大的经济资源为后盾的。同时，这计划的宣布，在心理上和政治上都表现得非常坚决。因此当前最重要的政治—军事要求，就是对英国整军的方式，目标和制限作一个客观的判断。

从现在起，大英帝国的经济资源，在国际军备竞赛中，是应当计及的了。英政府已拨出十五万万镑的款项，供最近五年内扩充军备之用，但这数目本身并没有明确地指出英国所欲加以扩充的军力，所以我们必须晓得这款项是怎样分配的。英国目前政治—军事形态中最明显的要点，就是薄弱的军力和它那巨大的经济上的战争潜在力间的不均衡。这不均衡现在还没有完全免除。英国的扩军计划，在各军事部门之间，有着极大的差异，而由这种差异，我们可以看出那一部门，是英国企图加以增强的，以及对于各种部门，给予何种战略上的注意。

首先，英国必须扩展它的军需工业，并发展它的工业力量成为战争的潜在力量。在这方面，它比欧洲任何强国都要落后。造船工业可以——而且也将——迅速地有效地加以动员，然后，就集中化和紧张化来说，是航空工业。至于供给陆上部队的工业，只能占第三位。由此，我们关于英国战略上的注意，就可以得到一个结论了。

扩军的程序，一九三六年三月的白皮书中，已有相当详细的说明。从那里我们可以看出英国政府有两种实施的方法：其一是聚积巨量的军用品，其一则为预先改组工业，使之成为一至战时即能加以应用的军需工业。英国政府是选择后者的，也就是有系统的发展军事工业。德国某一军事出版物，关于英国的准备，曾作如下的叙述：

“英国的所谓工业动员，现在已经开始了。政府希望各种适宜的企业，如机械工厂，汽车行厂，化学工厂等，均安置补充的设备。俾在接到通知之后，能立刻从事军用品的生产。至在平时，这些设备只用来训练工人与技师的战时工作。英国政府的希望，是建立一种能够马上由平时的生产转变成为战时的生产的预备的军需工业。”[1]

然而这种非常有效的工业动员的形式，只能代表英国整个经济战争政策的一部分。英国的政策是具有远见的，从整个的世界着想的；就内容言，它无所不包，就范围言，它遍及全世界，英国经济战争的根据地是世界的市场，它保证整个西欧与世界经济制度保持密切的联系。英国现在正组织着它战时的食粮和原料的供给。澳洲将成为太平洋的军火库，而加拿大将成为第一等的航

[1] 见《德国国防》，一九三六年五月二十八日。

空工业的所在地，英国已向英法同盟提供共同应用其经济资源的确定计划。这计划的纲要，在一九三八年四月二十八二十九两日的“伦敦谈话”中，已经暂时拟妥了，同时，英国还和美国接近，而后者高度发展的军事工业，已开始将飞机供给英国了。

二　英国海军的军备和战略

目前世界正面对着两个主要的军事问题：其一，是陆军的问题，它的主要代表是德国，苏联和法国；其一，是基本的海上交通的战略问题，它的主要代表是英国，义大利，日本，而美国也可能是其中之一。就前者而论，英国，义大利和美国，以及在某种情形下的日本，都仅是补充的侧面的国家；但以后者而论，德，苏，法等巨大的大陆陆军强国却有着极重要的作用。

今日各大海军国间的力量的对比，有许多方面，已跟一九一四年的大不相同。英国已不能握到海上绝对的霸权，而日本与美国，却已成为巨大的海军强国。德国已不再是第一等的海军国，但义大利却采取着积极的海军政策。此刻英国的主力战舰只有十五艘。但一九一四年却有六十九艘，而巡洋舰也为五十七艘与一〇八艘之比。然而英国海军的相对的力量，并非同程度的降低，因为德国海军已减弱得更加厉害。另一方面，英国海军部现在又遇到更加困难的战略问题。

一九三四——三五年，是英国海军力量达到它的最低潮的时期，大舰队（Grand Fleet）是脆弱的，一半已经窳旧，不堪立刻应战；它的空军配备又很薄弱，而海军的根据地也未充分加以发展。当一九三五——三六年义大利公然向英国的海上航线采取巨大的攻势时，英国政府只好规避它的挑战。但英国现在的海军计划，是企图使英国的海军，在质量两方面，都凌驾世界的海军，以保证英国的海上交通线的。一九三七年已有五艘主力战舰，二十一艘巡洋舰，五艘航空母舰，四十九艘驱逐舰和十九艘潜水艇在建造中，依照英国《每日电闻报》的海军通讯员希克罗·白华脱（Hector Bywater）所说，在目前的海军造舰计划完成之后，即大约在一九四二年，英国海军将拥有二十五艘主力舰（包括十艘新造的），七十艘巡洋舰，九艘航空母舰，一百五十艘新式驱逐舰，和六十五艘至七十艘新式潜水艇。一九三八年三月三日的白皮书，曾宣布截至一九三八年一月一日，已在建造中的战舰的总吨数是五四七〇〇〇吨，但一九三七年一月一日为三七六〇〇〇吨，一九三六年一月一日则为二八二〇〇〇吨，而一九三五年一月一日则仅有一三九〇〇〇吨而已。英国造舰计划显然是企图超越它那三个假想敌，即日，义，德的整个造舰计划的。除此之外，英国还希望保留它在建造主力舰，巡洋舰和航空母舰上的领导权。在一九三七——四一年间，英国所建战舰的吨位，要比义大利整个海军吨位还要多。英国在这一方面，比它所有的海军敌国要占上双倍的便宜：它有着差不多是无限量的金钱，以及巨大的造舰能力，这种能力，就是在一九三七年伟大造舰计划开始之后，也只有百分之五十五被利用而已。当一九三七年初，霍尔爵士（Sir Samual Hoare）还任海相的时候，他曾经说：

“我们现在所处的地位，还能够比别的任何国家建造更好更强的战舰，而且还造得比他们快。”

英国海军计划中，还规定大部分的海军要附以新式的配备，并发展海军的根据地。

然而，英国目下的海军战略形势，跟一九一四年的迥不相同。英国要继续打通它的航路和维持它的制海权，已比过去来得复杂，而且活动的距离也来得分外遥远。不错，北海的危险，为了德国的北海大舰队实际上已不存在，因而大为减轻，但英国航路在地中海和太平洋，已受义大利和日本的严重威胁。英国海上的战略形势，随各个可能的海军冲突地带而有着极大的差异。英国海军力的复活，将使欧洲集体安全集团在欧洲和非洲的海上，占着绝对的优势。在这一点上，英国海军的造舰计划，是有着决定的战略的重要性的，但同时，英国在这两洲的海面上，也即在未来的，比一九一四——一八年更有可能的海军战场上，却亟需它的同盟国的协助。

比较说来，北海的形势是最直接的和最有利的。英国本部舰队（Home Fleet）要保持着超越德国新建海军实力的力量，确很容易，但英国海军部不能不考虑另一个事实，即德国海军新建各舰，其战斗力要比英国各同级战舰的来得优越。而当英国不能不将其大部分海军调至地中海时（一如一九三五——三六年的情形），那么英国其余海军，如要有效地对抗国社主义的德国的新海军，却非获得法苏两国海军的积极辅助不可。德义两国目下所采取的攻势的海军政策，已迫使法国不得不加强，而且不得不迅速加强其海军的实力。我们相信在最近几年中，法国将能建立力能与德义两国相抗衡的海军。一九三六年法国海军的布置，指出法国海军当局，已企图将其主力舰大部调集于大西洋各海港，也即用以对抗法西斯的德国。在这种情形下，自然大大增强了英国本部舰队的地位。此外，英国海军的战略，还因苏联在波罗的海的非常强固的防卫力量，而受惠不浅，等到第一只的新式主力舰加入了苏维埃波罗的海舰队之后，英国所受之惠更多。总之，英国现在就是在其海军传统上向居盟主的北海，也已不能不倚靠着它的同盟国了。

如果英国要压倒义大利，保持它在海上的优势，它首先必须把强大的海军集中于地中海，其次就是采取积极的海军同盟政策。现在各海军强国间的力量的对比，以及地中海航路对大英帝国的极大的重要性这两点，似乎已注定地中海区域，成为英国海军部最中心的和最决定的一个地区。如果当英义地中海海战的序幕一被揭开，全世界就可以看到英国海军部将派出极大的海军，即英国海军的大部分，包括它最新式的和最强大的主力舰。同时，我们还可以说，目下正在建造中的大部分战舰，都是企图用于地中海的。如果英国准备派出所需的军力，那么，它的主力舰和巡洋舰，可能在地中海上占居优势，而在它的海军造舰计划完成之后，它得到的好处当然更大。然而，世界最新式主力舰“维多利亚·维尼多”（Vittorio Veneto）和“里多利奥”（Littorio）的竣工，将增强义大利在地中海的地位。英国在必要时可能集中于地中海的海军，虽然在数量上要比义国多（即使在英国主力舰和巡洋舰的造舰计划没有完成之前），但英国海军毕竟还有许多缺点，以致严重地影响了英国在地中海的战略地位。义国海军在轻战舰、驱逐舰、水雷艇，以及潜水艇和飞机等方面，也居英国的上风。但另一方面，义大利完全没有航空母舰，而英国却有七艘，还有五艘在建造中和计划中，因此这空一海军的重要武器，英国却占压倒的优势。此外，义国除东海岸外，还有许多形势极佳的海军根据地。依据这些理由，德国的军事专家认为英义两国在地中海多少是势均力敌的。但是这个德国的假定，只有把英国在地中海的地位，看作是孤立无援的，然后才会合理，假如我们依照外交政策的现实性，考虑到英法海军同盟的可能性的话，那么这个假定就完全不合事实，因为法国在地中海正拥有英国所缺少的一切：强大的潜艇舰队，强大的新式轻巡舰队，以及在西海岸和地中海中区的许多形势极好的根据地。英国的主力舰和巡洋舰与法国的巡洋舰、轻巡舰和潜水艇的联合行动，英法两国的海军航空武装的联合行动，以及地中海海军根据地的共同使用，将由东到西，把义大利夹在一把强大的海军钳子中，给予义大利帝国主义以巨大的灾难。在法国的海军协助之下，英国地中海舰队就可以有效地封锁义大利，并摧毁其殖民地的帝国。英国的海军可能将义国与其东非的殖民地隔离开来。使各殖民地及其驻屯军陷于不可知的命运，这是德国军事机关报的坦白而真实的叙述。[1]当法国海军的协助，足以保证英国地中海舰队的优势时，那么，这优势也将保证法国殖民地军队在整个北非占有绝对的优势。英义两国一旦发生战事，英国的海军战略，好像决定在地中海采取攻势，因此英国著名军事专家李德尔·哈特上校（Cap.

[1] 见《德国国防》，一九三七年三月二十五日。

Liddell Hart）就假定在这样的战争情形下，英国应放弃以地中海作为海上商运的航线，而以绕行好望角代替它。他这样写：

“如果英国海军部准备放弃这条航路，而使一切正常的贸易经由好望角的话，那么，它在地中海的军力，将扮演着极重要的战略作用。实际上，禁止以地中海作为贸易路线，就可以更有效地利用它作为进攻敌人的地区，而这敌人（指义大利）却不能像我们一样的易于摆脱。”[1]

西班牙已成为英国在地中海的战略的最重要问题之一。一般地说，在西欧列强和轴心两强之间，力量多少是均衡的，但如果轴心国家在西班牙得到了一个强固的立足点，这均衡就完全推翻，因为这样的一个战争根据地，将给英法的联合行动以极大的危害。他们可以威胁英法在地中海和大西洋的海路，而法国也不能不增强比里牛斯边境的防卫力量，因而也就大大减弱了对德的进攻力量。当欧战爆发的时候，协约国战略的第一任务，必定是立刻摧毁敌对的西班牙的法西斯部队。在杜

[1] 李德尔·哈特上校:《武装的欧洲》，一一四页，一九三七年。

布衣少校和伊里奥特少校（Major E. Dupuy and Major G. Elliot）合著的《假如大战爆发》（*If War Comes*）一书中，也有着相似的意见，作者这样写道：

“时间的要素最最重要，我们可以提出这样的问题：协约国在摧毁西班牙法西斯军力之前，能否不至因部队在西国作战而到处受到难以挽救的毁坏？”

他们提议如下的方法：越过比里牛斯山作强大的陆上进攻，海军封锁弗朗哥的各个海港，英国向葡萄牙施用压力，海空军配合陆战，进攻巴雷阿利和加拿利群岛（Balearic and Canary Islands），自然，英国海军在此地负有决定的海上任务。

英国在太平洋的战略形势是完全不同的。在大英帝国的极远的边线上，在印度洋与大西洋的边线上，英国唯有采取防御的战略而已。英国决不会与日本作独立的力量的比试。英国的中国舰队共有六艘巡洋舰，一艘航空母舰，一艘水雷艇，九艘驱逐舰和十五艘潜水艇。这舰队只在附有主力舰时，才有多少的战斗价值。不错，英国海军部正计划以主力舰增援中国舰队，但这只有在海军造舰计划完成之后，也即要到一九四〇年，才能实现。英国在远东比别的任何地方更需要找到它的同盟国。而且也只有在美国以其强大的主力舰和强大的海上空军参与防御同盟之后，这海军的形势方才能够改变过来。

英国海军的扩充，可以大大地增强欧洲和平同盟的地位，但在它的海军计划尚未完成之前，英国在太平洋的，以及某种限度下在地中海的海军力，都是比较有限的。因此英国海军的，也即整个的大英帝国的危险时期，是在一九三九年至一九四一年之间。

三　英国是一个强大的空军国吗？

英国空军对欧洲军力的关系，有着极重大的意义。英国企图以其新建的空军，成为英国军力中积极的武器，而其力量的迅速增强，也将在某一限度下，用以补充近年来英国海军所遇到的技术上的和战略上的困难。著名英国问题专家阿枯尔（Augur）曾这样写：

“在过去，英国海军可以作为其外交政策的工具，而开至世界各处。现在情形已非昔比了。如果英国的威信是这样被推翻了，那么，将来空军一定成为这一目的的工具。”[1]

英国空军的扩军，有着技术上的和战略上的两方面，犹在一九三五年，苏联军事专家已把英国航空工业的可能生产率，估计得很高，认为只要经过相当的准备时期，在有利的环境下，它每年的生产额可达六万架。[2]在英国整个军备机构之内，空军的重整要比其他各部门来得更加迅速和更加彻底，而且可以说已由平凡的和战斗价值比较低下的，一跃而达技术上和军事上都极优秀的型式。一九三七年的英国空军，已有许多种质地极高的飞机，包括每小时速率由二百五十至三百五十哩的 Gloster-Gladiator 式，Spitfire 式和 Hawker-Hurricane 式以及其他各式的战斗机，每小时速率由二百二十至二百八十哩的 Fairey-Battle 式的，Hawker-Henley 式的，和 Bristol Blenheim 式的轻轰炸机；Vickers-Wellesley 式的长距离轰炸机；Avro-Anson 式和 Westland-Lysander 式的大战斗机，以及 Armstrong-Whitworth 式和 Handley-Page 式的中型的和巨型的轰炸机。各国的专家都可以轻易看

[1] 见 *Figaro*，一九三六年十月八日。

[2] 见《战争与革命》，一九三五年七——八月。

出英国航空工业的最优美的出品，是欧洲有数的最好的飞机。

然而英国的空军，在这种迅速的发展过程中，不是没有遇到障碍的。开头的时候，它缺乏许多种的模型。而航空发动机的生产也不足应付整军的需要。稍后，在一九三八年春间，各方有了公开的批评，伦敦《泰晤士报》和W.邱吉尔曾共同指出如下的缺点：与现有的可能性比较，生产能力的扩展仍不充分，而现有生产能力的利用也嫌不足；大量生产组织的迟缓，如生产部分仍缺乏充分的合作。因为有这样的缺点，于是便提出了向美国购买军用机，以度过这严重的间歇时期的问题。

航空工业技术上的进展，又使英国的空军战略发生变化。以前它最关心的，是本国的防御，因此所谓“武装空军区”的问题，在英国得到了特殊的注意，但是现在，主要的倾向已不是本国的防御，而是反攻的力量了。目前空军设备的革新，已把空军防御的和进攻的任务联合起来。轰炸机的活动半径，不久即可以超过一千哩，这就是说，可以由英国出发而至波兰的东部或义大利的南部。英国空军的扩军，企图把它发展成为欧战中决定的进攻的武器。英国空军中大部分都是轰炸机。一九三八年春，在全数一五四〇架飞机中，轰炸机即占八四〇架。一九三六年七月，空军改组之后，创立了所谓“航空大队”（Air Group），以集中空军的领导和加强空军动员的速率。

依照金斯梨·伍德爵士（Sir Kingsley Wood）所说，到了一九三九年三月，英国空军扩充的结果，可以建立拥有一七五〇架第一线飞机的大空军（自然尚有强大的后备队），随后又可增至二三七〇架。在不久的将来，定造的飞机将在五〇〇〇架至六〇〇〇架之间。

因为形势的进展，这些数字无疑还要大大增加，照一九三八年下半年所采取的计划看来，我们可以假定，到了一九四一年，在本国服役的英国空军，其第一线飞机，将达三千架至四千架。

依据苏联航空专家[1]的意见，英国空军军备，有着如下的弱点：

第一，英国并没有切实地企图与其可能的敌国，即纳粹德国，取得空军上的均势。

[1] 见《红星报》，一九三七年七月二十二日。

第二，英国空军干部的人数过少，即使到一九三八年，在服役中的熟练飞行员，也仅有六千七百人而已。

第三，因为新的航空技术突飞猛进，英国空军人员，必须经过相当的时间，始能充分控制它所使用的一切。

当西欧列强与法西斯列强发生大战的时候，业已加以革新和增强的英国空军，其实力约在法国空军两倍以上。而两国的联合空军，确有着很高的技术水准。英国的空军将是西欧最强大的，到了一九三九年，他便可以越过法西斯义大利，而占居欧洲第三位的空军强国。但就数字上说英法的联合空军远不及德义两国，即使英国空军的扩军计划得以完成，也还不能保证西欧列强，在飞机的数字上占居优势。

四 英国陆军的制限

在第一次世界大战中，英国是西欧协约国战略上的巨大后备军。它不仅以它决定的海军，不仅因为它在大战中始终处于政治上和经济上的领导地位，也不仅以它在各个次要战线（即各殖民地和亚洲）的军事行动，而且以它的作为一个巨大欧洲陆军强国的活动，使协约国终于战胜了同盟国的。英国当时在法国的北部，曾以极大的强韧性，守住西线战略上最重要的部分，而与凡尔登形成为西线全线的两极，阻遏了一九一四年至一九一八年德军的任何一次进攻，使它最后不得不在这两极之间困顿下来。一九一六年英国在法国北部的索谟（Somme）开始向德军作第一次的进攻。前英国海军部长和陆军部长道夫 · 古柏，关于这次的战役曾这样写：

“凡尔登获救了，英法合作的支持是获得保证了，英国已懂得怎样打仗，而德军的心是破碎了。”[1]

最新的《德国大战史》[2]，甚至宣布当时西线全部德军，有三分之二不得不用来阻住一九一七年英国大规模的进攻，并且说当时英国的战略是谨慎的和奏效的。一九一八年八月八日，在决定德国败绩和结束世界大战的亚眠（Amiens）战役中，击败德国军的是英国的坦克，英国的步兵和骑兵。在世界大战中，英国的陆军是非常强大的：一九一八年，在西线的英军达五十八师，动员

---

[1] 道夫 · 古柏：*Haig*，一九三五年。

[2] 见《新军事学手册》第一卷中之 *Landkriege*，柏林，一九三六年。

的不下五百七十万四千人，而英国的军火生产，在某方面甚至超过了法国，包括三万五千架的飞机和二万四千门的大炮。

然而现在，英国的陆军无论如何是屈居末位了。它的海军扩军计划占有世界政治上的重要性；它的空军扩军计划，虽然规模没有海军那样庞大，但总已提高了英国的空军而成为欧洲军事上相当重要的一个因素；但陆军的扩军计划，对陆军军力只有稍微的提高，直至一九三八年，英国陆军在西欧并未能负起独立的战略的任务，因此自然无法建立巨大的陆军，只有希望英国派出配备着新式武器的、并能辅助法国摩托化部队向敌人反攻的、强大而流动的特遣队，以加强西欧的防御力量而已。

同时，我们对于（一）在英国所进行的，关于陆军的近代化机械化，和赞成采用新的战术等的宣传，与（二）英国陆军的实际状态，以及（三）在英国军备的一般基础上的英国陆军的改组，这三者之间，必须加以明确的分别。

在英国国内所宣传的关于战争的新学说，其理论的进步，已经为全世界所公认，远在一九一四年，苏维埃的军事专家，曾这样写：

“英国军事理论家对于陆军摩托化的见解，是任何资本主义国家的军事著作中最最进步的。”[1]

同时前红军摩托化机械化科首席却里普斯基（Chalepski），也曾这样写：

“英国陆军专家主张坦克车的作用是执行独立的任务和战斗，坦克车队能够不用步兵的掩护完成独立的军事行动。”[2]

然而，这些进步的观念从没有加以应用。英国的陆军并不是英国陆军改革者所要求的摩托—机械化的突击部队，因为它既缺乏物质上的基础，又缺乏战略上的使命。著名英国军事专家李德尔·哈特上校，曾这样论述过英国坦克车的弱点，并将它和苏联的坦克车比较：

“我国唯一的坦克车队那两百辆徒有虚名的坦克车，跟欧洲主要陆军强国那几千辆的坦克车比起来，实在过分渺小。我们唯一的新式战车，是轻坦克车，但它是那

[1] 见《战争与革命》，一九三四年十一——十二月。

[2] 见《布尔雪维克》，一九三五年七月十五日。

样小，越过障碍的能力又是那样有限，跟俄国的标准比起来，简直轻如羽毛。苏联有着极多的战车，他们的‘轻坦克’跟我们十一吨的中型坦克差不多，而他们中型的坦克却达二十七吨。此外，我们中型的坦克车都是十四年前的老式的，现在完全不适于作战，更不适于对抗新式的平射炮。”

苏联《红星报》曾批评新的《英国战地勤务条例》，说它跟现代机械化陆军的操典，还有极远的距离。

企图与一九三七年全般的扩军计划相适应的陆军改革，规定了许多的方案：如骑兵部队的改组成为轻的机械化部队；炮队的将近完全摩托化；步兵的配备新式武器，包括新的勃宁式的轻机关枪和改良的高射炮。这些方案自然加强了英国陆军的战斗力，但毕竟还是非常有限的。甚至就是在一九三七年的扩军计划中，也未曾筹划将英国的陆军变成为真正的摩托—机械化部队，因此它在将来参加西线的同盟战争时，无论如何不会有很大的战斗价值。李德尔·哈特上校非常坦白地承认了这一点，他这样写：

“由英国派出的小数的，而且难免要迟到的陆军，似乎无法影响大局，或是挽回侵略者在开战后可能突然获得的任何优势。”

甚至在一九三八年三月三日发表的白皮书中，也仅规定极有限度地进一步增强英国陆军的实力。只有到了现任陆相 H. 倍立夏一九三八年三月十日在众院宣布他的陆军改革新方案时，好像才终于准备对英国的陆军加以某种根本的改变。依据倍立夏所说，英国陆军的各个师，都要改成为机械化的和坦克的师团。此外步兵的火力和流动性也将大大加强。由这一点，我们似乎可以看出：英国官方以前那种踌躇的和非常保守的作战的教义，现在已逐渐改变，而趋向于近代的观念和孚拉以及李德尔·哈特等的改革的主张。根据一九三八年十月十日倍立夏的声明，甚至地方军队（Territorial Army）也将加以整编，并增至十八个师，包括五个高射炮防御师团。尤其值得注意的，这计划不仅革新英国陆军的技术和改良其配备，还决定英国远征军在西欧战场上的可能作用，而这一项是更加重要的。目下在英国的“陆军院”（Army Council）中，已有一种强有力的倾向，赞同增强英国陆军在西欧的力量与影响，英国机械化顾问马德尔中校（Col. Martel）在一九三七年曾说，如果英国远征军的力量，足以大过它的同盟国的流动部队的力量两倍时，那么，它在战争中的确代表一个重要的因素。它假定英国的西欧同盟国将建起巨大的陆军，因此他主张英国应以机械化的突击部队辅助它和加强它。

然而，这计划（现在好像已经决定了）无论如何不是短期间内所能实现的。

第十章　作为军事因素之一的义大利

一　义大利经济上的弱点

柏林一罗马轴心的建立，引起了这样的问题——德义同盟对欧洲列强的军力关系，是否引起基本的变动？轴心国家自称获得军事上的优势或甚至获得霸权的说法，是否与事实相符？现在，作为军事因素之一的义大利，是值得我们加以注意的。

义大利的军力过去已经而且将来还要时常要受到某种确定的和无可避免的限制，这一点，它的盟友德国是很清楚的。德国军事学院的教授希兰德中校（Colonel Xylander）曾这样写：

“义大利原料的缺乏比欧洲任何一个强国都要厉害。”[1]

[1] 希兰德中校：*Die Kriegswirtschaftliche Verfassung Italiens*，汉堡，一九三五年。

希兰德中校还可以进一步地说：义大利是世界各强国中战争潜在力量最最薄弱的国家。义国经济潜在力的脆弱，可分为如下三方面：它差不多缺乏近代战争中所必需的一切原料；它的重工业基础完全不充分；最后，它整个的工业机构过分薄弱，以致无法生产一等战争所需要的军备的全量。

另一个德国方面的报告（这是官方的），指出义大利本身所能供给的必需品的实际能力，其百分比是这样的。[1]

矿油（即石油）	0.7
铬	0
橡皮	0
钨	0
煤炭	3.2
硫黄	0
铁及钢	37.1
锡	0
磷酸盐	14.2
镍	0.1
机械	14.2
铜	3.2
铅	69.7

[1] 见一九三二年八月五日德国官办“德国经济调查协会”所出版之周报 *Wochenberichte des Instituts für Konjunkturforschung*。

义大利所有的，或是在数量上能充分或差不多充分生产的，只有硝酸盐，锌和铝三种而已。依据上述德国的报告，煤铁两项的生产，可能稍稍增加，但只是这两项而已。所谓义国足以自足自给的说法，完全是一种欺人的诳骗，因为它既没有足够的金钱，又没有强大的化学工业足以生产必要的代用品。它的重工业的地位并非良好：铣铁的生产量只及欧洲大工业国（如苏联与德国）的二十分之一，而钢铁也只达十分之一强。一个国家要建造战舰和武装二百万名的陆军，每年大概需要三百五十万吨的钢，和二百万吨以上的铣铁，而义国所能生产的还不及上述数量之半。它的战争经济的地位，比日本还要恶劣，因为它的重工业的发展还不如日本，而又没有补充的资源，如日本在满洲所攫夺的一样。日本是西太平洋的主人，但它在地中海的地位则反是，因此它的战争经济有被敌国完全封锁的危险。一九三二年三千万吨进口货中，经过直布罗陀来自英国和美国的，占一千七百万吨。经过苏彝士来自亚非澳三洲的占一百八十万吨，经过达坦尼尔来自黑海各国的为一百二十万吨，只有三百万吨得自地中海沿海各国，和七百万吨由欧洲越过北部的国境运入。[1]

因此义国要完全依靠它本国的经济资源来供给它军事上的全部需要，是完全不可能的，甚至在“平常的”战争准备中，它已遇到了上述的困难。

二　义大利空军的可能性和制限

“空军至上论”的理论是起源于义国的，最初提出它的是杜埃将军（Gen. Douhet）。虽然义国官方的战略并没有完全采用这一原理，但义国军备上最大的努力，还是萃于空军。它永远不能拥有世界上最强的海军或陆军，所以希望在空军上执世界的牛耳。

一九三七年，它终于成功地超越了西欧各国，建立了拥有二千架第一线飞机的空军，同时在航空工业的设备和技术上，也胜过国社主义的德国。例如它的航空工业，比德国先采用高度飞行的超装器，而重轰炸机的制造，也比德国为优。一九三八年，义国拥有速率每小时由二百五十哩至二百八十哩的 Fiat CR33 式和 Fiat G50

[1] 希兰德中校：*Die Kriegswirtschaftliche Verfassung Italiens*，十九页。

式的战斗机。但照依德国方面的报告，义国飞机虽为适应现代要求而加革新，但进行非常迟缓，最新型的飞机还没有大规模加以制造，其大部分的战斗机 Fiat CR32 的速率都比较缓，而大部分的重轰炸机都是 Savoria 81 式，其防御设备极不充分，所以在进攻时，时常不能不借快速的战斗机的保护。义国拥有几种载重由二吨至三吨，速率每小时由二百二十哩至二百八十哩的轰炸机：即 Savoria 79 式，Fiat BR20 式，Piaggio 16 式，和 Breda 82 式。快速的轻轰炸机 Breda 65 式和 Caproni 135 式的飞行能力甚高。一九三七年，义国有训练的作战机师，其数量较西欧各国为多，达一万人，这事实指出义国军事领袖是企图大规模地运用他们的空军的。

然而，由于航空工业生产能力的薄弱，义国空军在数目上仍然不能不受到很大的限制。为着每月生产二百架飞机（这数目并不很大），义大利的航空工业便须完全动员。大的飞机工厂早已全日分成三班工作。因为缺乏金钱，所以生产能力无法大加扩充，而它又复缺乏某种轻的合金和某种特种的钢。在西班牙侵略战争开始时，义国轰炸机的质地显然比德国的来得高，然而战斗机却居苏联的和法国最新式的战斗机之次。一九三七年在巴斯克战线（Basque front）和一九三八年春在加泰隆纳战线（Catalonian front）的义国空军之胜利，完全是因为它的数目，比被封锁的西班牙政府的空军来得多。至就义国飞行员的忍耐力与战斗力而论，都在苏联、法国和德国机师之下而居于末位。苏联国防委员会机关报在论及阿比西尼亚战争的教训时，曾指出义国空军的训练有着如下的弱点：

“当义国空军参加阿比西尼亚之战时，暴露出很多的弱点。不管他们有着精细的地图，以及他们可以飞得很低，然而轰炸还是极不准确。义国轰炸机飞行时并没有确定的目标，而且任意乱炸，虽然它们本身还负着侦察的任务。”

义国生产基础的薄弱，使它不能在战时保持其空军的大部分实力，但西欧各国和苏联却没有这种困难，因此义大利希望获得空中的霸权，甚至是本国的空中的霸权，完全是一种幻想而已。

三　义大利陆军的军力

义国陆军可以说有三种优点：人数多，配备优良，和几队流动步兵特遣队的存在。

义国陆军平时的实力是三十九个师。依墨索里尼最出色的吹牛皮来说，义国陆军的实力可达八百万人，而且多谢全民的军事化，据说这八百万人甚至在平时都是准备作战的。这夸大的宣传跟义国狭小的经济可能性并不调和。甚至像法国的《强毅报》（*Excelsior*，素采亲义政策）也认为义国甚至是否有这么多的武器，以充分武装这些后备师团，尚属疑问。不像德国一样，义国的全民军事化，并没有实际的目的，理由很简单，它并没有足够的武器，以武装墨索里尼所宣布的那么庞大的陆军。义国经济潜在力的薄弱，使它无法充分利用它的人力，这一点，一般说来，是跟日本和波兰相同的。义大利的陆军不能超过八十师，至多也只能达到一百师，这就是说，最多只能达二百万人。义国要把人力化成军力的程度是非常有限的。

最近几年，义国的步兵已经加以整编。机关枪、迫击炮和轻炮的配备很充分，但并未配备新式坦克车和高射炮。依照义国权威的陆军改革者维斯康底·帕拉斯加将军（Gen. Visconti Prasca）的理论，义国步兵之配以这种长射程的武器，为的是使他们能够执行独立的进攻。然而已建立了这一种武装强大的步兵的，倒是德国而非义大利。

可称为义国陆军的第三种优点的，是流动特遣队的存在。它拥有三个摩托化的，和三个流动化的师团，还有一旅团的机械化部队和几联队的突击队（Bersagliere），后者在今日可说是一种摩托化的步兵。然而不管这些，义国陆军在进攻和冲击的力量方面，还远不如两个大陆的陆军强国——德国和苏联。整个义国陆军的坦克车，至多不过一千二百辆，而且大部分都是三吨半到四吨的轻坦克车，在西班牙干涉战争中，已充分地暴露了它装甲的不够和火力的微弱。小型的 Fiat-Ansaldo 式坦克车竟充当各式各样的工作，有时装着平射炮以对抗敌方的坦克，有时又附装喷火器或毒气喷射管等，但是不管它作何种用处，它的战斗力并不很高。八吨的坦克，为数极少，在义国被认为是专作冲锋之用的重坦克，但在红军中，八吨的坦克只是轻的坦克。因此义国流动特遣队的战斗的性能，一早即受限制，其流动性并未配以充分的火力；机械化的武器又未能与摩托化的运输并进。此外，义国的重炮是比较弱的，虽然在它的一般的扩军计划中，曾竭力克服这一弱点。

李德尔·哈特上校，对义国陆军，曾有非常公正的叙述，他说：

“义国有三师流动师团，大部分是摩托化的步兵，并附有小数的装甲车。坦克没有充分加以发展。Fiat坦克车只有几百辆，都是小型，越过障碍能力极为有限。步兵师团的重炮和自动火器比法国的差。义国陆军的机械化，因缺乏财源和必须倚靠国外燃料，早已备受阻碍。因此一九三五年由义国派赴非洲伊里特里亚（Eritrea）的部队，在形式和外观上，都是旧式的陆军。”

义军陆战的战略的基础，据说是迅速动员，猛烈进攻和争取速决。其所以坚持争取速决的真正理由，是义国无力支持长期的战争。义大利陆军部长巴里安尼将军（Pariani）在《义大利人民报》（*Popolo d'Italia*）的文章中，也已承认了这一点：

“义国并没有丰富的原料的资源，因此它不能从事于耗费大量原料的长期战。此外阵地战的观念，与法西斯政权的动力的特性并不一致。”[1]

波兰与日本的战略，也因受到同样的客观条件的限制，而具有同样的倾向：即由集中进攻来争取速决以补偿原料不足的弱点。然而，所有这些国家，都没有足以胜任地完成这一战略的战争技术和新式的进攻武器。在阿比西尼亚的比较容易的胜利（其实阿军简直没有武装）使义国军事理论家得到这危险的结论，但同时西班牙的经验，尤其在瓜达拉迦加战役（Battle of Guadalajara）的教训，已显示出义军应用其摩托化部队以与武装非常平凡的欧洲敌人作战时所遇到的困难了。

四　地中海霸权的争夺

义国陆军和义国战略的新近的发展，使我们得到两个结论。

[1] 巴里安尼将军在一九三八年夏间宣布了义国步兵的改编，如增加炮的供给和加强步兵师团的流动性等。改编的最初的结果，表现于一九三八年八月的动员。但此项以及别的各项改组，必将遇到难以克服的障碍，因为义国军火工业的生产力是很低下的。

随着阿比西尼亚的征服，义国海军及空军已占居前列，而最大可能的努力，也集中于此两项军力的增强。海空军已被认为是达到义大利战略新目的的决定的武器。

义国海军和空军的主要战场，预定是在地中海，官方早已宣布它是未来最大的和决定的战场。一九三七年五月十七日义国航空部长瓦勒将军（General Valle）在上院曾说，义国空军的战略上的支点，已由义国北部移至地中海、红海和印度洋。这种军力的转移，是义国战略改变的特征。地中海的霸权已成为义国的主要战略目的了。

这种争取优势的斗争有着两面：一面是英国，一面是义大利；一面是英国防御的力量，一面是义国进攻战略的力量和地位。

义国现在正热狂地加强着它的海军，一九三九年它将有两艘世界上最新式的和最强有力的新主力舰下水。一九三八年所宣布的新海军造舰计划，已规定再建造同样的主力舰两艘，和大驱逐舰十二艘。非常快速的每小时达四十四浬的驱逐舰已在建造中，而潜水艇的数目大约将增至一百艘。这些新战舰的技术的品质都是高的。新海军造舰计划的特质，指出义国海军战略准备积极行动的企图。但是这海军造舰的计划，似乎已达到了义国最高能力的顶点，而它的造船厂的生产力，显然已完全用来促成这计划的实现。犹如它的空军和坦克一样，义国海军也受到确定的限制。我们上面已经说过，即使这最大可能的海军造舰计划彻底完成，还是不能保证义国得与英法在地中海的海军取得均势，相反，且因为英国海军部现在正以它最大的海军力集中于地中海，而不得不屈居下风。因此，所谓义国海军可以进攻数量上占优势的敌人，完全是一种冒险的假定，而义国的海军战略，显然正建在这假定之上。

这种战略企图充分利用义国在地中海的优越的地理形势和它所有的有价值的海军根据地。英国著名海军专家希克多·贝华特曾假定义国海战的计划，是用它海空军的联合力量，在如下三点上封锁地中海：（一）在西西里岛与北非都尼斯属的蓬岬（Cape Bon）之间的最狭隘处，义领潘特拉利亚岛（Pantellaria）正是此地的门户；（二）在西拉科萨（Siracusa）和特里波里（Tripoli）之间长约二百六十哩的沿线上；而（三）是在地中海的东半部，介于都狄康尼斯群岛（Dodecanese）和特布鲁克（Tebruk）之间，此地义国海军根据地是在里比亚。义大利军事出版物证实了这一假定。它的作战计划甚至还要广泛，而企图在地中海采取着海空军的全面攻势。伊雍尼亚海（Ionian Sea）和里比亚区的地中海，将是进行巨大攻势行动的广大地区。而全部几为义国领土所包围的提里尼亚海，将成为在前方作战的海空军补充给养燃料等的稳固的根据地。亚德利亚海则为关闭的和绝对安全的地区，是滨海的腹地，用来修缮及重新配备受伤的战舰，而不虞受到敌方进攻的阻碍。整个的义大利半岛则为地中海战争行动的陆上根据地。

然而，就是这大规模的军事行动的计划，还是无法解决在地中海进行攻势海战的问题。在地中海的西部，所有重要的海军根据地都在法国手里，义国之所以不顾一切亟欲保持它在玛约喀岛（Majorca，西班牙所辖的大岛）的地位，正是这个原因。在地中海的东部，重要的海军根据地，如塞浦鲁斯（Cyprus）、海发和亚历山大港，则都在英国手里。而在地中海的中央，英法又据有玛尔太、卑兹尔太和科西加等毗近义国区域的重要地位。义国在地中海的开豁的地势，虽然适于防守，但却不能保证它战胜物质资源占居优势的敌人。

五　义国的军事价值

在考察义德军事同盟的政治—军事的效果时，我们对于事实和空想，必须加以慎审的区别。义大利作为纳粹德国的同盟者，究有何种的军事价值呢？一九三七年六月二日，当白隆培访问罗马的时候，素与德国陆军部保有密切关系的《交易所日报》(*Börsen-Zeitung*)发表一篇显然是授意的文章，指出德国陆军领袖愿与义国密切联络的愿望。它对义国的全民军事化备极夸赞，并将它与西欧各国不充分的军事准备作一比较：

“义国的国防上的努力，不能与其他各国的军备计划相比拟，因为这努力不仅是建立几队陆军之类的，或是创立几队新的空军与几队小的舰队的问题，而是不多不少地创造一个新的军人的世代，和发展全国性的武装。”

这篇文章接着颂扬义国战略的勇敢：

“它注重速战速决的运动战，俾能避免世界大战时那种特有的现象。因此，一切的武器，不论它属于那一部门，都受到从事强大而迅速的战争的训练。”

换句话说，这论文是强调两大法西斯国家的战略的同一性，以标示两国的军事目的，和显露两国在军事同盟的机构内发展这同一的战略方法的前途。

抱歉得很，我们不能不说，这论文里所热烈称赞的，决非事实，而是空想。我们早已指出，义国的全民军事化，决没有什么效果，因为它缺乏必需的技术基础，而义国的攻势的战略，其情形也与此相同。无论如何，德国军事政策的亲义的方针，正鼓励着它本身的向西欧作骤然的突击的观念。由于德义的订盟，西欧列强的危险显已增加。义国的战略论证着义国在欧洲占居军事上锁钥的地位，以及它的军事干涉有着决定全局的意义。维斯康底·帕拉斯加将军一九三七年在罗马的 *Echi et Commenti* 报上，曾说当德法两国正在互相争持时，义国的一切作战部队，就可以从事无可匹敌的战争行动。说更清楚一点，就是德义的军事同盟保证了德义两国在欧洲的霸权。就政治上和战略上说，义国的和德国的军力并不在同一的主要战线上。义国空军的战略支点是在地中海，企图配合着它的海军以阻断英国的海上交通。而义国的陆军战线，是在西部，威胁法国南部吐伦至里昂一线。另一方面，纳粹德国的主要战场却仍然是在法国东部边境，即北海与瑞士之间。在这一点上，是德义两国战略的分歧点，德国各战略家对于轴心盟国之一的义国的军事任务，至此遂有了不同的意见。德国所追求的军事同盟的政策，是希望义国负起以前奥匈帝国的任务。许多德国军事理论家（包括一九三八年二月四日退职的德国第二军团总司令丰李勃将军［von Leeb］，由于他指挥的才能，他被认为是未来西线德军的最高指挥官），都认为世界大战时德国战略上最大的错误，是在战事初期，没有把大部分的奥军集中于西线，以加强德国深入法国北部的实力。由这一点着眼，义国主要的军事任务，是以它的陆空军辅助德军，在西线予法军以集中的打击。同时，德国另一派的意见，则赞成义国的军力用于南部，使法西斯义大利成为纳粹德国伸至地中海的一支海军的铁臂，俾在海上痛击西欧的列强。依照这一派的意见，义国的任务是给德国的法西斯中欧集团，打开经由地中海伸至亚非两洲的通路。

一个德国军事出版物曾这样写：

“义大利帝国是通达非洲大陆以取得原料的桥梁，并可由此出海而达印度洋。义国是中欧在地中海的海军国。中欧如与地中海隔绝，便是一个有被困之危的囚俘，军事上将因而大受影响。在这一点上，南北的轴心是伸延至海洋之外的。”[1]

法国几个重要的军事专家，曾考究德义联合对法作战的可能性，杜辛将军（General Durhene）在右派的《巴黎回声报》（传统上亲义的日报）上这样写道：

“就义大利而论，无疑的，不论是目前的事态，以及它的‘领袖’的趋向，都不能抑阻它——它将站在它的盟国方面的。”[2]

这里的所谓盟国，不用说，是指纳粹德国。但是杜辛将军，亚孟哥特将军（General Armengaud）也是一样，相信只要几师法国兵就可以抑住义国在阿尔卑斯边境的

[1] 见《德国国防》，一九三八年正月十三日。

[2] 见《巴黎回声报》，一九三七年七月十五日。

进攻。但是犹在一九三三年，亚孟哥特将军即已指出他本人认为比较危险的，是义国飞机的空袭，它将威胁由维索尔至士鲁斯沿线的整个法国南部。从那时候起，义国空军的实力已大见增加，但它的活动中心，主要的还是集中于地中海和它的沿岸上。

就义国的军备现状和战争可能性加以考察，我们可以得到这样的结论：在海上，义国并不能作为一个决定的要素；义国海军的实力，比英法联合的地中海舰队来得弱。义国陆军的突击力并不很大。义国的空军可能进行一种危险的“初期的打击”（initial blow），但在长期战争中，它无法保持它的充分的实力。义德两国的空军在数量上可以胜过西欧的列强，但如果与整个集体安全集团（即不仅包括英法两国，苏联也在其内）的联合空军实力比较起来，那么德义空军便完全处于劣势。因此，所谓德义同盟握得欧洲军事霸权的说法，完全是无根据的妄言，而义国在欧洲的军事事件上，也未占居锁钥的地位。然而，无论如何，柏林—罗马轴心的存在，使西欧各国的防御的战略地位更加复杂错综，因此与苏联合作的要求也就更加迫切。

第十一章　红军与德国的陆军

一　类似之点

因为红军和德国的陆军代表着今日欧洲的两极，所以这两者在政治上和技术上是容易比较的。现在问题是究竟一方的军力是否比另一方的强大？假如确有强弱，那么强大的是谁？这的确是个最最重要的问题。

欧洲能与德国陆军相比较的唯一的陆军，就是红军，法军实在不是它的对手，它的流动性是迟缓的，它的战略本质上是防御的，所以是一种完全不同型的陆军。红军与德军的构造，配备，和作战原则有着显著的类似：两军都是庞大的陆军；都有高度的流动性；都是充分摩托化和机械化的“工业化”的部队；两方新式进攻武器的采用都达到了饱和点；两方都以空军和坦克作为整个部队的核心，而它们作战时所采用的战术原则也是相似的，即空军与摩托化—机械化部队都担负独立作战的任务；而最后，在它们的战略观念上，也可以发现互相类似的特性。

德国传统的战略，只要被认为有价值的，红军总参谋部一律加以接受，这已是一个公开的事实。苏维埃的军事专家谨慎地考究着世界大战时德国战略的优点，但同时也注意它的缺点，而向之学习。[1]在建立年青的苏维埃联邦的陆军时，普鲁士德意志的军事经验，扮演着很大的作用。

二　那一方面的战争潜在力强些？

虽然纳粹德国与苏维埃联邦的陆军，在机构上相类似，但双方力量的源泉，却有极大的差异。它们的

[1] 在一九三七年二月二十三日的《真理报》上，曾有一篇文章说："向我们的敌人学习作战的艺术，在我们决不认为是一种耻辱。我们的军事学校里正研究着克劳塞维支，毛奇（Moltke），希里芬和鲁登道夫等。我们一向都在勤奋地热烈地研究着，而在某些方面，我们相信已超越了我们的'教师'了。"

战争潜在力的构成是两样的，而它们的战略地位也是不同的。

在德国与苏联的战争潜在力中，有两种要素是很易比较的，即经济资源的军事化，以及人力和工业的力。

在下述三方面，德国显然比苏联优越：德国的经济资源比苏联的更易用以从事战争，它在地域上是集中的，不像苏联那样分散于广大的地带，这是一；其次，德国有更高度发展的公路网和交通线；第三，德国的军力是建筑在更长时期的和更完善的技术发展之上。然而，当我们把这两国的战争潜在力的整个自然的和经济的要素加以比较，我们立刻可以看出德国却完全居于劣势。两国的重工业，其力量多少是旗鼓相当，但苏联进展的迅速，使它足以超过德国。一九三六年十二月，苏联钢和铣铁的生产量第一次超过了德国，但自此之后，两国重工业的生产，又发展成为多少是平行的状态，德国或许稍稍占在前头，但这丝毫没有战争的重要性。假如我们记起一九一四年帝俄的重工业的生产，只达德国的四分之一（铁与钢占百分之二十七）时，那么当前这一事实，正象征着欧洲形势的巨大的历史变革。另一方面，苏联谷物的生产却五倍于德国，即一万零二百万吨与二千一百万吨之比。而牲畜方面，是一万万六千五百万与四千九百万之比，即苏联超过德国三倍半。苏联在食物的供给，天然的资源和人力的补充三方面都占着极大的优势，而这一优势的纯军事的意义，是非常重大的。

德国原料的供给非常不足，因此，在长期战争时，德国要维持它的原料的供给，实在大成问题。战争需用的最重要的原料中，德国能充分供给的，只有煤炭、氮（即淡气）以及氮的转造物。其他各项，不是完全缺乏便是不敷需用。另一方面，苏联原料的供给，差不多每一种都是非常丰富的——我们切不要忘记，近代的战争比以前任何一个时期更需要原料的不断的供应。下面的表就可以看出两国所有原料供给的极大的差异：

两国所能生产的主要原料的百分比：

	德国	苏联
油	30	100
铁砂	28 [1]	100
铜砂	11	

[1] 这数字所指的只是德国铁砂的生产量。但因为其铁沙的含铁量甚低，所以其实际的百分比比这更为低减。

续表

锰砂		100
铁矾土	7	100
锌	48	100
铬		100
橡皮	25[1]	56（人工制造者）
棉花		100

依上表看来，两方依赖进口原料的程度，有着极大的差异，德国需要外来的原料极殷，而苏联则几乎尽能自给。又因为未来的大战所需原料比前更多，所以德国有比上次大战更迅速地陷于枯竭的危险；至于苏联，它在战时的经济的可能性，实际上是无穷尽的。

在世界大战时，帝俄因为缺乏武器和配备，无法充分利用它的人力，而现在，由于苏联经济迅速的发展，广大天然富源的开发，和机械的与重工业的进展，使苏联已初次能够利用它的人力的潜在力以从事战争，因此兵额的要素也就初次在东线扮演了重要的角色。锡科斯基将军（General Sikorski）曾正确地指出，一切经济落后的国家，都无法充分利用它的可能的人力的供给。这

[1] 这是德国用人工制造的橡皮的大约的数字。

可以用世界大战时的帝俄为例，当时不管它的人力如何巨大，但它无法建立与德国一样大的陆军，所以它无从获得人力优于德国的利益。现在局势已完全不同了。无尽的原料的供给，强大的战争工业的存在，使苏联可能把人力上的优势转化为军力上的优势。而这种人力上的优势使它在各方面都占上风，如在各种军事部门的充分武装的部队的数目上，在补充各军事部门的后备兵的数目上，在可用于战争工业的工人的数目上等等。由于近代的军需工业而增大了的人数的要素，又使技术上高度发展的，强有力的和复杂的军事部门——如空军——的可能性随之增加。远在一九三四年，梅区将军（Gen. von Metzsch）即已预计苏联可能建立起有四十万个受过训练的飞行员可供使用的强大空军。

近代的工业的战争，并未曾减低它对人力的需要；恰且相反，这需要反而来得越发巨大。

德本尼将军曾这样写：

“当物质资源的和技术的近代战争开始了时，连经济的潜在力和人力的预备军都动员起来的整个民族，以其所能控制的一切工具，向我们猛扑而来，就像阿提拉

（Attila，406—453，匈奴之王）的时代一样。”[1]

以小的、由雇佣兵组成的、充分机械化的陆军，足以应付未来的战争的观念，由技术的观点上说，完全是一种空想，何况要使用有着复杂的技术装置的近代武器，将大大地增强了军队中人力的需求。依德本尼将军的估计，在战争中，一辆由二人一组所驾驶的坦克车，需要四十六人在战线后面和在国内来维持它、修理它，和在必要时替换它。同样，一只飞机需要六十人来供给它一切的需要，连地上的工作人员也包括在内。根据苏联的计算，人数的要求甚至还要高：坦克车需要七十人，而飞机则需要一百二十五人。[2]未来的世界大战，比之前次的世界大战，不唯需要更多的原料，而且需要更多的人力，人力因素的重要性也业已跟着提高。同时，巨大的人力的准备军，唯有在强大的战争工业能充分武装他们时，才能加以适当的利用；同样，近代的陆军以及在其背后的高度发展而复杂的军需工业，也唯有在他们有着巨大的人力的准备军可供应用时，才能使他们的战

[1] 见《两世界评论》，一九三三年三月十五日。

[2] 见《战争与革命》，一九三三年三——四月号。

争的潜在力发展至应有的高度。德国人力的准备军的确是大的，但无论如何还有限制，假如我们考虑到未来战争的需要的增加和军力的消耗时，这限制是绝对的，假如与苏联那无尽的人力比较时，这限制是相对的，我们还不要完全忘记英法的殖民地的人力的准备军，这并不是无足轻重的，我们可以毫不夸张地假定，每一个大国的航空工业，为着充分工作以供给近代战争的巨大需求，它至少需要一百万人经常从事这一工作。

在比较了战争的潜在力之后，我们很可以说，如果二个国家工业的力量和军事化的程度是同等的——就像德国和苏联——那么那个拥有较大的人力准备军的国家，就占上风，换句话说，在这种情形下，苏联比德国占优势。

我们还应当指出，德国所占的最重要的优势，是战争的潜在力，但这也是它的劣势。德国的天然资源，因为是在较狭小的国土之内，所以较易于运用，但狭小的国土里，则缺乏原料、食粮，以及非常重要的一点：战略上更易招致伤害。

三　军备的火力与战略的地位

我们现在更应当在纯军事的立场上，把这两军作一比较：究竟两方谁在军备上占居优势呢？德国陆军的配备是否有比苏联优越的地方呢？我们上面已经说过，德国陆军最强之点，是它的步兵配备的标准化。苏联步兵的配备所采用的真正的标准，尤其是它的大炮的配备，自从它重新配备之后，外间简直毫无所知。依据最近半官方方面的报告，红军每一步兵师团的自动火器的数目，近年来已增至百分之四百，而炮的配备则增至百分之二百五十。在这种情形下，假如我们假定德国每一步兵师团有着较强的火力，这在实际上也是无甚重要的，况且这假定并不能用事实加以证明。伏洛希罗夫在一九三八年二月二十三日所发表的演说中，曾说：

“就技术的训练和配备而言，我们的步兵师团，比之高度发展的资本主义陆军强国所有的，毫无逊色。”

我们并没有理由可以怀疑这叙述的真实性。一般说来，我们可以说德国的步兵师团在机关枪和大炮上稍稍占居优势，而苏联步兵师团的迫击炮和高射炮却比德国为强。另一方面，苏联步兵师团在空军和坦克方面的强大，是绝无可疑的。我们可以说，红军步兵师团的配备与火力，象征着近代战争技术所容许的最高的可能的标准，这就是说，它的配备已达到了流动性的需要所能容许的极度。叔姆斯基上校（Schumski，大战时期俄国最著名的军事专家，现侨居国外，但仍能保持客观的见解）关于苏德军备竞赛，曾有如下的意见：

“不错，德国可以赶上苏联，但却不能越过它。其所以不能越过的理由，不是德国不能，而是一个师团所能配备的武器有一定的限度。如果超过了这个限度，那么，一个师团必定变成为一队绵延若干哩的巨大而不流动的队伍，因此，如果在饱和了的军备上再有额外的加增，显然要影响它的战斗力。”

因此叔姆斯基上校假定德国每一队和每一师的步兵，无论如何，不能有比红军更坚强的军备，就是说，不能越超红军军备的标准，他这假定是正确的。然而因为红军有着更多的部队，平时步兵师团的实力约当德国的两倍，所以就整个而论，红军军备的火力比之德国的遥为巨大。

在现代决定的进攻武器上，即飞机与坦克，红军军备的火力比德国的还要大。一九三八年的红军——甚至它特殊的远东军也没有包括在内——在飞机和坦克方面，已占有两倍于德军的优势，这对于欧洲的政治—军事局势，是一桩极端重要的事实，也许甚至是整个局势中最重要的事实。一九三八年红空军的实力，大约第一线的飞机是八千架，坦克的实力，包括各种型式，是一万二千辆。而一九三八年的德国飞机和坦克的实力，只有三千至四千架，和五千辆而已。即使我们假定（可说纯粹是一种假定）纳粹德国在一九三九年特别努力以生产其新式的进攻武器，但它这两种武器与苏联的比率，无论如何，还是无法超过一与二之比。不管在何种环境之下，不管德国军火的生产如何紧张，红军在飞机和坦克两方面，终能够保持至少是两倍于德国的实力。这两种工业在苏联已发展得如此庞大，而后者在时间、经验和生产能力三方面所占的优势又是如此优越，以至德国完全无法追赶上去。布罗上校对苏维埃的航空工业曾作如次的叙述：

“数字已证明在近几年来苏维埃俄罗斯已越过了世

界各国（包括美国在内）的生产的可能性。任何一个国家，要在军备竞赛的这一部门赶上它，可说是永远不可能的。”[1]

据说德国的航空工业只及苏联航空工业的一半：一九三六年，德国这一工业所雇用的工人是十二万人，而苏联则为二十五万人，德国总的生产量是四千到五千架，苏联则为八千架。在坦克车的生产上，苏联比德国更要猛进得多。一九三六年苏联的曳引车（Tractor，即火犁）要比德国多三十倍，而曳引车的生产显然足以代表着坦克车的生产。苏联农业的机械化，使红军的摩托化获得广大的基础。一九三八年，在苏联农业中应用的曳引车约四十五万架，一至必要时候，这些曳引车都是军事运输有价值的工具，而且稍稍加以改造和附以武器之后，便可全数变为坦克车。苏联农业的机械化，同时又使摩托化的部队获得了无数熟练的人力的准备军：自从一九三〇年之后，已有三百三十万人受过训练，成为机械化农业的各部门的机械师。一九三六年十二月十六日的《真理报》指出，这些机械师一到战时，马上即可

[1] 见《军事学评论》，一九三六年十二月。

用为载重车司机，坦克车队员，而经过补充训练之后，又可作为炮兵，飞机师和潜水艇的队员。苏维埃坦克车的生产，实际上有着无限的可能性，而在这一点上，德国是无法望其项背的。

余下的是素质的问题。就苏联空军而论，它技术上的优越是无可置疑的。在各国飞机都参与的西班牙内战中，它的优点已有了极充分的证明。依据《巴黎日报》（*Le Journal*，右派报纸，素对苏联毫无好感），西班牙通讯员的报告，苏联轰炸机的速率，每小时较容克式轰炸机要快五十哩。此外，苏联炸弹的素质，和它的爆炸力的有效范围，都使在西班牙观战的各国专家吃惊。苏联七十六公厘（即毫）的野战炮的射程，要比德国七十七公厘的野战炮远过一哩，即八与七之比，两国的重高射炮的情形也是一样。苏联坦克的战斗的素质，也要比德国的来得高，而苏联还有更多不同式样的坦克。因此，究竟在那一方面德国陆军能自称占居技术上的优势呢？也许在轻高射炮和光学的工具上稍为优越，然而苏联空军的航行器械的素质，已被公认为是优越的，这又是德国所不及的。也许在军用化学上，德国有着技术上的优势，但所谓化学，一般说来，并非是一种独立的武器，它的有效的应用，大半要看它所依赖各种武器（即作为使用化学品的媒介物，如空军及大炮等）的质地和力量如何，而在这些方面，德国全都处于劣势，不是像空军一样，质量两方面都不及，便是像炮队一样的量不及而质也不见佳。

这些事实自然迫得我们作出这样的结论，不管德国较长期的和较紧张的技术的发展，它在军备的质、量两方面无论如何总比苏联为差。

至于战争工业的技术，我们可以说两国的水准多少是相同的。就特点而论，也就是说，从个别的武器和型式而论，苏联的战争的技术大概来得优越，特别是红色空军的质的优越更是非常的重要。一方面，德国有一或二种型式的武器，其质地也许要比苏联的为强，但这一优点的确决不会大到足以影响战争的进程。至于红军在军备火力方面所占的优势，完全是基于高度发展的战争工业，而且对于战争的结果，有着决定的作用。

军备水准的问题与两国的战略的位置有着密切的关系。这是一个进攻与防守两种机会的配置的问题，而这机会是由使用各种军备的空旷的地位所决定的。那么，今日由红军和德军的战略的空旷的地位所决定的安全问题，又是怎样呢？一九一四年以后战争技术的发展，已多少改变了这一问题。一九一四年俄罗斯的安全，因为它领土的广大而得到保障，也就是这事实，使希里芬和法根亥因（Falkenhayn）放弃对帝俄作速决战的全部观念。现在除开这天然的保障之外，还益以近代防御的技术，有强固的防线巩固它西境的国防，同时红军强大的进攻能力也是安全保障的一个重要成分。总之，无论如何，即使在战争技术改变了的情况之下，苏联巨大的国土仍然保存着它的保护作用，而在今日还可以使苏联免受空袭的蹂躏。今日的安全主要的是天空的安全。欧洲所有其他各国都受着可怕的空袭的威胁，而苏联却得到了可说是全部的天空的安全，这事实结果大大地减轻了红军在防卫和进攻两方面的任务。

布罗上校对这一点曾作这样的论述：

“欧洲各国中，只有苏联，因为它幅员的广大可能免受有效的空袭。近代轰炸机的航行距离虽已加长，但国土的广阔，人口的比较不稠密，以及战争工业，和政府及行政的中心都远离国境，使它还可以获得某种自然的保障。因此，从防御的立场上说，苏联的天空战略形势是再好没有的。总之，就现阶段的航空技术而言，苏联是一个天空安全勿虞忧虑的国家。”[1]

德国的战略形势，自一九一四年之后，由于近代战争技术起了革命，也有了严重的改变。在欧洲所有各强国中，纳粹德国的天空战略形势是最最不利的，这恰与苏联之占居最有利的地位，成为强烈的反比。德国空军专家甘登堡·丰·莫希（Gandenberg von Moisy）这样写：

“人口的分布，使德国易受空袭之害，要比法国多三倍，比捷克多四倍，比苏俄多至六十倍。”

“欧洲‘航空总站的’柏林之易遭损害，不仅因为它是大量人口集中的重要中心，和德国行政的中心，而且因为它是各方面易于飞到的地方，尤其是东方，只要一小时半便可以飞达。大陆的各重要航空线都是集中于柏林的。所以大规模空袭时，在极短的时间内，即可使这个极易遭受空袭伤害的中心，完全失去了它的防御力量，连它的防御的精神也包括在内。”[2]

---

[1] 见《军事学评论》，一九三六年十二月。

[2] 见《知识与国防》，一九三四年三月。

布罗上校更简洁地指出了这空袭的危险，他在同文中这样写：

“在西面法国轰炸机的，和南面与东南面的苏联—捷克轰炸机的活动半径交相重叠之下，德国全境没有一个地方能够不遭波及。”

虽然捷克的飞行场等现在已经失去，但德国的全境仍然是在苏维埃轰炸机的活动半径之内，在这方面，苏联所占的优势简直是不用说的。

四　德国陆军的弱点

红军不唯是在它的机构上、军备上，和其战略的目的上能跟德军相比的唯一的一支陆军，同时，也是唯一的胜过德国的一支陆军。

这一优势的获得，是因为红军在配备和训练两方面，享有时间上的优势。一九三三年，德国国防军（Reichwehr——即由德国义勇军所组成者，初为四十万人，后受《凡尔赛和约》的限制，减为十万人。——译者）开始向近代化的强大陆军发展时，只是一支仅有薄弱的配备且又缺乏新式进攻武器的雇佣军，但这时候，红军已是一支巨大的，自由地配以各种新式武器的，并拥有至少八百万名曾受训练的后备兵的部队了。当纳粹德国开始建立大军和发展犀利武器时，红军早已越过了这一阶段，而拥有德国所无的各种受过高度训练的特种兵团和完备的战争技术了。红军所享有的时间的利益，不唯使它在数目和技术上得到了德国难以比肩的优势，而且使它有了更迅速地同时也更有组织地发展的可能。另一方面，德国陆军却是在热狂中建立起来，如新军的编成，新武器的采用，和近代战争原料的储积等，各方面都被迫采取着最高度的速率。

当我们密切考察德国开始扩军时的情况，也即一九三二年的国防军的情况之后，红军因时间的便利而获得的优势，便表现得更加明显。德国对第一级步兵的训练，经常给予特殊的注意，因为它是德国部队中非常重要的组织核心。当时希克德将军（Gen. von Seecket）曾承认“借其可致用的辅助，可以操纵并领率一支更大的部队”。然而，当时的国防军，虽有其一切的优点，仍不是孚拉将军（Gen. Fuller）等陆军改革者所要求的新式机械化的和高度流动化的突击部队。事实上，就技术上言，它是落后的，因此在它的实际的训练上，也是同样落后的。希克德将军在他的书中这样说：

“当我说空军的禁止，成为国防军训练中最大的弱点时，这决不是泄漏机密的话。”[1]

他这话是对的，但他还应该把坦克和重炮的禁止使用补充进去。德国军事领袖对于国防军在新欧战时的真正战斗价值，并未怀着幻想。一九三〇年，鲁登道夫在论及德义联盟以对抗法国、波兰和小协约国的可能性时，即预言德国势将迅速崩溃。依他的意见，德国西部和中部将在开战后六星期为敌军所占领。一九三三年德国最有锐敏眼光的军事观察家约斯脱劳（Justrow）曾叙述国防军与法军作战的前途，认为国防军甚至无法在西部构成一道不被破坏的防御阵线，它可能被迫远离莱茵河，而在德国内地构就它的防线。[2]如果我们把约斯脱劳的意见作为国防军领袖的意见，大概是不会有多大的错误的。

[1] 希克德将军：《国防军》，柏林，一九三四年。

[2] 鲁登道夫：*Der Krieg droht auf deutschem Boden*，柏林，一九三〇年。

梅区将军在德国开始扩军时，对德国的政治一军事形势也作过这样的描写：

“我们各邻国在军备上的惊人猛进，决不是普通的办法所能赶上的。十四年来军力的亏空，要一旦即加挽回，是不可能的。”

不错，这决不是用普通的手段，也不是一旦所能奏效的，但在近几年之内，因为特别努力于军备的生产，德国业已有了惊人的巨大成就。虽然如此，它还是受到限制的。在三或四年之内，军备可以有巨量的积蓄，工业可以成为战时的工业，但要训练它所需要的巨量士兵，却要困难得多。如果军备是以这么热狂的速率向前推进，那么军事的训练必然要远落在战争的技术后面。在经过长时期的非军事阶段之后，要像工厂的生产大量军火一样，来训练出大批能够运用复杂的新式战争技术的兵士，是完全不可能的。这就是今日德国陆军的最大的弱点。纳粹德国的常备军有着精锐的士兵和完善的配备，但它仍然缺乏曾受使用新式战争技术的训练的军官干部（即完全通晓各部门的军事技术的有经验的专家），尤其缺乏曾受现代陆军的适当军事训练的后备部队。

根据一九三六年达拉第在法国众议院军事委员会上的报告，德国陆军各级和各部门的军官，只有一万八千员，而同时期的红军中，曾在苏维埃军事专门学院毕业的军官，也即专供服务总参谋部和指挥巨大部队的军官，其数目恰与德国全部军官的人数相等。曾目击一九三六年秋德国在上赫斯（Upper Hesse）的大演习的丁泊黎将军（Gen. Temperley）在《每日电闻报》上说，使他惊异的是德国步兵所附军官数目的稀少，有些步兵连只有一或两个军官而已。一九三九年德国陆军可以有二万五千员至二万七千员的军官，但特别欠缺的是曾受充分训练足为参谋之职的人才。德国在波士发，德勒斯登，汉诺威，慕尼黑和维也纳等处的德国士官训练学校，每年毕业的，只有三千人而已。

德国实行扩军的时期过分短促，以致无法养成质、量两方面都已充分的军事专门干部，因为要训练一个参谋人员，至少需要四年，而要培养一个作战的飞机师，至少需要三年。

在德国陆军的整个机构中，最弱之点，就是缺乏有训练的后备军，因为有训练的后备军是近代陆军组织中一个决定的因素。德本尼将军曾说：

“所谓作战力量，其含义与有训练的后备军相同。群众必须加以编练和组织，否则只是一批游民，而人数的因素比无作用还要坏。”

在一九三九年上半年，德国陆军作战力最饱满时，曾受过训练，经历过普通军事生活的后备兵，最多只有一百万名。但红军方面，曾严格地在基干军队中服役过的后备兵，最少达四百五十万人，而最近五年来曾在基干部队和独立部队中服役过的，也即曾经受过使用新式军器的训练的后备兵，其人数至少在四百万人以上。

德国陆军另一种的后备兵，是在各种半军事组织中受过训练的，这种训练第一不是一致的，其次时常是肤浅的。法国下院议员白尼尔在其国防预算的报告中，曾涉及德国军事组织的问题，指出德国陆军所管理的各类后备兵如下：

（一）曾在陆军或警察中服役的后备兵，即曾受充分训练者；

（二）曾在陆军中作为临时义勇军之后备兵，并未受充分之训练；

（三）曾在德军之所谓后备队中服役之后备兵：一九〇一——一九一九级曾受八星期之预备训练；

（四）曾在前之国境防卫团半军事团体（如突击队等）中受训练之后备兵，以及非为战地服役之后备兵；

（五）世界大战时之前级的后备兵。

依据白尼尔的估计，德国共有四百四十五万名受过充分训练的和半训练的后备兵，其中有九十万名曾为军队与警察，受有完满的训练；有一百八十万人曾在世界大战期间受过训练，也即前级的（三十八岁以上者），目下已不很适合前线的勤务。其余全都是半经训练的后备兵，确比经过红军独立部队生活之人员要少受训练。

不用说，纳粹德国的军事领袖们，现在正竭力使有训练的后备兵的名额提高，而在相当时间之后，德国陆军自然也可能达到红军在这一方面所享有的进步的某一程度，然而红军在数量和素质两方面的优势，德国还是望尘莫及。因此，就两国的军事历史而言，一种奇特的形势已经展开，而红军已不仅在火力方面，而且在训练和传统方面胜过德国了。

第十二章　欧洲和平阵线中的红军

一　新同盟中军力的重列

我们不应当把苏维埃联邦军事上巨大的进步，看作一个孤立的力量；它已经发展成为两阵线间军力关系的决定的因素，同时，也确定了欧洲和平阵线的新力量和可能性。苏联的军力裨益了它所参与的整个集团。它引起有利于这一阵线的和这一阵线内部的军事革命。现在新同盟本身先后的排列和强弱的排列已经变更，而新同盟军力的分配也已迥异。这里我们不妨想像，假如在上次欧战时，俄国军队在战略上能有适当的领导，在技术的发展上能与西欧的列强并驾齐驱，那么它对于欧战的结果将发生何种的影响。

不论在那一方面，不论是在战略上，或是战争的技术上，今日的红军，跟欧战时代沙皇的陆军正是完全相反的东西，然而，甚至就是脆弱的沙皇陆军，在世界大战中，也决不是一个可以忽视的军事的因素。

二　上次世界大战中俄罗斯的作用及其失败

在上次世界大战中，协约国最早的胜利，是由俄军取得的，即一九一四年八月，在干宾宁（Gumbinnen）附近及加利西亚（Galicia）之处，也即在玛伦战役（Battle of the Marne）之前，西欧协约国部队正被迫全线后退的时候。俄国当时的胜利，迫使德国最高司令部削弱西线德军，用以增援东线，而两师团著名德军的撤离，使德军在玛伦战役时感到极大的苦痛。当俄军的军火能与敌方相较时，德军多次进攻均被堵住，且先后几次的击败奥军。在一九一五年中，俄军吸引了德国进攻的主要力量于自方，让西欧各国得有喘息的机会。德军既在东线受了牵缠，于是在西线就不能不改取守势。

结果，德军终于失去了在西线作决定的进攻的机会。英法已能够聚集他们的后备军，和发展他们的战争的潜在力。这就是俄罗斯给它的盟国的真实贡献。德国最新出版的也是最优秀的《世界大战史》中[1]，现在已公开承认，就是德国一九一五年在加利西亚和在波兰大胜之后，也没有决定地击破了俄军。同书还指出，在一九一六年，俄国陆军还能够从事布鲁西洛夫的进攻，几乎把奥德的防线击溃，且指出这次进攻的结果，足跟索谟和凡尔登战役德国所受的惨重损失相比。一九一七年，俄国业已崩溃，但今日德国的大战史，还是承认这崩溃并非完全由于军事的失败，他们坦白承认东线德军始终没有获得一次决定的胜利，不论是著名的丹能堡战役，抑或是一九一五年二月大败第十路俄军的战役，以及一九一五年德军在加利西亚和波兰的大胜，都是如此。

德国所承认的这些事实，无论如何决不能掩盖世界大战中俄军的弱点，或是粉饰俄军指挥的全部破产。然而，不管所有这些弱点，俄军还发挥极大的抵抗力，而德国也从未能够决定地击溃俄军。世界大战已证明了俄罗斯拥有某种永远的防御因素。当时，俄军所能倚恃的也只有几种比较原始的因素，如人数的众多，俄国步兵

[1] 见一九三六年柏林出版《新军事学手册》中的“陆战”一章。

的坚忍，和广大的作战区域的优势等而已。

然而，就是这些因素的效用，也大半为沙俄进行战争时的态度所剥夺。世界大战对于俄国，的确如哈夫曼将军那句大家公认为对德国而说的著名用语一样，是一个失去机会的战争。大战时俄国客观的军事上的可能性（犹如今日苏联巨大的军事上的可能性一样），只有在考虑到它的统率的不幸和无能时，才能加以正式的估计。帝俄陆军的主要人物所受的责难，是比任何方面都要严厉和残酷的。

这灾难是从战前开始的。直到战事开始时，俄国陆军部贷款账项中，尚有几百万卢布的贷款没有动用。许多军火的定货，后来都为俄国陆军部长苏柯里诺夫所撤消，大炮的供给也给他扣去了四分之三。大战开始时，西欧各国预备立即给予的物质的援助，也被拒绝。而在开战之前，维斯都拉（Vistula）沿线的防御工事已被破坏，而波兰战场前线的给养根据地，不是加以毁坏，便是全行放弃。此外，军力集中的计划也被削弱了。所有这些，跟俄国与它的同盟国（法兰西）约定的军事义务完全违反。[1]

俄国作战的准备实在该受后来的控责。当它的陆军开至战场时，技术上的配备非常薄弱；它只有一百门重炮，而德军却有一千。俄方军火的供给，只能够几个月之用。高洛文将军（General Golovin）指出，只到战事的第五个月，已开始遇到军火短缺的灾难。步枪只有半数是可以使用的，战线中的士兵，一部分确携有步枪，其余一部分则坐以待毙，或是等候同伴的伤亡以接受他余下的武器。当时的形势是如此难堪，结果甚至企图使若干连的步兵仅以斧头为武装。大战时俄国的工业，只能生产它实际需要的军火的五分之一。一九一七年俄国陆军的机关枪，只及普通必需数的百分之十二。而野炮也只有百分之二十五，重炮则仅有百分之十二，这些甚至是依照它本身那低下的标准计算的。一九一五年二月，当德军在东普鲁士开始第二次的进攻时，俄军第五十三师前线的五十门野炮，每天只能领到四颗炮弹而已。[2]

---

[1] 见前俄国首相柯柯佛济夫一九三四年于巴黎出版的 *Memoirs*，霍姆逊将军一九三五年于巴黎出版的 *The World War* 和沙昂梭夫斯基将军一九二九年莫斯科出版之作 *The World War*，以上均俄文本。

[2] 见高洛文将军：*The Russian Army in the World War*，Newhaven，一九二二年。

德国军事史家弗兰兹在他的著作《俄罗斯参加世界大战》中，说到“俄罗斯精炼的利剑”，这是完全不确的。事实上，俄罗斯的战刀不唯呆钝，而且有着许多的缺口。俄国的战略甚至还要恶劣。德国最高司令部一早就晓得俄国总参谋部并没有进行剧烈进攻的意思。斯太勃将军（Gen. Stabb）曾说：

“俄国总参谋部从未梦想举行迅速而大胆的进攻，甚至对于力量显然是薄弱的德国部队，也是一样。”[1]

俄军所布置的预攻，从未有周密的准备，高洛文将军这样写：

“在我们展开阵势中的最大的弱点，是用以作第一次战略攻击的部队，实力比较薄弱。”[2]

大战期中俄军的战略，实在比它落后的军事技术还要腐败，在加里西亚是如此，在东普鲁士也是如此。关于俄军在丹能堡战役的战略，斯维钦在其《战略论》（*Strategy*，一九二七年莫斯科出版）一书中，这样写：

“那寡断而迟疑的进攻，放过了决战的时机，而给

---

[1] 斯太勃将军：*Der Aufmarsch nach zwei Fronten*，柏林，一九二五年。

[2] 高洛文：*Our War Plan*，俄文版，一九三六年。

予敌人以有利的机会。而山逊诺夫进攻东普鲁士时，也是一样。”

在鲁登道夫的回忆录中，我们晓得俄军在丹能堡本来即可获胜，只因凌能康伯（Rennenkamp）未能如期开到（德国方面正希望他如此），终使德军反败为胜，获得了空前的胜利。在加利西亚战役中，俄军虽已获胜，却没有加以充分的追击和展开。斯维钦关于这一点，曾这样写：

“一九一四年阿历克赛夫（Alexiev）在加利西亚的指挥还要恶劣。当时战略的形势已给这些行动一个极好的目的点：即以两翼包抄的运动围住全部的奥军。但阿历克赛夫将军的全部注意只集中于减少他的危险，让两翼按程缓进。这种方法可以获得非常平凡的胜利，可以驱走东加利西亚的奥军，但决不是打到维也纳与柏林的作战方法。”

一九一六年布鲁西洛夫（Brussilov）的进攻，也没有达到目的，在布鲁西洛夫将军的回忆录中，曾叙述他的战斗，怎样受到俄国西线总指挥伊佛士将军的隔离和怠工。总之，俄国在大战期间的战略，不论进攻的或是防守的，都一样的拙劣，而且是一种冒险与迟疑的奇特的混成物。它既未能利用它的进攻的机会，而在一九一四年，即已耗去了它的作战的准备，致使一九一五——一六年的防御战，没有获胜的可能。

俄国陆军指挥另一点特别应当强调的失败，是它在军事同盟的职份上的失败，也即没有实践法俄军事协定的失败。法俄两国陆军总参谋部，曾于一九一一——一九一三年举行多次重要的谈话，并拟定了共同作战的计划。在这些谈话中，俄国总参谋部担承了对德军进行初攻的任务，但这任务它既无力履行，而且事实上也不想加以履行。这是军事外交史空前未有的诡谋。俄国总参谋部既对法国约定，担任沿距离柏林最短之线作猛力的进攻，但实际上，俄国真正的作战计划，却没有派遣军队从事是项进攻，反而准备立刻撤退波兰境内维斯都拉河左岸的整个部队。一九一〇年，俄国陆军驻屯区，曾从防御战的观点上加以更动，因此西线大部分部队都被撤至内地。俄国真正的作战计划，跟它与法国一同草拟的共同作战计划是相反的。高洛文将军曾说：参与两国参谋部谈话的俄方首席代表，即俄国总参谋长西林斯基将军，甚至连俄国真正的作战计划都没有认清，一味以荒唐的情报告知法国政府。在一九一二年七月十三日两盟国的巴黎会议中，西林斯基将军曾说：

“俄国总参谋部决定集中一支至少达八十万人的大军，用以对抗德国。至于攻势的行动，在动员后十五日即可开始。”[1]

然而就历史的事实来说，俄国在动员后四十日，仅能派出五十五万人至战场。而实际上，俄国丝毫没有遵照俄法共同作战计划的诚意。俄国总参谋部军需长丹尼洛夫将军，后来曾这样说：

“在总参谋部要人的谈话间我从没有听到提起过草拟共同作战计划的问题。”[2]

当战事爆发之后，俄国总参谋部并没有执行它本身所订的作战计划，也没有企图实行它对其盟国的约定。它在东普鲁士的进攻，比它预定的来得早，但进攻的兵力又不充分，比它预定的少得多。而这进攻的指挥也是

---

[1] 见一九二四年在柏林出版之俄文 *Memoirs of Suchomlinov* 中附录之两国总参谋部谈话的原稿。

[2] 丹尼洛夫将军：*Russian in the World War*，柏林，一九二四年。

非常可怜的。在战争刚开始的时候，西林斯基将军被任为西北线的总指挥，而在他的指挥之下，俄国陆军便在丹能堡被击碎了。

三　红军与集体安全集团

从大战时候起，就作为一个陆军强国来说，俄国业已经过了一番彻底的变革。它的重工业已五倍于沙皇时代的，它的机械工业几乎增加了二十倍，而它的军需工业的力量，甚至还有更大的增加，然而这还不是确切的估计，因为质的因素是跟量一样重要的。苏维埃联邦已开发了巨大的天然资源，它的战争潜在力，无疑地要比英法两国合计的还要强大。为了这一理由，在欧洲和平阵线中，苏联的因素已有了新的重要性，而且，可说是一个决定的因素。

在这样的和平阵线中，苏联将占有最大的军备的火力。它的军队约当英法两国合有的三倍（只就两国目下驻于欧洲的部队而言），而红军每队的配备，至少与英法的军队同等，在某些方面甚且还要比他们的优越，因此我们可以假定说，它的军备的火力（按照它兵额上的优势）也是较大的，再就动员，和建军而论，它至少也要比英法胜过两倍。这一点似乎是十分确定的，特别是我们注意到苏联工业的战时准备，比英法工业的战时准备要充实得多这一事实，更可明了。

在欧洲的和平阵线中，红军也代表着最强大的进攻力量，它拥有数量最多的最重要的新式进攻武器：坦克和军用飞机。这一点是不足惊奇的，因为多年来西欧各国都片面地醉心于军缩和防御，而忽视了进攻武器的发展。红军在新式进攻武器方面所占有的极大的优势，只要我们明了红军重新配备的目的，是在使陆军附有的军用飞机和坦克，达到最大可能的标准，而其战术原则也决定最大可能地运用飞机与机械化武器时，便不难有清切的认识。苏联飞机和坦克工业的生产能力，比英法两国要大好几倍，这在我们上面所引苏法两国航空工业生产量的数字中，已经可以证明。我们可以确信地说，红军手中的新式进攻武器的数量，要比英法的多过三倍。

这种军备力量的分配，对于欧洲的政治—军事形势是非常重要的。西欧国家在军备和战争技术方面的落后，特别是在量方面的落后，已大大地提高了苏联军备的重要性，使它不仅成为德国军备的对头，而且成为欧洲和平阵线内部一个决定的因素。

在进攻的战略上，红军又是和平阵线内部的主要代表。它所控制的进攻武器的大量集中，使它获得了无敌的力量。一九一四年俄国进攻的可能性，完全建筑在散沙之上，而今日红军的军备，已使它能在欧洲范围内进行大规模的进攻。其次，红军目下是唯一能够以立刻的和准备周密的反攻回答德国进攻的部队。在欧洲和平阵线各国之中，进攻战略的专权显然操在红军手里，譬如英国，它绝不会梦想到会有在陆战上执行独立进攻战略的可能性，甚至是法国，一向只采取防御的途径，它的军事活动必须是守势的。

最后，代表着积极的联盟政策的原则，并要求统一的和平等的同盟战争的进行的，也是红军。在红军的特性中，这一原则是双重的。红军的机构，发展和战略，是建筑在最彻底的和含义最广泛的“计划经济”之上。为着准备共同行动以抗拒侵略者，红军的领导地位，已把这“计划的”原则移植到国际的军事政策上来。同时，由战争技术的立场上说，红军本身是同盟政策最有价值的工具。它拥有由坚强空军、坦克、天空步兵（air infantry，指由飞机上用降落伞落于敌人后方作战之步兵）、机械化步兵、新式骑兵以及强大炮兵所组成的突击部队；这些部队又包含着最高度流动性，巨大火力和冲击力等优点。红军实在最适合于作迅速的和进攻的军事行动，而这种攻势的军事行动，正是苏联在反德的军事同盟中所要担负的。

因此，从战前的时期起，相互的地位业已完全翻转过来，因为今日红军所提出的要求——周详的准备和迅速执行战略的进攻，以及组织各盟国力量以推翻共同的敌人——恰正是世界大战以前法国总参谋提出的要求。在一九一一年两国总参谋部在克拉兹诺耶·西罗（Kraznoya Selo，即前之沙可耶·西罗，列宁格勒附近，前为沙皇行宫）举行会议时，法国总参谋长都白尔将军（General Dubail）曾说：

“为着保证胜利，必须由东面及西面同时夹攻德国。……

“如果我们能集中最大可能的兵力，循着敌人最危险的路线，并尽可能地迅捷作战，那么，这进攻的效果必能提高。”[1]

一九一二年七月十三日在巴黎续开的两国联席会议中，法国的新参谋总长是霞飞将军，他说：

“因此，联盟的计划，是以最大限度的联合的兵力，由两方面同时夹击敌国。……

“我们必须竭尽我们一切的力量以击毁德国的军力，因此，最重要的，是动员和集中兵力的时间应缩减至最低限度。”

而在一九一三年举行的联席会议的草案中，也将这一策略重复一遍：

“同盟国的计划，是同时由两面夹攻敌人，而盟国两方的力量也应发展至最大限度。”[2]

这些原则可认为是一种自然之理，因为同盟战争的定律正是如此。昏庸无能的俄国总参谋部，虽然不愿将之实施，同时在某一限度之内，也无力加以实施，但

[1] 见一九二四年在柏林出版之俄文 *Memoirs of Suchomlinov* 中附录之两国总参谋部谈话原稿。

[2] 见一九二四年在柏林出版之俄文 *Memoirs of Suchomlinov* 中附录之两国总参谋部谈话原稿。

仍然不敢公然反对。世界大战已无情地暴露了协约国在同盟战争的实践上极不充分，也证实了在遵行共同作战计划时，各方面的作战与努力，有严格协调的必要。红军总参谋部是竭力支持共同作战计划的观念，协调的努力，和同盟战争的严格的实践的。沙皇陆军的指挥对这种观念实行怠工，又复无力促其实现；红军的指挥恰与此相反，它决定完成这些约定，又拥有完成这些约定所必需的技术资源。在欧洲和平同盟中，红军不唯是一个强大的军事因素，而且是一个强大的吸引各种联合力量的中心。

四　红军与东欧

红军在欧洲和平同盟中的重要性，以及它对这一同盟的构成部分所应负的战略任务，将因各同盟国在德国进行侵略时各自的地位而有差异。不管慕尼黑会议的协定已经成立，武力侵略的暗影仍然笼罩着东欧和东南欧。用不着说，纳粹德国在军事上，显然比它所威胁的各国要优越得多。因此，它在战略上将有分歧，它将在西线作坚强的防御，而同时对东欧和东南欧作猛烈的进攻，《慕尼黑协定》事实上已增加了这种可能性。而当德国侵略的危险，已因《慕尼黑协定》而继长增高的时候，被威胁的各国的战略地位业已大大退落，波兰、罗马尼亚（南斯拉夫稍次）已因强盛和独立的捷克国不复存在，而失去了它们的屏障。德国现在已可以由南面，由斯洛伐克、由鲁塞尼亚进攻波兰，而对罗马尼亚的进攻也是如此。因此，在客观的情形下，这些国家对苏联援助的需要，已经大大增加。这些国家现在都急需军火（罗马尼亚以前是从捷克的斯科达军火厂［Skoda］取得军火的），但除军火和原料等的供给而外，他们还迫切需要直接的军事援助，要是以为波兰和东南欧各国，只消获得苏联军火和原料的供给，便可以抗拒德国，那完全是一种梦想。只有充分利用苏联整个的军力，方才能够阻止德国的进攻，并把这“阻止”发展成为决定的击破。总之，东南欧各国要作有效的防卫，唯有使他们的陆军与红军直接密切联络，而以红军作为东欧与东南欧伟大的反德侵略阵线的主体。

红军的干预，必然基本地改变了东欧和东南欧各国的战略地位。他们最大的优势是人力和领地的广大。各国的军力虽不足对抗纳粹德国的战争技术的优势，但因为跟苏联高度发展的战争技术合作，所以他们能够发挥其全部的力量。

这里的困难是两方面的，一是政治上的，一是战略上的。《慕尼黑协定》成立的结果，使小协约国和苏捷互助公约，事实上已不复存在，同时捷克防御线给予东南欧各国的掩护，也已消灭，唯一的另一个可以作为他们的掩护的，就是当地强大的红军。东欧和东南欧各国的地位，在战略上异常重要，而在德国开始侵犯的时候，将可以立刻用以进行胜利的反攻。例如波兰的波美拉尼亚（Pomerania）对德国波罗的海的沿岸；波森的波兰上西利西亚之作为空军根据地；罗马尼亚的德兰斯斐尼亚·阿尔卑斯（Transylvanian Alps）之用以对抗成为德国盟邦之一的匈牙利，以及仍然存在的捷克的重要性，它虽然已不再是一个积极的军事因素，但它仍然占有非常重要的战略地位。上述这些国家，全都无法利用它们本国的优越的地形，因为他们全都缺乏进攻的武器。唯一能够保卫这些国家免受德国的侵略的，只有红军，因此，也唯有红军才能利用这些优越的战略地位，以击退德国的侵略，并确保欧洲集体安全集团的胜利，波兰、罗马尼亚……要在欧洲反德侵略的和平同盟中，尽其有效的任务和分享最后的胜利，它唯一的途径就是和红军合作。

五　红军与西欧

英法两国与苏联订盟的重要性，由他们的战争潜在力的特质所决定。在这一方面，英法两国有着一个共同点：虽然两国有着强大的经济与工业的潜在力，但军事化的标准却比较的低，而且两国在战争准备上，都远落在纳粹德国的后面。当战事刚一开始，德国在集中猛攻中竭力利用它的军力更迅速的展开时，英法马上便感到致命的危险。德国以它已经动员了的工业和已积蓄了的军火的整个力量，靠着近代战争的巨大的流动性，在战端一开时立即展开的突然的进攻，将使英法两国有立刻遭遇大祸的危险。

梅区将军这样写过：

“在动员和展开的迅捷上，不用说，一九一四年大战开始时的情形，是完全不能比拟的。”[1]

而英国空战问题权威的格洛夫斯将军（General Groves）也曾说过：新战争的第一阶段，很容易地成为它的决定阶段。[2]因此，不管英法虽在经济潜在力上占居优势，他们还是可能在组成大军与工业战时化之前，受到致命的打击。如果侵略者能够同时运用其巨大的军力，使敌方无暇动员其经济资源以作战时，即使有极优越的经济潜在力，也是毫无用处的。西欧二国目前之需要同盟国的军事援助，比一九一四年还要厉害，因为他们被倾覆的危险已来得更迫切和更巨大。在大战爆发的时候，西欧各国亟需一个强国的军事援助，而这强国又应有充分发展的战争潜在力，又能在战事开始时马上向侵略的德国进攻。但在目前世界上，能够适合这些条件的国家只有一个，它的确不是美国，而是苏联。美国虽然还是世界最强大的经济单位，但它的军备却很有限。

[1] 梅区将军：《新战争的外观将是怎样的？》（*What would be the Character of a New War?*），沮利希，一九三二年。

[2] 格洛夫斯：*Our Future in the Air*，伦敦，一九三五年。

在下次的世界大战中，一个同盟国的价值如何，要看它是否能够立刻以巨大的军备和巨大的部队输至战场。而能够做到这一点的，举世也唯有苏联而已。

一九三五年三月，皮耳 · 谷特（Pierre Cot，前法国航空部长，急进社会党重要分子），关于德国的扩军与法国的防御的问题，曾这样说：

“我们已经缓了。然而我们失去的少，赢得的多，因为苏维埃联邦给予我们的援助，比德国扩军给我们的威胁来得大。”[1]

苏联可能给予西欧两国的军事援助，在战时有着加倍的重要性。

大战的第一阶段，苏联在陆上和天空的强烈进攻，将减轻和改善了西欧严重的防御形势。下次世界大战的第一阶段，无疑地将平行地向西展开：德国进攻法国及其盟国，而红军则向德国猛攻。红军方面迅速的进攻，将牵制德国大部兵力于东线，而德国战线的后退，将给西欧最大的，也是任何同盟所能给予的最大的援助。

红军在战争初期给予的援助，还给西欧各国一个

[1] 见巴黎《事业报》，一九三五年三月十三日。

发展战争潜在力与工业战时化的机会。又因为红军在东线的进攻给德国以重大压力，使英法能够争回失去的时间，而在军火供给上抵消德国的优势。因为英法经济的潜在力，特别是在金融与原料方面，要比纳粹德国来得巨大，它们工业的潜在力，也比德国为优：一九三五年英法两国各项摩托车辆的联合生产量要比德国大过三倍，两国飞机的共同生产能力也超过德国。红军给予它们的军事援助，使西欧两国能够发展他们经济上的战争实力，和增强他们的军事防御力量。

六　红军与法国

依照法军目下的机构说，法国今日要建立一支有充分战斗实力的大军，所需时间要比一九一四年来得长，大概要有几个月的工夫。上次世界大战的经验，已指出法国要使工业战时化需要多长的时间，而军火生产的发展，又是怎样的迟缓。一九一五年，在大战的第二年，法国工厂只生产一千零十门七十五公厘的野炮，一九一七年则达五千四百六十门。在一九一五年五月至八月间，也即快到大战爆发的一周年，它只生产了五十五门非常重要的野炮，但在一九一八年的五月至八月，则达二千零八十门。这些数字表明了在战事的第一年，客观的战争必需品的供给是如何的少，军火生产的速率又是怎样的小，怎样的低，飞机的生产也是这样。[1]但在上次世界大战中，德国并没有预先使它的工业战时化，所以法国还有发展它的军火生产的时间。法国陆军争取战略的主动，是在一九一六年才开始的，到了一九一七年才转为进攻，这两个因素：军火生产发展的较缓，和法军开始猛烈进攻的较后，是互相密切地关联着的。

在未来的大战中，这样的阶段应当大大缩短。法国要抵消德国在军火蓄积和军火生产两方面的优势，唯有采取积极的联盟政策，尤其是在捷克被消灭了的现在，更须如此。在战时，它的同盟国的价值如何，由如下两点所决定：在战争的早期，给它的防御战以有效的援助，在战争的后期，给它的进攻战以最大限度的援助。因此，能在这一方面协助法国的，必须是一个能够以附有新式配备的大军对抗德国的国家。

[1] 勒布尔（Reboul）：*Mobilisation Industrielle*，巴黎，一九二五年。

让我们从这立场上来考察法国的同盟组织。不论波兰或是小协约国各国，在这一点上，全都在问题之外，因为德国的战争技术比它们优越。不错，波兰和小协约国，能够对抗军力削弱了的德国，而给法国以有效的侧面的辅助，但它们不能够给予正面的援助，即对抗重武装的德军。

至于英国它也不能在陆上给予法国以决定的援助，尤其在严重的战争初期，更不可能。保尔·勒诺德（Paul Reynaud，法国在军事方面最有权威的政治家，热烈拥护英法联盟主张者），已充分认清了英国在陆战上能给予法国的援助，是怎样的有限，他这样写道：

“英国扩军进展的迟缓，特别是在陆军方面，使我们不能期待它在闪电一样的战争中，会给我们充分的援助以保证我国安全。”

这说法虽然文雅，但显明是悲观的，它也表现出法国对英国军力的积弱，扩军的落后以及发展其战争潜在力的迟缓等的焦虑。

一位法国新闻记者曾以如下简劲的文字，检讨英国陆军在战时援助法国的可能性：

“英国的军事技术很弱，而它现有的军火，在欧战中，也只有极有限的效果。如果战争在明天爆发，英国能派到法国来的第一批远征部队，很难超过十万人。……像一九一四年一样，法国还须支付第一笔的血账。我们不应该忘记过去这些残酷的教训，英国也一样不应遗忘。当他们正想到束紧铁甲时，我们将已在苦斗中。这种前途是很恼人的。”[1]

已故的阿朗倍勋爵（Lord Allenby，大战时英军最高的领袖）的观察，也证实法国这种见解。一九三五年，他在论及英国正规军和独立地方军的现状以及英国军火生产的前途时，这样说过：

“本国陆军不能像在一九一四年一样，派出同样多师团的远征军。我们的坦克车队的大部分，将与一些旧的，其战斗价值在战时大成问题的坦克车一同作战。我们的正规军，只有四到五个师团，充其量只能作短时间的‘踏步’而已。至于地方军，它的兵额比原则上应有的要少百分之三十，比一九一四年则少百分之五十。正规军缺少军火，而地方军的情形还要恶劣，直到现在，

[1] 见 *Paris-Soir*，一九三六年十一月二十三日。

它连一辆坦克车也没有。依现下的情形来说，地方军的一个师，如要加以充分的配备和增添充分的后备军，至少需要几个月的工夫。……本国工厂，能够在战事爆发时立刻从事军火生产的，其数目可以用一只手的手指计算。而在宣布作战之后，他们共有的生产，恐怕不能充分供给我们一部分正规军的需要。”[1]

从一九三五年起，英国的确已努力提高它的军火的生产，一九三八年三月十二日陆军部长倍立夏在下院所宣布的改革陆军计划，也预期着大量增加英国陆军的流动性，摩托化和火力等。但是不管已有了这些改善，一九三五——三八年英国陆军的情形（人数少，几乎没有受训练的后备兵，进攻武器的极端缺乏），跟法国在最近两年中万一遭遇到德国迅速和集中的攻击时所需要的军事援助，差不多完全相反。依照一九三七年二月的和一九三八年三月的白皮书来说，英国陆军可以获得新式的武器，但兵额却没有增加，而在最近几年之内，也只增加两个坦克车战队而已。因此在严重的一九三九——四〇年，完全不能希望英国会派出巨大的远征

[1] 见《日报》（*Le Journal*），一九三五年十二月三十日。

军或是强大的突击部队来援助法国。

德国军事专家对这一点的意见，是值得我们注意的：

“英国的陆军，并没有得到最新军备标准多大的好处。假如下次世界大战的趋势跟上次的相同，那么这没有多大的关系，但如果事实证明趋势并非如此时，当它的大军开到战场上来，恐怕为时已经晚了。”[1]

这评论特别显示出了纳粹德国现在正尽其全力保证下次的世界大战，在事实上，决不会重蹈上次的覆辙。

法国要希望在战端一开时，即能获得其盟国军事上有效的援助，这盟国必须是一个战争潜在力已充分发展而其流动化的大军已拥着强大的新式进攻武器的国家，换句话说，只有苏联和红军能给予这种援助。在法国所有的盟国中，苏联无疑是一个能够给予最有效的和最迅速的援助，能够坚强地支持法军初期的防御地位，并最有效地保证法国军事进攻的潜在力得以更进一步地发展的盟邦。法军以它坚强的防御地位，以它优秀的军事传统及其巨大的忍耐力，可以美满地和红军坚强的进步地位，精锐的进攻武器及其活泼的战略互相配合起来。谷

[1] 见一九三七年柏林出版之《新军事学手册》第一卷，二五八页。

特曾这样说过:“一个跟苏联联盟的国家，是不会被击败的。”

七 红军与英国

德国大规模的重整军备，在客观上，使英苏两强之间，有建立更密切的关系的倾向。法苏军事同盟的现实性与必然性，都是十分显明的，而英苏也是假想的军事同盟国家，却时常为人所忽略。英国外交政策传统上的远离苏联，以及它惯常的暧昧的态度，把这不可避免的发展蒙蔽了。然而，这一事实对于英国的军事政策是极其重要的。英国正非常需要苏联以盟国的资格给予它的军事援助。

英国之需要红军的援助，主要是因为它的战争潜在力，还发展得非常不够。在这一方面，英国比法国更需要盟国的援助。英国要把它的工业适应战时的生产，所需的时间比法国还要长，因为它的军需工业在平时还没有法国的那样强大。尤其重要的，是它要建立一支大军——事实上是任何一种战时编制的军队——所需的时间比法国的更要多，因为它实际上并没有受过训练的后备队。其次，因为英国是一个交战国，红军给法国的援助，也使它得到充分的好处。在大战期间，法国领土将是英军作战的战场，而英国的战略地位，也完全系于法国的军事形势。法国北部和东部军事上的安全正是英国本身安全的保证，因此，德国军力大部被红军所牵制，以及德国在东欧受到了严重威胁，或甚至被击败的事实，将解救了法国，同时也改善了英国的军事形势，并使它有了获胜的可能。英国是不难在奥得河（Oder，在波罗的海）和易北河（Elbe，在北海）获得胜利的。

另一方面，由于英国的空军地位和近代空战的已定条件，英国也一样迫切需要苏联的援助。战时英国主要的危险是天空的危险，而现在天空的危险，是上次世界大战时所难比拟的。英国在天空的失败，将招致非常不幸的结果。英国空军总司令约翰·沙蒙特爵士（Sir John Salmond）曾这样写：

“德国的生产能力（指航空工业），比我们的要大得多。我们应当避免军备竞赛，除非我们采取紧急的方法，如航空工厂的征发。否则我们是应该冒着惨败的危险的。”[1]

格洛夫斯将军也曾因为德国空军的占居优势，而对未来世界大战中英国的形势，发表过这非常悲观的意见：

“整个事件的结果，就是我们的空军不及德国。事实上，本国一向的教育都是远离真理的。假如我们的海军甚至只降至第二位，一定引起了广泛的喧嚷。但我们的空军已降至第六位，现在方才引起惊惶。”[2]

他接着就叙述空军重要性的增加，和英国因空军薄弱而引起的后果：

“结果它夺去了我们这岛国的非常优越的地位，而时间的因素，它在过去时常能够使我们发展本国的防御资源，而现在也已跟着丧失。为了这个理由，我们在欧战的初期，——很可能是决胜的时期——已不能再倚赖各自治领的援助。没有充实的空防，本国在大战中可能遭受失败，而整个的帝国，也将因它的心脏受到致命的打击而解体。”

[1] 见《日报》，一九三五年九月九日。

[2] 格洛夫斯：*Our Future in the Air*，伦敦，一九三五年。

英国空军的扩军是在一九三六年开始的，虽然它显已增强了本国的防御地位，但实际上要到一九四〇年才能完成。改组后的英国空军，还未能彻底控御它的新武器，而纳粹德国的空军，却正以更迅速的步伐而不断增强。

这种情形，迫得英国非在欧陆上找寻最强大的空军国的援助不可。这空军的盟国不是法兰西，而是苏联。法国在英国方面最大的重要性是在陆上。苏联空军的实力，以及它对于苏联盟国的重要性，格洛夫斯将军曾毫不强辩地加以承认，他说：

“苏维埃联邦现在已凭其世界上最强大的空军而跻于一等空军国的地位。……同样，如果苏联不是一个一等的空军强国，它的话语，就不会像它目前在西欧各国的会议中那样的响亮。法国马上体会了：苏维埃空军将使苏联能够迅速地有效地与法国合作；德国也马上认识了：它现在将使东面的邻国做出它一向所不能做的、于德国大为不利的事情，也即给予一个闪电样的攻击。……不用说，柏林和德国的西部，都在它的距离之内。”

法国因为是一个盟国，立刻认识了赤色空军的重要性。德国因为是一个敌国，而害怕它。英国将认识和及时冒险利用这军事上的机会——这由强大的赤色空军能够箝制德国军力的事实而造成的机会吗？就空防说，英国甚至连法国那极小的自然的优势也没有，伦敦不如巴黎，在它与德国之间，并没有一大片的田野，足以布置了望哨和武装的防空区。伦敦与德国之间是一片海洋。法国空军轰炸专家罗吉龙（Rougercon）在他的近作中曾说海洋对于空防并无帮助，沿海的城市跟边境的城市一样处于不利的地位，因此伦敦在空袭这一点上，其不利的情况，跟法国东部的斯特拉斯堡完全一样。德国的外交政策便利用英国易遭空袭这一点，爱森市长忒包温在一个公共集会里，曾非常公开地说：

"在九月危机（September Crisis）的日子里，戈林上将的强大空军，已待命出发，叫英国民众相信'光荣的孤立'的日子，早已过去了。"

因此，一个能够不断牵制德国空军于其本国国境内的强大的同盟空军，对于英国，比对法国更有重要性。在下次世界大战中，赤色空军不唯保卫了巴黎，而且保卫了伦敦。

近代空战的条件，已断然要求扩大法苏同盟，使成为巴黎—伦敦—莫斯科的三国同盟协定。其实英苏的同盟不仅加强了英国的空防，还有着更大的战略上的意义，因为红军给西欧的休憩，将使英国有机会发展它的空军和陆军，成为巨大的进攻的因素。

英国在远东的形势，对这同盟的要求，更分外迫切。远东的军力关系，对于英国最为不利，因为大英帝国最弱之点，就是在印度洋与太平洋之间，它在这里备受日本的威胁。英国在远东并无陆军，只有很薄弱的一支海军，而唯一能够阻止日本在东亚的扩张的，只有苏维埃联邦的特编远东军而已。

八　同盟给红军多大的好处

互助公约是世界和平最好的保障，它的目的是在威胁侵略者。即使有了侵略的行为，这些公约将使和平国家的同盟，获得了最好的胜利的机会。

苏联的盟国得到什么好处，这是非常明显的：保证防御的成功和胜利的获得。没有苏联这个盟国，西欧两国能否战胜纳粹德国，是一个极大的疑问，因为它们的进攻武器是比较薄弱的。

自然，军事同盟对苏联也有好处，苏联的外交代表和红军的领袖，已提供了事先详细准备好了的盟约。伏洛希罗夫和沙波舒尼科夫（Shaposhnikov）正说着法国总参谋长杜白尔和霞飞在大战前所说的话语（见本章第三节），而且抱着共同的态度。如果德国发动侵略，他们愿意担保作击败敌军的最大限度的平等的努力，而且希望在新的和比较更有效的战术基础上共同作战。不过军事同盟对于苏联的好处，跟西欧两国的不同：因为同盟对于英法是获得胜利的决定的机会，而对于苏联，却只是辅助的而已。军事同盟使苏联的胜利是绝对确定的，苏联本身的军力本来已胜过德国。即使德国本身疯狂的努力以及其盟国的援助，可使它在军力上与苏联保有暂时的均势，但如果苏联尚有英法两盟国，而且德国同时要应付两面的夹攻时，那么连这“暂时的均势”也消失了。苏联与法国的联盟更有特殊的意义，因为法国迫近德国的重要经济中心，而法国进攻的胜利，将使德国有崩溃的危险。尤其重要的，是苏法的同盟代表着欧洲最强大的军力的集中，这集中比欧洲任何可能的同盟都要强大，因此与法国成立同盟，将使红军更迅速地获得必然的胜利。此所以苏联的军事领袖坚持各盟军之间的最大可能的平等，以及由联合作战的计划而进行一致的战争。法国军事史家奥密青上校（Colonel Oehmichen）曾说，世界大战的不必要的拖长，完全是协约国未能有效地组织它们共同的战争行动。[1]因此，红军领袖所最焦急的，就是如何在下次的大战中，避免这同样的错误。

[1] 奥密青上校：*Essai sur la doctrine de gueule des coalitions*，巴黎，一九二七年。

第十三章　站在两大阵营间的波兰

一　波兰的军事力量

除了欧陆一等强国苏联、德国和法国外，在一个欧洲战争中的军力布置和军事地位上，波兰要算是最重要的国家了。问题倒并非在于波兰的军力而是波兰领土位置在军略上的重要性。世界大战的东线战争，完全是在现行波兰的疆界里面打的。自从大战以后，欧洲的疆土特质没有变更，无论波兰在未来战争中站在德国的一面，或是站在欧洲防御阵线的一面，东欧战争将在波兰境内决胜这事实，却决不会两样。

自从波兰开始做了纳粹德国的帮手，它在苏德之间的地位就变得紧张了。在以前，波兰的安全是基于德国的解除武装，基于它与法国的联盟，以及基于国联的作为欧洲事件的仲裁者。这种安全的基础现在是不复存在了。波兰要是没有法苏军力的支持，就无法应付德国压倒的军事力量。然而华沙的外交家不管这点，却执拗地反对着法苏联盟。因为对波兰有缔结军事同盟的希望，德国这才发动了征服东欧的积极政策。整个东欧是正被破坏，波兰自己已受到直接的威胁了。

同时，它的军事地位也在节节地退步。它是处在欧陆上两个军力最大的强国之间，我们必须记住一个强国与弱国间战争力量的悬殊是在日益增大的。七八年以前，波兰在它两个强邻之间的军事形势，多少还可忍受。对付一个尚未重整军备的德国，波兰尽有它更大的军队和许多有训练的后备兵。德国战争工业的强大潜在力，多少是由波兰的武装自由造成的。在苏联工业化之前，波兰陆军多少跟红军处在同样的技术水准；那还有对等的可能。然而，十年以后，情形完全变更了。德国的重整军备和红军的现代化使得波兰的军事地位陷于无望的脆弱。从一九三三到三九年，波兰跟它两个强邻的相对力量愈趋削弱，波兰的外交政策愈趋暧昧，而东欧的形势也就愈趋紧张了。波兰正在发展成为一个高压力的区域；

欧洲从未见过的强大的军事力量，正在它东西的边境集中。波兰是已在钢铁般的旋风的包围之中了。

二 波兰的陆军

波兰陆军代表着通常所谓“东欧陆军型”。梅区将军（General Metzsch）解释这种典型的陆军是包括了“几百万有高等训练的兵士，而他们的技术设备却远不及西欧列强”。作为陆军型式的形容的“东”和“西”，已失去了它地域上的意义。从这点讲，现在那“西”也同样在波兰的东面，因为红军已达到了同西欧陆军一样的技术水准，有几点还甚至超过了它。波兰的陆军，却没有在过去十年来经历革命的技术发展。一般地说，它的机构还是那一九三〇年欧洲陆军的一套。波兰陆军依然在停滞中；它没有跟上军事技术的发展。

下面几点“东欧陆军型”的特点，就是波兰和巴尔干诸国的陆军：他们靠了薄弱的战争潜在力的支持，小而且没有很充足的军需工业，技术又落后。波兰军事学最大的权威锡科斯基将军（General Sikorski）始终看重工业薄弱对于军备的影响，他当然是在为自己的国家打算。像波兰这样一个工业薄弱的国家，在战争中很快就会精疲力尽的。它无法充分运用它后备的人力，它不得不屯积大量的军需原料，因为它知道战争一爆发，它是不能把任何大量的生产增加计算进去的。锡科斯基将军说：

“波兰万不能把它的战略筑在敌人困疲的希望上，因为在一个长期战争中，那时间的因素将不利于它而有利于它的敌人的。”

薄弱的战争工业就是现代军器——摩托化，坦克车和空军兵器——的薄弱，换句话说，那是必然要败于一个拥有现代设备的敌人的。有许多可靠的证据曾提到波兰陆军的军备和军需供给。一九三五年，巴黎亲波的机关报 *Le Document* 曾刊行一次欧洲陆军的专号，由魏刚将军（General Weygand）作了一篇序言，——他的名字足为真实的保证。魏刚是以前法国的参谋总长，波苏战争时曾任波兰参谋部的军事顾问，那当然不必怀疑他会有故意贬低波兰陆军地方的。总之，那 *Le Document* 的判断很悲观：

“不幸，波兰陆军，也同它整个的国家一样，遭受着一般经济恐慌的严重影响。这个事实影响了陆军的现代化及其现代军器的装备，这也影响了它技术的性质。波兰的军备是薄弱的，一旦动员起来，一切补充的设备恐怕还将更薄弱。波兰工业只有很有限的能力。因此，陆军领袖信赖他们部队的忍耐力，训练和智力，特别注重战略的因素，而不够注意火力的因素。波兰骑兵尤其有着这样的情形。他们炫惑着过去的光荣传统，而仍寄望于旧时的进攻式和斩刺并用的战斗。由于经济的贫乏，陆军还没有摩托化，而可用的坦克车也非常之少。”[1]

这杂志又公开地讲到波兰陆军与苏德军力的迅速增强相比，更是趋于“退化”的。

关于波兰陆军人数上的强大是毫无可疑的。波兰占着欧陆军队等级的第五位。波兰陆军平时的力量是三十个步兵师和十五个骑兵旅。据苏联材料的估计，波兰陆军的战时力量约有六十——七十个步兵师。然而，这些数字的意义却被两种因素减低着，一种是他们不得不在绵长的战线上作战，另一种是，他们火力的不足。据

[1] 见X上校：*L'Europe en armes*，载*Le Document*，一九三五年十一月。

一个法国军事出版物的意见，在主要的战场上，波兰陆军无力控制一个绵亘的战线，而且，在任何情形之下，它当然不能控制一条战线，像大战时候西线这样的强固。

波兰陆军摩托化的技术基础是非常薄弱的。在一九三七年，波兰只有二万辆汽车，五千九百辆运货车，和九百辆牵引机关车，在一九三五年——三八年，波兰工业只出产了七百辆轻型和中型的坦克车和五百辆豆形坦克车（Tanket）。据苏联方面材料的估计，认为一旦战事爆发，波兰陆军大约可有一千到一千二百辆的坦克车，和约一千辆的牵引机关车。在一九三八年，波兰陆军还没有大规模的机械化部队，而且所有各师连附属的摩托队或坦克队也没有。联队干部正在建立起来，希望战争发生时可以组成机械化部队，如此而已。把坦克队扩成两三个摩托化队的计划是有的，但却无法形成任何摩托化的突击军。任何使波兰陆军摩托化的企图，总常被波兰汽车工业低下的生产能力阻碍着。《德国国防》上甚至说摩托化在波兰有日趋消沉的趋势，并指出摩托运输的总数是减低的。波兰政府的一个机关报说：

“除了几队辉煌的车辆外，我们在五月三十日那天的军事检阅无异是检阅我们摩托化的贫乏。几十辆小坦克，和几队机器脚踏车队，——那在我们的时代可实在太少了。”

一九三八年，波兰飞机工厂出产了八百至一千架的飞机。某种型式飞机的质地，据说是很好的（特别是战斗机）。甚至在一九三五年，波兰陆军还有一种非常好的战斗机型式，PZL24 速率是每小时二百六十哩。今天，这种式样的中型或轻型的轰炸机的速率，却几乎只有每小时二百四十哩。无论如何，波兰飞机工业的生产能力是有限的。贮藏又很少，因此波兰在战时决不能拿飞机的迅速增加算进去。波兰空军一共包括了一千四百架飞机，其中只有六七百架是第一线的，就是可以在现代空战中应用的。因此，要它作为独立的空军来担当战略上的任务，那可太小了。据苏联材料的估计[1]，波兰轰炸机的总载重不过七十吨，那跟西方空军的攻击力比起来是很小的，跟红空军的轰炸力相比是更不足道了。因此，空军的进攻作用对于波兰军队固然谈不到；同时，波兰

[1]《战争与革命》，一九三五年九——十月。

战斗机力量的微弱也使得适当防卫空袭的希望成为不可能。在对德或对苏联战争的时候，空中的控制将立即成为波兰的敌人。举例说，波兰将绝对无法对抗红军。这事实亦为德国专家所承认，布罗上校曾说在俄国轰炸机的攻击之下，波兰将成为一个束手无策的牺牲者。

这样，波兰陆军的最大弱点，是在于现代进攻军器的缺乏。波兰军队中对于运用空军器，坦克和大炮的技术训练的标准，平均只及法国的三分之一。跟红军或德国军队比起来，波兰在这方面的弱点还要来得显著。可以说，在飞机和坦克车方面，波兰陆军在平时只有红军十分之一的力量，在战时只有德国陆军十分之一的力量。

波兰陆军的骄傲及精锐是骑兵，它占着欧洲最强骑兵的第二位。据波兰军事领袖的意见，由于边境防线的绵长，由于运输工具的缺乏，以及由于高度的流动性的需要，骑兵军力必须特别加以强化。波兰军事领袖们认为独立骑兵突击队，是高度的流动部队，最宜于流动防御，战略侦探和追击。波兰和苏联骑兵的不同，确乎是很大的。对于波兰陆军，骑兵是摩托化部队的代替；对于红军，骑兵却只是摩托化部队的补充。波兰骑兵除了曾受传统训练的骑士之外，便没有什么了。苏联骑兵却还有摩托化部队的补充。还有坦克大队，航空队和炮队的共同配合，因而是大大地加强了的。帕齐格罗夫斯基上校（Colonel Przeglovski）曾在波兰军事杂志上发表文章，要求建立混合骑兵，由炮队和摩托化队加以辅助，但这方面至今还没有实际进行的步骤。因此，波兰骑兵在人数上是强大的，是高度流动的，但在火力上却是微弱的，没有现代进攻武器的支持。纵然有着这许多明显的弱点，它却仍是大部分决定着波兰军事领袖们的战略观点——以使他们陷于危险的错误。

三　没有资源的攻势战略

波兰的战略着重于机动和追攻能力的重要性。不可否认地，这种理想和计划是有胆略的，然而它们只有很小的物质基础。卢默将军（General Romer）对波兰战略的特点，曾作过如下的描述：

“在战争开始的时候，我们的一般战略地位是有利的，因此战事一发，我们必须尽可能的迅捷地积极地作战，以使战事迅速地获得胜利的结束。当战争的开端，我们和敌人都将在运输不便的广大地域中作战。我们的战略必须从拿破仑战争中，从大战第一次战役中（特别是东战线），以及从最近的俄波战争中，去记取教训。我们的补救方法是在于一种运动战。”

在卢默将军提出的方法和波兰陆军的意见之间，有着显著之不同。波兰要采取这种机动的和进攻的战略，在今天是无效而且无目的的。这也许可能对付立陶宛或罗马尼亚，但却对付不了苏联和德国。如果这样的战略用以对付一个人数众多并且拥有现代进攻武器的敌人，像波兰在东西两方所碰到的敌人，那必将立刻趋于溃败。波兰两个可能的敌人，在数量上比波兰陆军或超过三倍（德国），或超过四倍以上（苏联），而在技术上（特别是现代进攻武器），他们差不多要强过十倍。对抗这样的敌人，波兰的攻势战略是不能应用的。波兰的战略是一种步兵和骑兵的运动战，配合着采取攻势的愿望，但火力是微弱的，现代化进攻武器是很缺乏的。要对抗东西强大的敌人，这样无用的理论上的运动战略，必将迅速招致完全的崩溃。一个法国的军事出版物，曾依照波兰战略描述作战程序的原则如下：极度迅速的运动，甚至孤立的部队也取攻势的行动，甚至暴露的侧面兵也准备着作战，组织抵抗力的中心，但在这些中心的空隙间，只不过驻一些哨兵。对抗一个优势力量的敌人，这样的战略含有着可怕的危险是显然的。当敌人的机械化部队，毫不困难地像钢刀一样侵入波兰抵抗力中心间的空隙，破裂波兰的前线，并利用他们流动性和火力的优势来实行侧击和包围行动的时候，波兰抵抗力的突然崩溃，只是一件短时间内的事情。当时毕苏资基发展这种所谓“空间”（Plein air）的战略，他就根本没有想到德军和红军有一天会因了他们现代流动性和机械化的技术，而占了可惊的优势的。

波兰陆军的技术落后是无可补救的，这成了波兰战略的致命伤。波兰的战略，现在正于不得已中发展为一种纯粹简单的战略，而毫不顾到现代科学军器的条件。波兰的战略家轻视现代的技术，视为很酸的葡萄，像密梭上校（Colonel Missor）在 *Bellona* 杂志上发表一文说，谁要是放弃了真正作战的艺术，而降到唯武器主义的水准，那么，他尽管在技术上有完善的准备，却迟早要失败的。作战的艺术不能弥补力量和技术的缺乏，尤其是一个有着较高技术的敌人，自然也有它自己更发展的作战艺术的。波兰的战略还是从旧时的观念着想；它没有拿现代军器的技术革命算进去，它拒绝看一看德国陆军迅速的突进以及红军的技术的巨大进步。波兰的战略在一九二〇年是可能的，因为那时红军在数量上还很微弱，而且武器窳陋。也许可能对付一九二〇——三〇年的德国陆军，因为当时它还没有有训练的后备兵和现代化的兵器。但要对抗今天的红军和德国陆军那可是十足的愚妄了。

波兰的战略更有一个有机的缺点：它没有政治的基础。因此它就等于挂在半空中。几年以来，波兰战略不曾确定它在战争爆发时所应取的初步主要打击的方向。波兰的战略不能草拟任何缜密的作战计划，因为波兰外交政策的暧昧，还不能给它一个确定的方向。波兰外交政策便利了纳粹德国大规模的重整军备，也剥夺了波兰战略上任何坚实的基础。任何作战计划的决定的条件，如作战地点和军事同盟的政策，仍还没有解决。苏联国防委员会机关报在批评锡科斯基书中所提出空洞的战略原则时，简洁地说：

“一个作战计划必须有政治的基础。要有一个确定的作战计划必须先有一个确定的外交政治的观点。波兰政治的暧昧，决不可能有任何确实的战略原则。”[1]

鉴于波兰军事技术的薄弱，它的战略必须符合于它在未来战争中参加某个强邻的一边来反抗另一强邻的这点。照卢默的意见，波兰的战略是假定未来在苏联领土上作战的，但即使如此，波兰军队任何的行动，也只能依照德国战略的原则，而不能依照波兰参谋部的意见。无论波兰愿意与否，在战争发生时，它必须最后决定究竟站在那一面。

四　波兰与纳粹主义的德国

如果作为一个联盟者，波兰对于德国有什么好处？德国对于波兰有什么好处？德国确乎需要波兰的帮助，来改变欧洲的力量的关系，使于它有利，以便它在东欧

[1] 见《红星报》，一九三六年九月三十日。

发动战争。自一九三三年以来，对波缔结军事同盟的可能，成了德国对外政治把戏中的大计划。作为亲德因素的波兰将在欧洲政治中代表一个完全新的因素。在希特勒上台以前，无论德国的外交政策或战略，是不能拿这种可能的倾向计算进去的。

在经济上，波兰并不能给予德国很多。波兰过剩的产品，主要包括了煤和锌，油的出产，还不足供给它自己的战时需要。此外，它没有很重要的原料资源，在另一方面，德国所能给予波兰的一切，就是帮助它发展它的军需工业。

从军事的观点看来，可能的德波联盟的重要性，是不应作过高估计的，虽然这种可能必须加以谨慎的考虑。其中最重要的因素是波兰的战略地位：只有波兰所处的地位，能够给予德国以对苏作战的地域基础。波兰对于这种联盟的第一点贡献，就在乎它与苏联相接壤，其次，它全部的领土必将为作战的根据地和战场。

这里所发生的困难是两重性的：技术的和政治的。德国要有进攻苏联的好机会，除非它能谨慎地在波兰预先准备好作战的基础：建筑炮台，建立仓库，军需厂，油池等；建筑公路和飞机场等。它必须把波兰的领土（那介乎它和苏联边境间的二百五十哩到五百哩长的一段）跟它自己的领土在运输上和行政上联接起来。因为波兰在军事上和经济上脆弱得负担不起这样的艰巨，德国必将把苏波边境区域改变为它自己的作战根据地。这个根据地至少当和边境另一面的苏联根据地同样的强固。这就是发生政治困难的所在。拿波兰与德国相联接，以及把波兰领土发展为德国的军事区域，不仅破坏了波兰的主权，并且还将由德国官吏不战而直接占领了波兰的领土。无论如何，这样大规模的备战，结果必将等不到德国作战根据地的完成，就自动引起战争的爆发。

这样，波兰所能给予德国的军略根据地，本身是不能决定什么的。它所能做的一切，只是给德国一条接近苏联西境的路。沿这边境的整个北部，地位并不利于德国，因为没有一个重要的苏联经济，工业或原料的中心可以威胁到。基也夫距边境几达一百四十哩。这跟诺伦堡或卡塞尔去德国西境差不多同样的距离。因此，一个波兰的作战根据地只能给德国陆军一条到普里帕特（Pripet）卑隰地带和乌克兰西北境的通路，而那里正是红军集中的最强之点。对于苏联，波兰没有一个重要的利于进攻的军略地位。因此，波兰所能给予德国的一切，不是日增的胜利机会，而只是对苏作战的可能而已。

波兰陆军所能给予德国的直接军事援助，也是有限的。在德国领导下的反苏集团中，波兰的主要任务，只是替德国的东战场供给人力。波兰军队集中的人数将达六十到七十师，那是无可否认的，然而他们只有经过德国干部的装备和训练，才能成为一个重大的军事因素，在德波联军中，波兰陆军只能是强大的德国陆军的一个补充，这些军队是非常适于东欧战线的特殊条件的。因此，波兰军队将被德国利用做炮灰，或在东欧战线充当流动战的特殊军队。这很容易看出，与波兰的军事联盟，是不能给予德国什么的：它将不能给德国以胜过红军的优势。红军在数量上技术上胜过德军的优势，不能从波兰的军事援助得到补救。苏联所占优势的程度，比波兰总共的军事力量还大。红军仍将比德波联合的军队来得强。跟波兰的联盟，也不能帮助德国解决各线作战的问题。在任何情形之下，波兰军队不能使德国在东欧的后方获得充分的保护。单是为了防御东战线，德国必须留下一支比波兰陆军更大的军队。

五　俄波战争的教训

德国法西斯党徒对波兰联盟的幻想，曾受了一九二〇年俄波战争记忆的鼓励：如果那时波兰军队处于侵入苏俄的地位，阻止红军的反攻，以在维斯杜拉取得最后的决定胜利，然后长驱直入苏联境内，那么，再加上与德国伟大的军事力量联盟，还有什么事干不了呢？

我们必须在军事史上略略回顾一下，以弄清这个问题。拿一九二〇年的俄波战争，跟今天情形相比完全不可能，这也不能帮助我们的估计两国军队力量的对比。任何这样的比较是完全不合时的，这绝不可能寻出当时和现在相似的一点。讲到红军，从那时以来，无论数量，军事技术和军略，什么都完全改变了。

让我们先来说数量问题。一九二〇年的俄波战争，并非是大军作战的，因此，它不能跟世界大战相比。双方开上前线的军队，自始至终不曾超过二十万。毕苏资基在他的书中曾冷谑地说：

“这不是一次真正的战争；这只能说一半战争，或一部分战争；这是孩子们的战争。正式的战争理论对它鄙夷地撇转身去。”[1]

从这里，可知毕苏资基对于这次战争经验或甚至他自己成功经验的价值，毫无幻想。一九二〇年俄波战争是由临时的国家和临时的军队作战，双方的军队都薄弱。另一个更重要的因素是，在一九二〇年，红军还没有人们所能想像的数量上的优势。关于交战双方力量对比的估计，是在各个战争阶段中不同的，甚至苏联的材料也不能完全一致。但有一点却可以断定，即在战争中，红军从来不曾占过决定的数量上优势，甚至当它大捷的时候。暂时的，只有很短的时间，它曾强过敌人百分之二十。在维斯杜拉这次决战中，数量的优势属于波兰方面，这个事实也为毕苏资基自己所承认。事情为什么这样呢？我们必须记住一九二〇年是红军困疲内战的第三年。抵抗兰吉尔（Wrangel）的南方战线依然坚持着，事实上，一九二〇年夏天的情形正是特别危险。铁路的破坏和红军的迅速前进，弄得补充不可能，在另一方面，

[1] 毕苏资基：*L'Anee*，一九二十年。

波兰人却在一个范围较小的区域上作战，尽能够迅速地集中他们所有的后备。

波兰军队的武装和设备也比红军好；它的士兵有更好的训练，他们更有协约国列强的供给。杜嘉乞夫斯基在他《维斯杜拉之战》(*The Vistula Campaign*)一书中也说波兰军队在训练，武装和设备方面都比红军好。

一九二〇年战争的战略的历史，已根据许多专家的意见归结起来了。在开始的时候，波兰军队在时间上和主动上占着便利。它发动突然的攻击，冲破苏联脆弱的边防，迅速地占领了苏联的一大块领土。苏联也发动猛烈的反攻，以包抄和突破攻破了南面的波兰防线，而以侧击攻破了北面的波兰防线。这次连续的攻势，为什么到了华沙门口就崩溃了呢？物质和战略的两串原因决定了它的失败。波兰名将锡科斯基，他在一九二〇年曾指挥波兰第五军，把苏联军队进攻的失败，主要归因于东欧战场面积的广大。在这样巨大的区域中，一个军队如果没有增援的可能，如果没有正常接济的后方根据地，如果没有技术上数量上胜过敌人的优势，要取得决定的胜利是不可能的。当时苏联西线出动的军队实在是太薄弱了，装备太简陋了，它终于无法包围和摧毁那在贝拉锡那（Beresina）和维斯杜拉广大区域中的波兰军队。

苏联的军事家认为失败的根源在于苏联内地经济的衰竭，和红军领袖战略上的错误。苏联对于红军这次对波战争的批评是严厉而坦率的。现任苏维埃参谋总长沙波舒尼科夫（Shaposhnikov）认为全部战争计划的执行，应负苏联失败的责任：从西南翼退缩而改从错误的方向直捣华沙，拿西北代替西南是不对的，因为西南方面实有取胜的更大可能。进攻华沙的战略也受到同样的批评：它不能从后退敌人的侧翼和背面加以致命的打击，却采行正面的进攻。

另一方面，在整个战争历程一直到华沙之战，波兰战略并未占优势。在维斯杜拉一役之前，波兰最高司令的指挥是拙劣的，这在锡科斯基也坦白承认。波兰的进攻基也夫是笨拙的，它付出了第聂伯（Dnieper）惨败的巨大代价；而且当全师向西后退的时候，也不作任何积极的防御战。波兰的侵略行动，是拿了年青的波兰国的生命来冒险，而苏俄在任何时候，除了丧失一二个远远的边区以外，却从未冒更大的危险。波兰拿了华沙来作孤注的一掷，苏俄则不过是明斯克。

一九二〇年俄波战争的结果，并不是拿来证明今天波兰的军事力量。如果德波联盟成立了，纳粹党人将在这样的军事回忆中得到冷酷的安慰吧。自从那时以来所发生的双方力量对比的变更，在今天是很清楚了；这是欧洲一个最明白的军事政治的事实。特别的远东红军且不算，今天红军要比波兰军队强过四倍或五倍，它在有训练的后备兵方面所占的优势，也正是同样的大。单是苏联驻防西境的军队，已强过了全部的波兰军队。此外，红军在军事技术上的优势是可惊的。在飞机和坦克方面红军以十比一占先。波兰军队是不足与苏维埃的突击军一战的，这突击军包括了有力的空军、坦克队、摩托化步兵、空中步兵、摩托化炮兵和现代化的骑兵。在这样冲突的二十四小时以内，红军必将控制了全部波兰的天空。摩托化和空军的意义，就是距离的克服。今天，它们的意义，就是战胜了东欧的广大空间，这原曾成为一九二〇年红军失败的大半原因的。在今天，红军在技术上已敌得过这样巨大的距离，而且能够迅速的克服它。还有，不仅在数量上和技术上发生了变更，在战略方法上也变更了。甚至在一九二〇年，红军已造成了大战时所不知道的速度：在五星期中，挺进了三百十哩。这甚至比一九一八年法兰瑟台斯庇雷（Franchet d'Esperey）向巴尔干前线突进还要快。锡科斯基将军曾描写红军在一九二〇年的攻势为“坚决、勇敢和大胆”。今天如果发生战争，那一九二〇年勇往的士气还将获得现代化军事技术和有效的战略方法的补助，因为今天的红军战略是艺术的主宰，这在一九二〇年是缺乏的；从各方面集中的打击，再辅以对敌人侧面背面的进攻。歼灭战已成了红军学习的主题。在今天，波兰受红军进攻时甚至不能施行有效的防御，更不要说对红军进攻了。那“维斯杜拉的奇迹”（Miracle on the Vistula）是不会也不能在任何未来战争中重演的。

六　波兰与欧洲防御阵线

尽管它的军队是相对的薄弱，波兰也许仍将成为欧洲一个重要的军事因素。它的军略地位能够成为决定的，但只有在对抗一个敌人而又参加一个阵线的条件之下：反抗德国和参加欧洲的防御阵线。在地理上和战略上，波兰是注定要参加这样阵线的。它最重要的军事地位是德波边境。一次对德的战争如果有波兰为作战的根据地，将使战线位于尼斯堡西面的一百五十五哩，而威胁德国的东部和中部。柏林距波兰边境一百哩，北勒斯劳（Breslau）只有三十七哩，斯德丁（Stettin）六十七哩，立资（Goerlitz）七十五哩，哈勒（Halle）和马德堡（Magdeburg）约一百八十七哩。德国最大的农业和粮食中心，可以从波兰边境给以致命的打击。没有一个德国的市镇，距波森飞行路程两小时以上。一个强大空军从波兰走廊，波森和波属上西里西亚进袭德国，可使德国的地位无从防守。波兰在战争中有着决定的战略地位，但不是对苏联而是对德国。这就波兰军队说来也是同样的真确。在德国方面，波兰军队不能造成数量上胜过红军的优势，但如果参加欧洲的防御阵线而与苏联相联盟，波兰以它战时编制的六十或七十师，却能给东方集体安全制的力量以数量上压倒的优势。

总之，只有在这样联合的范围中，只有那时，波兰的战略地位才有对德的决定重要性。只有波兰与苏联相合作，相联结，那波兰的军略地位才能充分的运用。法国对于波兰的援助常是很小的，它至多只能限于平时的经济支持和军需品的供给。一到战时，波兰在经济上和军事上必将倚赖苏联。只有当它一把握从苏联取得军事上的供给，只有当它能取得红军的军事支持时，波兰才能考虑对德作战。这样，与苏联联盟对于波兰有三重便利；它可以防御德国的进攻；可能利用它有利的战略地位来发动进攻（以它自己薄弱和孤立的力量是不可能的）；最后这将给它以取得胜利的唯一机会。站在德国方面打苏联，波兰是不能取得胜利的。如没有苏联的援助去打德国，它也不能获得胜利。它只有联合苏联去打德国，才能获得胜利。在德国前线和一个欧洲的防御阵营中，横着波兰争取生存的唯一希望。

波兰对于这样一个阵营的价值和重要性（特别对于它两方的联盟者），将有赖于它与苏联的密切合作，因为对苏联盟才能使它有于最短的战线上，集中其进攻力量以攻取德国最弱点的可能，如果以为波兰可以在法国的互助公约体系中取苏联而代之，或以为它能够用自己力量去打德国，那都是错误的想法。然而法国的斐雷（Desire Ferry）却看不到这点，他对法波同盟竟作了如下的估价：

“波兰是我们必需的一个联盟者。它是东欧可采取立刻有力的干涉的唯一国家。俄国的联盟是不确定的，有条件的，波兰的联盟却能给我们以有效的保障，也许是，决定的坚持。”

每一句估计都不真确，因而是危险的。波兰所处的地位，断不能作任何方式的干涉；它没有必需的军事工具。在现代的战争中，斐雷所想像的立刻的干涉，只有靠了空军和摩托化和机械化部队才能实施。这两种兵器在波兰的发展是很微弱的，因此波兰所能给予法国联盟者的孤立的援助，是既不有效，也非决定的。从德国人数上和技术上的优势看来，波兰援助的诺言并无补于法国，而只有使它自己也陷于不可避免的崩溃。在东欧拥有最有力的现代化进攻武器的唯一国家是苏联，因此，只有苏联才能给西方列强以任何有效的军事援助。

一九三六年九月在兰姆波拉（Rambouillet）签字的《法波军事议定书》，只有在建立了华沙和莫斯科间的强固桥梁以后才能有效的履行。法国的命运，从而是西欧的命运，也许将在波兰的战场上决定吧。

第十四章　日本与苏联

一　作为欧战因素之一的日本

因为日德已缔结了反共同盟，日本现在已踏上欧洲的战争准备的轨道上了。在纳粹德国看来，日本的干预欧战，将使欧洲的军力均衡，起了决定的和有利于德国的改变。日本的军力和它的进攻计划，完全以德国最大的敌人——苏联为其目标，而日本在远东进攻苏联，将使欧洲的防御同盟为之改体。德国企图以它本身的同盟回答其敌人的同盟，以日德的包围苏联来回答法苏的包围德国。德日所准备的打击，不唯是对付苏联，而且是对付苏联的盟国，因此苏联在远东的削弱和败北（这些是它们所切望的），也同样地打击了法兰西。法国的防御同盟的体系，将在黑龙江，在苏满边界处为日本所粉碎。苏联本来可以集中于欧洲以支持法国的军力，将不得不被迫调至远东，而在远东为日本所击败。这个大战的计划，使日本成为欧战中一个积极的交战国，于是廿世纪的二个大战，以及俄罗斯的两次大败——日俄大战与世界大战——将同时重演，日本在远东的战胜苏联，将大有利于德国向西欧作胜利的推进。

这些希望究竟是不是合理的呢?

有一点是十分确定的：德日的军事同盟必然把战争扩大至欧亚两洲。欧洲的大战将包括远东侵略的日本，而日本在德国支持之下向远东的苏联进攻，必定要松弱欧洲的大战。因此要正确地估计欧洲的军事形势，非把日本这一因素算入不可。

二　日本军力的制限

日本是经济脆弱的军事国家之一。它不是东方的普鲁士，像它一向所自称的一样，而只是东方的义大利。它缺乏原料，它的工业也比较薄弱。因为一国军力的强弱，最后不能不由近代战争技术所要求的经济因素所决定，所以经济脆弱的国家，决不能成为一等的陆军强国。

日本的经济组织非常明显地缺乏供给的资源。重要的原料如铁砂、锰砂、非铁类的金属品、油、橡皮、棉花以及羊毛等，不是完全没有便只有极少量的供给。它只能生产约占所需要的一半的铜、锌和铁砂，极小部分的铝、锡、铅和油。它的铁工业和钢工业还不能供给它战时全部的需要，单铁一项，战时至少有百分之二十是靠进口的。它的重工业的基础过分薄弱，所以强大的军需工业毫无发展的余地；它的钢的生产，一九三六年仅四百五十万吨，只及苏德两国产钢量的四分之一至五分之一。日本军部方面所发的小册子中曾说：

"在战争的前夕，要建立军需工业是不可能的，这一点简直用不着强调。我们现在的生产可能性，甚至还不能相当充分地满足我们的战争需要。"

另一家日本报纸这样写：

"日本工业并非依着正常的形态发展，它的制造工业很发达，而重工业却仍然处于可悲的状态，从军事的立场上说，这种形势是再危险没有了。"[1]

---

[1] 见 Tanin and Yohan 合作的 *Japan is Preparing for War* 一书中所引。

日本战争潜在力最弱之点，是机械工业和军需工业的脆弱。机械工业发展的不成熟，是巨大军需工业发展过程中无法超越的障碍。日本陆军在第一等的大战中，只能希望日本工业供给够用或甚至不够用的步枪与机关枪而已。炮、坦克车和飞机的生产，即使从日本陆军中那低下的标准来说，也还是绝对不够的。日本的工业在各列强之间，是最脆弱和最不成熟的。侧身强国，而甚至在平时还不得不输入巨量的军火的，只有日本一国而已。日本的军需工业和机械工业，甚至比义大利还要落后，只能和波兰相比，虽然它的重工业比义国稍稍好一点。但航空工业在质方面却连波兰都不如。以日本一九三四——三六年的生产数字作基础来看，很明显的。如果日本与苏联开战，在最初的十八个月中，它不能不购进大批的野炮和高射炮。日本的新式进攻武器的生产非常穷乏，陆军摩托化的工业基础也异常脆弱。日本的汽车工业是十分落后的，它每年的生产量只有几千部而已。当日本的东洋汽车工厂（Toyota Works）宣布它一九三六年的生产计划，是四千部汽车和货车时，确引起了极大的惊讶。日本坦克车工厂的生产能力，每年不能超过三千部，因此，就坦克车在战时可能整批毁坏这一点上看，日本陆军在战场上所用的坦克车，至多只能有一千部而已，要不然，它就非靠输入不可。飞机的情形也是一样。日本每年至多只能生产五千至六千架，这就是说，只有一千架可以随时调用。因为航空工业在战时每年必须生产其所用的飞机的平均数的四倍到六倍。因此在飞机方面，日本也非靠进口不可。日本陆军决不能依赖任何的新式的进攻武器的真正力量，更不必说大量的使用，像苏联和德国的战略所计划的一样。除此之外，在战争时，日本的经济组织还要遭受两方面的威胁：一方面是海上的封锁，因为苏联在太平洋的潜艇舰队非常精锐，一般都相信它要比日本的来得强大；另一方面是空袭，这一点我们在后面再作详细的说明，不过，我们相信红军在战事爆发的时候，立刻就可以获得空中的霸权。这两种都是非常可能的，红色空军和潜艇将毫不费力地给予脆弱的日本经济组织以致命的打击。

有一个时候，当德国官方的或半官方的出版物，对日本不必怎样客气的时候，它们毫不踌躇地指出，日本因其经济组织的脆弱，究竟能否支持一个第一等的战争，确是一个疑问。一九三四年，当苏联军事进步的真正意义还没有充分被认识的时候，德国的《军事周刊》（*Militär-Wochenblatt*）即已指出：

"就目下说，日本政治军事的机会都很不利。日苏之间发生战争，结果恐怕是日本经济组织连及整个日军的趋于崩溃，因为日本目下在经济的战争的供给上，并没有达到自足的希望。"[1]

一九三七年十月十日（中日战争业已开始），《佛兰克福日报》（*Frankfurter Zeitung*）曾这样写：

"指出日本军事经济基础的薄弱，不仅是由于原料的困难，而且是由于日本工业设备的生产力的不足的，不是别人，正是近卫公和他的经济顾问自己。中日战争每天都提供新的事实，证明日本经济机构的成绩。特别是重工业的和军需工业的成绩，还不能跟日本的世界政治地位和它的远大目的相融洽。"

日本陆军遇到的困难，不仅经济组织的脆弱一项而已。日本可用以作战的人力也比一般所假定的为少。日本受过训练的后备兵的数额比较的小：约在二百万至二

[1] 见《军事周刊》，一九三四年十月二十五日。

百五十万人之间。正规陆军大概是三十二万人强，换句话说，跟波兰平时的陆军相等，但日本的人口却比波兰大过三倍。依照一个苏联军事专家的估计，日本适于服军役的人民中，只有五分之一曾实际上被召集和受训练，理由是一九二三——二五年所实行的陆军改革，已大大地减低了陆军的员额。当时改革的目的是裁减兵员，同时又提高技术的实力；未裁的兵员由此可以得到更大的配备，而新式武器的标准也就可以提高，技术上的落后也就可以得到补救。但结果日本陆军既无法达到欧洲军备的标准，兵员的人数反而大大减低。日本的人口虽然相当多，但受过训练的后备兵的数额，却只有法国之一半，只及苏联的五分之一。为着要建立一支战时配备的大军，日本国内所有受过训练的后备兵即须全数动员。据外国专家（德国的与美国的）的估计，日本只能派出一支由一百万至一百二十万人的大军，在由沿海至蒙古一线上进攻苏联，因为日本本国以及满洲华北等日占领区，都必需留驻很大的部队。所以在反苏联战争一开始时，日本人力的潜在力便臻于极度紧张，受过训练的后备队差不多非全数动员不可。

三　日本能进攻吗？

无疑的，日本现在正以极大的努力去改良它的陆军的配备。新军备的推进已在一九三二——三四年开始。在战争的技术方面，欧洲各国陆军在世界大战时所经历的巨大进步，是日本所无的，所以直到一九二〇年，日本还多少维持着一九一四年的水准，如每联队只配备六挺至八挺的重机关枪。然而重整军备的工作还是不断进行，尤其是在步兵方面，已经完全重新加以配备。苏联军事出版物在中日战争之前，对日本步兵的训练，日本军官的素质，以及其火力的日见增强等，都曾加以称赞。现在一个日本步兵师团已有三百二十二挺机关枪，二十四尊三十七公厘的野炮，二十四尊七十公厘的野炮，二十四尊七十公厘的榴弹炮，二十四尊平射炮，二十五尊师团的七十五公厘的野炮，十二尊一百〇五公厘的师团榴弹炮，和四尊高射炮。而在战时实力最充分时，它将有六百十五挺机关枪，和四十八尊师团炮。除机关枪而外，日本陆军最注重的是轻炮，虽然这些轻炮都是老式的。至于新式的流动炮队，平射炮队和高射炮等，并未十分注重，但这些恰正是日本对抗苏联强大空军与坦克车等所最需要的。日本重炮的实力也很薄弱，只有十三个重炮联队和几队独立炮队。炮的配备也不一致，有一部曾加以革新和现代化，因此七十五公厘炮射程在七哩以外的跟射程只有四哩的混编；而一百五十公厘炮的射程也各不同，有三又四分之三哩的，有五哩的，又有六又四分之一哩的。因此日本炮队中各炮的式样互异而射程又均不同，依据很可靠的苏联方面的消息：一九三五年日本的重炮只有二百〇六尊，即一百六十八尊一百五十公厘的榴弹炮和四十八尊一百〇五公厘的大炮。[1]及至一九三六年年底，日本陆军也只有四百尊的重炮而已。[2]

因此，日本陆军的实力，差不多完全建立在它那统一的和比较无甚差别的步兵上面。日本各步兵单位（各步兵营和步兵旅）直接附有的大炮还比较充足，而作为独立作战部门的炮队（如师团的和重炮旅团）则比较薄弱，而其冲击力也极小。日本步兵都受过耐劳吃苦的训练，还能作长途的行军，但没有任何技术工具的辅助，

[1] 阿西克（Assik）：*The Armed Force of Japan*，俄文版，莫斯科，一九三五年。

[2] 见《红星报》，一九三七年二月二十六日。

以增加其自然的流动性，使其行动能跟机械化的武器相协调。在日本整个陆军中，只有一个摩托化师团，因为汽车工业过分薄弱，大规模的摩托化是不可能的。一个摩托化师团需要二千至二千五百辆的摩托车，这数目等于日本汽车工业每年总生产额的四分之一。因此日本陆军没有现代技术的和战略的意义上的流动性的可能，而其运动的能力，也必定远落在高度摩托化的红军的后面。日本的骑兵本身并不弱，但二十五个联队骑兵中，却有十七队附于各步兵师团，只剩下八队组成了四个在战略上可作为独立的骑兵应用的骑兵旅团。又因为它不像红军的骑兵一样的现代化，这就是说，并未附有可供它独立应用的坦克车，也未曾受过与空军密切合作的训练，所以它不能成为近代的所谓突击部队的一部分。

然而，日本陆军最大的弱点，大概是它的坦克的实力。据一般的估计，在一九三六——三七年，日本只有八百辆至一千辆的坦克车，其中有三百辆集中于二个摩托机械化旅团和二个坦克车联队，其余的则分为若干小队而附着于步兵。由于日本工业的落后，日本坦克的技术的品质都很恶劣，它没有冲击用的重坦克，也没有快的和加快的坦克。这些坦克大半是轻的和中型的，最强大以及配备最优等的是“94”型的十四吨的坦克，而最快的是侦察用的“92”型的轻坦克，每小时三十哩，就欧洲的标准来说，这是非常平凡的。因此，日本显然缺乏现代摩托化部队所必需的决定武器，因为没有坚强的坦克车队，这种突击部队是无从编成的。总之，日本陆军决不能发展高度的流动性，或是强大的冲击力量；而它的进攻力量，也因为军备的薄弱，一开始就受到了限制。

四　日本空军的危机

日本的空军也不能够跟欧洲的军事航空的发展并驾齐驱。一九三七年，它只有十八个组成为旅团的空军联队。空军的实力共有一千架，水上飞机则有八百架，编成为三十九个中队。日本战斗机的平均的速率是每小时由一百五十哩，至一百八十哩，这些都是属于 T91、T92 、T93 三型的，而 T95 型的速率则在二百哩以上，另一种是 T96 型，每小时的速率达二百五十哩，这是日本飞机速率的最高峰。至于轰炸机，大部分是由 Yunker 式发展而成，平均速率是每小时一百五十哩，载重由一千四百磅（即一吨之十分之六）至一吨。日本在这一方面的落后，比起欧洲的来，实在非常明显。日本当局现在正企图以购买外机和依照特权自造新机，来提高空军的品质。就已购买的说，有下列二种新式法国飞机，如速率每小时将达三百哩的 Breguet-Vultur 式轻快轰炸机，速率在二百五十哩以上的 Devoitine 510 的战斗机，而美国制的运输一轰炸机 Douglas DC2 也已购买。但日本要使用技术深奥的外国制的飞机，却有二种困难，其一是空军干部人才太少，除海军机而外，空军只有三个训练所，外加一所训练飞行，一所训练侦察，一所训练空战而已。一九三六年毕业的机师，只有三百名，而一九三四年却只有一百五十名而已。但一九三五——三六年，赤色空军的训练所，则达八十处，其中四十四所是训练机师的专门学校，为着造就十五万名的战斗机师，这训练中心的网正在不断伸展着。日本训练所与机师的数字，跟上述的比较起来，实在微不足道。另一点困难是空军人员的技巧尚欠高明。在军事航空中，各国失事的百分比最高的就是日本空军。根据不很完全的统计，单一九三五年一年，有二百架以上的军用机（等于整个空军实力的十分之一）因失事被毁。而在一九三六年最初几个月中，单在海军机方面，已有四十件严重的和五十件较不严重的失事，机师死者四十人，重伤者五十人。另一桩最有趣的和最特征的事例，就是日本购自美国的三架Douglas DC2轰炸机中，已有二架在日本人手中毁坏了。

一九三六年曾访问日本而特别注意其空军问题的枯约特教授（Prof. E. Guyot）曾这样说到日本的飞行员：

“日本人是最好的摹仿者，但他们不是创造的人。他们把仿照外国模型而制造的各种零件配合起来。当他们制成之后，便凌空飞行，但不久终于堕地粉碎。‘这飞机好像没有灵魂似的’，对苏联取着敌视态度的某强国的一个陆军参赞对我这样说，另一个则说：‘能够把自己的性命托付着日本飞机的人，即使是旅行家，也一定是个英雄，要不然就是他蓄意自杀。’日本人好像缺少一个机师所应有的肉体上的某种东西。我听说过他们在空中失去了听觉。”[1]

[1] 见巴黎 *Vu*，一四三二页，一九三六年十一月二十五日。

日本空军方面这多方面的缺点，对于军事的影响当然异常严重；而建立在这么薄弱的基础之上（航空工业的幼稚，机师的缺乏，技术的欠熟练等）的空军，决不会有很大的战斗价值，自不待言。它的进攻力是低弱的，它不能给予陆上部队以良好的进攻机会，更谈不到给它以良好的获胜的机会，而且它一定不能有效地抗拒在数量上和技术上都占居优势的敌方空军（如苏联的空军），而完成其掩护陆上部队和本国城市的任务。

五　陆军改革六年计划

日本陆军当局现在正竭力使他们的部队达到欧洲的水准，不用说，他们都深知当前日军的军力是不足以应付一个大战的。日本新的整军计划，规定在数量和技术两方面增强陆军的实力，这计划在一九三六年开始，而在五年或六年之内完成。步兵师团的数目由十七师增至二十五师，而一九三六年已开始创建四个新师团的准备工作。在这计划完成之后，陆军整个实力，将在五十万人以上。但改革的真正目的，不仅在增加兵员的数量，而且要使部队现代化。空军的实力决定增强，而它的配备也完全加以革新。首先，是使日机的模型达到欧洲的水准，日本航空工业最新的和最优秀的出品，即Nakadzima（岛中）的战斗机，是仿模美国的波音机造成的，其速率每小时可达二百五十哩，另一种速率与此相似的美国制 Nothrope 式飞机，现在也正在从事将其改成为海军机的试验。陆军摩托化的工作也正在推进中。轻坦克编队的战地勤务训练操典已具有某种战略独立性的倾向。新的坦克车队和摩托—机械化部队将着手建立。炮队，特别是重炮队，已决定加强并企图使它的配备统一化。工兵队，化学部队，陆军辎重队等也都要加强和使之现代化，至少有一部分要使之摩托化。总之，为着使日本在亚洲霸权的争夺战中获得新的军力和效能，一个重大的企图正在策进中。

然而这种陆军改革并不能在短期内完成。五年或六年，在列强的军备竞赛中是一个很长的时期。日军在一九四二年之前决不能与苏联对敌，这是不是可以自认的呢？即使到了那时候，日军幸而完成了它的计划，它可以达到了一九三九年的欧洲中等力量的陆军的水准，但决不能达到同时期的红军的或是德军的水准，甚至连一九三九年红军的或德军的水准也无法达到。但更严重的事实是，到了那时候，日本在军备的进步上，更要落在大陆军国的后头——假如军备竞赛能够继续到那个时候而没有爆发战争，日本陆军与红军在质一方面的差异，不消说将比今日的还要巨大。无论如何，日本应当以今日的日军，而不应当以几年之后的日军，来和今日的红军相比较，这对于日本，正是一个不幸的真理。

六　日本陆军的战略

日本陆军的战略是攻势的，这一点异常确定，并未因它技术上的落后而有所变更。这一特性是由下列三个主要的因素所决定的，即日俄战争的教训（当时日本的战略显出精密和主动，它并非在兵额和技术两方面胜过当时被动的敌人，而是以突然的进攻获得胜利）；侵华侵满小规模战争的教训（这是日本最近二十年来差不多毫未间隔地进行着的，因为这只是一种殖民地的战争，比较易于获胜，因而提高了日军的自信，加强了它的无敌的信念）；最后就是德国最新的全体性战争的观念，和以突然而又决定的猛攻取得胜利的观念等的无条件的接受。

认为这些观念可以用于对苏的战争，那是最危险的幻想。日本陆军将不能不直面着与一九〇四——五年的沙皇陆军完全不同的队伍——一个战争技术与之互异而战略也各不同的队伍。在一九〇四——五年的日俄之战和未来的日苏之战两者间的一切比较，都是错谬的。假如日本陆军还想像以对华的手段对苏，而继续获得胜利，那是最最危险的妄想。斯维钦曾正确地指出，他们时刻不忘的大规模的掠夺和抢劫，已腐蚀了日本的陆军，并缩小了他们的作战观念的视野。今日日本的陆军与拿破仑三世的陆军（它在非洲的阿尔日里亚战役中受了火的洗礼，而在色当战役中覆亡）的确有许多相似之点。拿破仑三世的兵员都是骁勇的经过了二十年的殖民地战争的精兵，但他们从未经过近代的战争，而今日的日本陆军也正如此。日本总参谋部把德国最新的战争的教义，不加批判地囫囵吞下，然而这种教义对于德国尚且是非常冒险的，何况战争技术远不如德国的日本，结果徒使它不唯没有德国那种侥幸赌胜的机会，反而陷入了覆没的危机。很明显的，在日本陆军战略的攻势的特性，和日本陆军的战争技术的平凡两者之间，正隔着一条深阔的洪沟。日本陆军战略还要求速决，甚至是加快的速决。荒木将军（General Araki）曾乐观地说，欢送出征兵士的“万岁”的声音还未消逝，已扬起了欢迎凯旋将士的“万岁”之声。然而日本并没有足与强敌作速决战的流动性与冲击力，这是一个昭彰的真理。日本的作战计划企图向苏联在远东的各空军根据地，施行出其不意的突然的猛攻，这是一个公开的秘密。但以数目稀少的轰炸机，技巧不精明的飞行员（他们连在自己的领空还不能自在飞行）所组成的薄弱的日本空军，来对抗强大的苏维埃高射炮队，和速率优越得多的赤色战斗机，其胜利的可能性究有多少呢？

日本战地勤务训令中指出炮火的优越是胜利的进攻的保证，但日本的炮队，就整个说，却很软弱，而其重炮更格外的软弱。同一训令中又指出，包围是消灭敌人最好的运动的阵形。但在近代的战争中，唯有流动性比敌方为大的一方，才能达到包围的目的；而在今日，唯有充分的摩托化，才能获得较大的流动性。由这一方面说来，日本要对抗红军这样的敌人，实际上已处于绝望的地位。训令中接着又指示：追击部队的目的应该是追及敌军，俾便扫数歼灭，而执行这一工作的，是骑兵，炮兵和空军。然而，日本陆军的这些部队，都不够强大，都不够成功地完成这一任务。在日本的作战计划和军需资源之间，在日本规定的战略任务和可用以实践这一任务的非常有限的力量之间，其巨大的差异，将使日本陷于空前的军事灾难之中。现在红军与日军的力量已作了第一次重大的比试，张鼓峰的战役已显示了红军在技术上和战术上的优势了。

七　远东的红军

远东红军的军力是怎样的呢?

关于这一问题，外间已有了许多种适当的估计，这些在本质上都是一致的。在一九三三——三五年，特别远东红军据说拥有十至十一个步兵师团，和三到四个骑兵师团，此外尚有各种精锐的技术部队，包括空军，坦克车队，化学特遣队，工兵队等等，总数约达二十万人。这些估计并没有把边境附近的某种部队包括在内，如国境防卫团（实力约在四万至五万人之间）等，这种部队是陆军的一种，受有高级的训练，可以立刻应召增援陆军，但不归国防委员会，而直接受人民委员会的管辖。在国境线的最右翼的苏蒙混合军，也没有包括在内，这一部队的实力约在五万至十万人之间。它与沿海军团（海参崴），阿穆尔（黑龙江）军团（海兰泡—伯力）和外贝加尔军团（赤塔）等共为远东红军的四个重要战略地区。（义国军事出版物 *Rivista di Fanteria* 曾经指出最后这一地区的军力及其重要性，这是国外最早的报告。）这样说来，在一九三三至三五年间，远东的红军已可能派出三十万人以对抗日军了。依据美国和德国方面的报告，在此后数年间，远东红军又继续增强，所以到了一九三八年，它的兵额已超过四十万人。及后，又因中日战事的延长，一九三八年夏间政治形势的极度紧张和张鼓峰战役的爆发等，特别远东红军至此又续有增强，到了一九三八年秋，据可靠的估计，它的兵员已在五十万人以上。

在战事爆发时，远东红军拥有极大的后备军。首先，是远东战略上的后备军，受着训练的红军正规后备军已分派在这战场之上。西伯利亚，外贝加尔（Transbaikal），中亚细亚（土耳其斯坦）和乌拉尔四军区被认为是远东红军的腹地，平时这一大地区内，共有十四个步兵师团和四个骑兵师团。其次，还有两种后备兵：第一种是远东军特有的后备兵，平时均为农民，分驻于各战线的远后方。这种兵垦政策的目的，是使远东红军在战时能作最迅速的后备兵的动员。另外一种就是上述各亚细亚军区和乌拉尔军区的后备兵，这些都派定作东亚细亚前线之用。因此，就整个说，我们相信战时配备的苏维埃远东红军，其实力当在四十师团至五十师团之间。

不论在平时或是在战争爆发时，远东红军在兵额上的优势是毫无疑义的。根据苏联方面的情报，包括像布留赫尔（即加伦）将军这样胜任的证人的报告，一九三四至三五年间日本在满洲军队的实力，是十三万人至十五万人。又依据苏联论述日本陆军的最权威的军事作品所述，当时日军在满的实力，是三个步兵师团，五个特别步兵旅团，和二个骑兵旅团。[1]但自此之后，尤其是中日战争爆发之后，满洲日军已大为增加。依据苏联国防委员会机关报所载，一九三八年春日军在满的实力，约三十万人。日本陆军当局还将伪满陆军当作后备军，但德国方面的报告，则谓这种军队在政治上和军事上都不可靠，不唯技术与训练都很贫弱，叛变也是极常有的现象。事实上，它不唯不能跟蒙古人民共和国的陆军相比，甚且不能看作是一支正规军。红军在兵额上所占的优势，日军本身也已认识了，日本军官长冲氏（Nagaoki）在大阪的《每日新闻》上这样写道：

“苏联在远东的战斗部队，比日本的要强大得多。”[2]

苏联特别远东红军及它的四个军团的兵额，至少跟日本平时全部陆军（包括国内外的驻军）的数额相等。日本陆军要实施进攻，至少须举行部分的动员，并把它的整个部队输送至亚洲大陆，而只有在它将全部可用的

[1] 见 Assik：*The Armed Force of Japan*，莫斯科，一九三五年。

[2] 见《大阪每日新闻》，一九三四年三月十五日。（摘自 *Tanin and Yohan* 合作的 *Japan is Preparing for War* 一书。）

后备兵扫数动员之后，方才可在数额上占有某种优势。然而，无论如何，这不很重大的优势还要在极大的努力和几个月的战斗之后，方才能够获得，或甚至到时还不能获得，因为红军可以用如下三种方法来抵消日本这一优势：即它的防御阵地的力量，它的军备的优越，特别是它所有的各种进攻的武器，以及它的战略的地位。

由海参崴起沿苏联与伪满边界至达贝加尔湖的堡垒线，是仿效法国马其诺防线而建的世界最坚强的堡垒线。据说，这堡垒线有一千座坚强堡垒，大部分互相连接，而有些地方的防毒避炸的地下室等，竟深至地底三英哩以上。坚固障碍物和无数的坦克车陷阱业已筑成。[1]像日本这样的陆军，既缺乏新式的进攻武器，又没有精锐的炮队和多量的坦克车，简直就无法越过这样的堡垒线。就是反苏的高洛文将军也相信日军甚至不会企图越过黑龙江的堡垒线，而打算绕个圈子，由海参崴北部登陆沿沿海州进攻苏联的后方。[2]

---

[1] 这是格林夫斯基上校（Colonel Grinevski）在哈尔滨演讲时的报告，后来发表在一九三五年三月的 *La France Militaire* 上。

[2] 高洛文（G. Golovin）：*The Present Strategical Situation in the Far East*，四十七页，一九三四年。

其次，应该考虑的，是红军在新式进攻武器上所占的绝对的优势。德国的《军事周刊》(*Militär-Wochenblatt*)曾说：远东红军是“一支精兵”。事实上，远东红军的机构跟日军的完全不同。日军中最大多数的是统一的步兵，缺乏新式进攻武器的配备，但特别远东红军却跟这完全两样，它拥有可以给它以最大可能的冲击力和进攻力而又配合以最大的流动性的所有各种武器。根据同一德国方面的报告，它特别充分地配有精锐的重炮和多量的轻炮。而流动性的主要成分是坚强的新式骑兵和高度的摩托化部队，这在蒙古—满洲这广大的地区中，很易发生决定的作用。义国的 *Rivista di Fanteria* 曾报告：单蒙古一地，也即远东红军的右翼，即集中了三十联队以上的战略的骑兵。至于坦克方面，就配合它的步兵的实力，机械化武器配备的标准和远东战略上的运动的可能性上来说，我们相信这方面至少有三千部坦克车。红军战术上和战略上的优越性，早已在日苏两军初次的实力比试的张鼓峰战役中，表现得非常清楚。根据苏联方面的估计，满洲日本陆军的新式进攻武器的配备，的确非常贫弱，只有一百五十辆至一百八十辆的坦克，一百辆装甲车，二十列装甲列车，二十至三十尊重炮，二百五十至——三百架飞机，虽然这是个一九三五年的估计。但在泰宁与阿翰（Tanin and Yohan）合著的那部很客观的作品中，也说到日本已普遍承认远东红军在飞机、摩托化、机械化、火力和骑兵等方面的优势。自然，在所有这些中，赤色空军的优势是特别来得重要的。

八　苏联空军的优势

在任何两大强国的战争之中，空军所能发生的作用，决没有像在日苏战争中那样巨大的（或甚至是决定的）了。远东空战的最大的可能性，是由如下各种因素决定的：即由赤色空军在质量两方面的绝对的优势；由地理的形势（日本各岛特别易受空袭的损害）；由红军总参谋部派定给空军的战略任务和它准备空战的极端慎重等三方面所决定的。

一九三二年，在与特别远东红军的编队同时，它的指挥即已企图获取日本的制空权，翌年，即一九三三年，这一目的便已达到。一九三四年初，布留赫尔元帅在联共大会演说时曾宣称：“我们控制日本领空的数量上的优势，已在不断增长中。”远至一九三三——三四年，红色空军在技术上已能够进击日本的本部，甚至当时已在行动上和战略上准备停当，随时都可以进攻日本各个主要的中心。根据格林夫斯基上校（Colonel Grinevski）所说，在一九三五年初，远东红军已有七百五十架飞机，日本军部关于一九三五年沿蒙满边境的红军实力的报告中，则估计它拥有九百架飞机，而且准备把它增至三千架。[1]如果我们考虑到一九三五——三八年间苏联空军的巨大进展时，那么远东红军目前至少当有二千至三千架第一线的飞机，外附巨额的战略的后备队。而自从日德订立反共公约之后，苏联军事领袖不消说已对未来远东战场给予更密切的注意。自一九三四年之后，空军技术已有了更大的革新，而空袭日本的胜利的机会也获得了更大的保证。苏维埃轰炸机的速率，活动半径和载重，自一九三四年之后，大约各已增加了一倍。《小巴黎人报》的莫斯科通讯员，在

[1] 见东京英文《日本广知报》，一九三六年二月二十日。

一九三六年五月的报告中，曾说苏联制造的最好的飞机都送至远东。如果有谁对苏联空军的意向尚有怀疑，那么格林夫斯基上校将使之消释：

“能进行远距离的空战的强大轰炸武器，已给予了最高的支配权。”

红军在空军上所握的霸权，还可以发展成为远东战争的决定的因素。英国空军权威格洛夫斯将军，虽然决不是亲苏的人物，也曾这样写：

“日本空军比俄罗斯的弱，而它的进攻力更加不如。它只有几架长距离的轰炸机而已。日本要改善目前它的空军实力所处的劣势地位，确极困难，……因为它的空军机构比较的小，而它的商业航空的发展也极微弱。”[1]

格洛夫斯将军这席话，在一九三五年他说这话的时候，是正确的，而在一九三九年更是加倍的正确，因为两国空军实力的距离，现在已越发来得巨大。自从一九三五年之后，赤色空军的实力，在所有各方面都已迅速增高，而日本空军在质量两方面，却还是依然故我。现

[1] 格洛夫斯（Groves）：*Our Future in the Air*，五十二页，伦敦，一九三五年。

在日本空军与远东红军的空军，在数量上的比率至多是一与二之比，除此之外，苏联空军后备队所占的优势，比这还要巨大得多。日本充其量只能以一千架的飞机来对抗二千至三千架的赤色飞机。日本那几百架水上飞机，并没有多大的作用，因为它们主要的是适用于海上的或沿海的战斗行动，而且速率都很迟缓。此外，双方实力的真正比例，较之仅从数量上加以比较，对于日本还要更加不利。日本空军中，轰炸机至多只占全数四分之一，而远东的苏联空军却占二分之一以上，而质地也比日军的为高。在日本二百五十左右架的轰炸机中，其平均的载重量都在一吨以下，而远东红军那一千五百左右架轰炸机，其平均的载重量却在一吨以上。日本全部空军的炸弹的总载重量，至多不过二百吨，而远东赤色空军却在一千五百吨以上。枯约特教授曾非常坦白地说到苏维埃空军在质量两方，而特别是质一方面，在远东占有压倒的优势。除此之外，苏联在空军战略地位上也占有极大的优势。格洛夫斯将军这样写道：

“日本在大陆上，已不再占有独霸的地位，因为它正受到强大的赤色空军的威胁。事实是如此：日本每个大城市，日本在大陆上的每个港口，以及日本在朝鲜与满洲的各个军事中心，都在俄国飞机空袭的范围之内。在空战一方面，日本显然大居下风，因为苏维埃沿海州作为空袭的目标，其可伤害性并不显著，决不如人口稠密的岛国及其绵长的城市区域，政府和行政的中心，以及船坞，兵工厂和军火工厂等之易遭损害。”[1]

在日本海最狭的部分，即在沿海州与日本（小樽—函馆）之间，其直向的航空线只有二百哩，与东京的距离是六百八十哩，而日本各岛的任何部分与苏联领土的最远的距离，也不过八百七十五哩，即与满洲和朝鲜各地的距离也是如此。但新式轰炸机的活动半径却是一千二百二十五哩。海洋之于日本，犹如对于英国一样，并不能成为空袭的障碍，卢滋隆的观察（见第十二章第七节），对于日本甚至还要适切，因为它的防空技术比英国的还要落后得多。日本所有的各个海港，就强大的苏维埃空军来说，其所处地位，正与边境的城市相同。而日本建筑物的脆弱和易遭损害，又使这空袭的危险更加严重。要毁坏西欧很坚固的建筑

[1] 格洛夫斯（Groves）：*Our Future in the Air*，五十二页，伦敦，一九三五年。

物，每两英亩半需要一吨至两吨的炸弹，但乡间的房屋，大会堂以及工厂的作场，却只需上数的十分之一。[1]日本的建筑物更难以抵抗高度的爆炸力，因此我们可以假定，赤色空军在日本各城镇所施的毁坏力，比之欧洲空军在其欧洲敌人的城镇上所施的破坏力，至少要大上几倍。就作为从事战略的空袭的部队而论，驻于远东的赤色空军，比之欧洲任何一个要对抗可能的欧洲敌人的空军来得强大。苏联在空军方面之占居日本的优势（特别是考虑到赤色空军在技术和战斗两方面的质的优越时），比欧洲两大强国间，譬如是苏联与德国间或德国与法国间，现存的或将来可能存在的实力的差别还要巨大。日本的空防及其战斗机与高射炮队，比欧洲各强国的都要薄弱。因此苏联可以更容易地更迅速地获得日本的制空权。总之，苏联可能在空战中击溃日本的一切因素，现在都已表现得异常明显了。

---

[1] 罗吉龙（Rougeron）：*Aviation de bombardement*，第二卷，一九八——九页，巴黎，一九三六年。

九　远东红军的战略地位

红军总参谋部绝对没有单靠苏维埃空军的优势以击退日军进攻的企图。空军的优势只是胜利的一个要素而已。苏维埃空军将辅助并强化陆军的战斗，并使这些战斗深入敌人的远后方。而除开空战而外，远东红军还占着极有利于反攻的战略地位。这空旷的战略地位，沿着远东苏联的边界伸开，有如一个极大的弧形，而其两端的深入约达六百哩，就像一把大钳子似的咬住了敌人的地位。日本军事出版物对满洲日军战时有被夹攻的危险，是看得很清楚的，一个有眼光的军事观察家在《日之出》上这样写道：

"苏联的地位从三面包围满洲，即由东面，西面和北面。这是所谓外线的地位。这种地位在战时是宜于进攻的。"[1]

两支巨大手臂由东面和西面伸出来，紧抱着日军的地位——东面的一支是沿海州，海参崴是它的坚强的铁拳；西面的一支是外蒙古。这地理的地位决定了远东

[1] 见《日之出》(*Hinode*)，一九三四年正月。

红军的战略。

这一地区的运输的便利，跟战略是密切相关的。远东红军的攻势的战略，不仅基于它本身的实力，而且是基于新近发展和高度便利的运输网上。这运输网已把力量的对比完全改变过来。远东红军的给养问题，从物质的和运输的立场两方面言，现在已获得双重的解决。就物质上说，因为它已建立了一个食粮和工业的独立的根据地，包括它本身的大船坞和飞机工厂，因而完全解决。远在一九三四年，德国的军事出版物，早已预言苏联军事当局规定在远东建立一个经济上完全独立的强大军事根据地的计划，在最近数年之内即可全部完成。一九三八年，这一任务实际上业已完竣。至于运输的问题，不是已经解决，就是已在迅速完成中。这一问题是有着决定的战略的重要性的。远东红军的运输系统的脊骨，首先是那条老的西伯利亚铁道（现在由乌拉尔到海参崴全线已改成双轨），其次是新的西伯利亚铁道，由中亚细亚的塔什干（Taitchet）到黑龙江的江口，全线都在西伯利亚铁道之北，在我们上面曾引过的日本军部的报告中，曾假定横过西伯利亚铁道的双轨完成之后，它的陆军运输能力，将比日俄战争时超过五倍至七倍。而依高洛文将军所说，黑龙江铁道——横穿西伯利亚铁道的东段——以前在单轨时每天可通行十四列的列车，那么现在至少每天可通行六十列以上的火车，而这已可以充分供给现有四个军区中的两个，即沿海州军区和阿穆尔（黑龙江）军区的三十个师团的兵力了。在沿海州的西北，两线之间的联络的支线，也已在建造中，这条支线的完成，无疑地将改善了这两个军区的战略形势。

西半部作战区域的运输网，也已有了更完全的发展。在中央亚细亚和外贝加尔区的全区域中，已经筑成了一个纵的，横的和斜的铁路公路网。这交通网的展开，有如一个极大的弧形，由东土耳其斯坦至贝加尔湖的东北。这些路线中，在战略上最最重要的是由中央亚细亚到外蒙古的西南的斜米巴拉丁斯克—乌里雅苏台线（Semipalatinski-Uliassutai，全线长在一千二百哩以上），和由贝加尔湖区到外蒙古东部的上乌丁斯克—库伦线（Verchnar-Udinski to Ulan Bator）。依据德国和日本的军事出版物的报告，这两条路线已在一九三八年完成。而在中部，通蒙古北部边界的路已开辟的，有努瓦西伯斯克—毕斯克线（Novosibirsk-Biysk），托姆斯基—斯太林斯克线（Tomsk-Stalinsk）和阿青斯克—曼努申斯克线（Atchinsk-Menursinsk），因此，在极西部，在未来日苏战线的最右翼，运输的便利已有了彻底的发展。而在蒙古人民共和国国内，有许多公路已向南发展，直趋华北（张家口），这些都是由两个最重要的战略据点——乌里雅苏台和库伦两处出发的。

这一种筑路工程，可说是我们这一世代中最伟大的战略运输事业。在极短的时间内，一个长达五千哩的铁道网业已完成。它在战略上的重要性是非常巨大的。德国的军事机关报《德国国防》（*DeutscheWehr*）曾指出，黑龙江流域的新运输便利的发展，将使苏联方面在战时更确定地获得了战略上的优势地位。[1]同一出版物又认为蒙古各战略铁路线的开通，是包围日军的最有效的手段。[2]总之，有一点现在已经非常确定，即远东红军已有了许多战略的铁道可供应用，而运输的便利将使它在

[1] 前项见该志一九三六年第三十三期五三二页，后项见该志同年第三十一期四三八页。

[2] 前项见该志一九三六年第三十三期五三二页，后项见该志同年第三十一期四三八页。

运动战中能够充分利用它的有利的战略地位。铁路线和公路线的发展，已使这些地位的战略价值大为增高。海参崴过去只是一个坚固的防御要塞，现在却成为进攻朝鲜与满洲东部的门户。黑龙江沿岸的阵地已经增强，但最最坚强的地位是在特别远东红军的右翼——在满洲边境要塞驻军区赤塔和乌里雅苏台之间这广大的地区。《佛兰克福日报》，对这地位的战略的可能性，曾作如下的评述：

“这广漠的平原，正是一队配有骑兵与战车的陆军的理想战场——而布留赫尔（加伦）将军的部队正有着这样的配备。”

由蒙古直趋华北日占领区，对日军阵线作大包抄的运动，这在现在看来是极易实行的。因此由各方面作巨大的集中的攻击（红军战略最酷爱的方法）所必须的各项条件，显然都已具备了。

十　中日战争的均势

不管日军最近军事上的胜利，到了一九三八——

三九年的冬天，侵华战争已更加大大地削弱了日本在亚洲大陆的军事地位。

甚至在战争的最初期，日本方面也不能不作极大的努力。企图在六年内实现的陆军改革计划，已是过时了的东西。在一九三八年的深秋，被召集的人员已超过二百五十万人，因此受过训练的后备兵，实际上已扫数动员了。而在一九三八——三九年的冬天，单在中国各战线上，日本就必须保持一百万以上的兵员。然而这种兵额的增加，并不是在平时若干年的期间内完成的稳妥而有组织的增加，而是匆忙实施战时动员令的结果。直接的军需生产，已用尽一切可能的手段使之增加，但战争经济所必需的工业生产的总量，却没有任何预先的提高，整个的经济制度，也没有加以慎重的再组织。相反，日本军需工业计划中的技术的和生产的再组织工作，反因为侵华的战争而耽误了。《佛兰克福日报》曾这样写：

“中日的冲突，显然已使日本整个军事经济基础的任何有计划的扩展废弃了。”[1]

直到现在为止，日本在兵员和军需原料的消耗上，

---

[1] 见《佛兰克福日报》，一九三七年十月一日。

确已受了极大的损失。日兵伤亡的总额（包括死、伤、病、被俘和遗失等）据传已超过七十万人，而日机被击落被毁灭的也达八百架。各线日军军需品的日见短少，已表明日本业已耗竭了它所有的军需品的蓄积，并已把军需工业所分得的原料耗去了一大部分。

中日战争已成了日军战争技术的极严重的试验。中国并没有坚强的堡垒，而华军也只有极贫弱的配备，然而日军在侵华战争中，其进攻的武器也仅仅够用而已。日本空军始终未能毁坏中国的任何重要中心，甚至无法停止广九路的军火运输，而不得不以军事占领广州来完成这一工作。总之，日本空军本身始终未曾在任何一次大战役中，证明它是一个决定的因素，反之在几个月内（即到了一九三八年的春间）迅速地仓卒编成的中国空军，却已显出它是日本空军的一个劲敌了。日本坦克车队并未能胜任地执行大规模的冲击行动。炮兵是步兵之外唯一的武器。日军还能够大规模地和相当熟练地加以有效的运用，例如在上海和南京的战役中。由这些事实看来，我们已可以判定，日军这种薄弱的进攻武器，在遇到坚强的苏维埃堡垒和红军优越的战争配备时，将要怎样的失效。其实，日军在华的战事行动，只是现代科学化战争的微弱的摹仿而已。

日军侵华的战争，已在日本战略上引起了一种极严重的危机。日本完全无法获得它所预期的速战速决。日本军事领袖在执行个别战斗中，无疑地已显出了相当的战术上的老练和活力，例如以强行登陆占领广州，确是一个勇敢和敏捷的行动，而以包抄的运动攻陷汉口，则在极大的顽强中完成。在这一方面，日本士兵的忍耐和陆军组织的良善，的确给予日军领袖以极大的帮助。然而在决定的问题上，日本的战略是错算的。它没有充分地适合中国战场的地方条件，也没有意料会遇到这么剧烈的抵抗。它所采用的主要方法，是集中大部精锐军力，向敌方战线的某一部分，实行中央突破，但这一行动的完成，既没有得到两翼的掩护，也未向敌方两翼施行压迫。日本的攻势本身已迅速地疲竭，而在极大的战区之内，终于完全陷于停顿。自从一九三八年春间之后，日本军事领袖时常愚昧地无法应付中国军队所采取的消耗战略，如长期抗战，发展敌后游击战争和突然举行反攻等，而且实际上也无力控制它所占领的广大地区。一九三八年春间，中国这没有军事传统的国家，它所采取的战略，却比日本这傲慢而自信的军事帝国主义国家还要优秀得多。上面所引斯维钦的观察，即日本军国主义的腐化，已完全由事实加以证明。由这一点，我们更可以判定，日军遇到红军现代进攻的武器和现实的战略时，势必完全崩溃无疑。不管中日战争现在的趋势如何，日本在经济上和军事上所受的实际损失，还是非常巨大的。

现在日本已由侵略中国而与中国作战了，于是它遇到了可能在亚洲大陆上从事两面战争的问题。在这种情形下，它的军事的需要将大大加增，而它的相对的军力也将大大削弱，其战略地位也更易遭受伤害。中国的陆军正在不断地发展中。在一九三八年上半年，中国武装的兵员已达二百万名，而就同年春间的形势而论，当时中国战场上的六十万名日军，别说进攻，就是要胜任地对抗这庞大数额的中国兵员，似乎犹嫌不足。中国在利用它的兵额的优势上，业已获得了可钦佩的成就，这一点德国的报纸也已认识，《交易所日报》（*Börsen-Zeitung*）的军事通讯员在论到蒋介石将军的战略时，曾这样说：

“华军兵数的众多，使它差不多在所有的战线上有同时获得优势的可能。蒋介石将军利用这种兵额上的优势，主要是在他注视到有任何敌方部队撤至其他战线时，他便派出正规军和游击队追踪敌军。蒋介石将军的作战是基于华军兵额的优势之上的。”[1]

中国陆军在一九三八年秋间随着汉口和广州的失陷而遭受的损伤，现在已多少复原了，战事的继续，必然牵制了日本大部的兵力。所以在苏日战争中，两国军力的对比已起了基本的变化。以前，日本军事当局至少可以期望在受训练的后备兵完全动员之后，能在兵额上优于远东红军，但现在大部日军既陷于侵华战争的泥沼中，这可能性已经不复存在。而且恰恰相反，红军现在不唯已在技术上确胜于日军，而且又获得了兵额上的优势。这两面战争将使日本遇到一个无法解决的难题，即同时对抗中国人力潜在力的压倒优势和苏联战争技术的压倒优势这个难题。

同时，日本在亚洲大陆的战略形势，必定危弱难守。日本侵略中国的原来目的，是使它在反苏战争时得到一个作战的根据地并可掩护它的后方，但它所得到的显然

[1] 见柏林《交易所日报》，一九三八年五月五日。

与这完全相反。日本在亚洲大陆的陆军，现在差不多已完全被包围，这极大的圆形包围线由沿黑龙江的苏维埃国境起，绕过外蒙、内蒙、华北、华中，至黄海为止。在这种情形下，要对抗数量和技术都占优势的敌军，显然是非全军覆没不可的。

除开它在现代进攻武器上所占的优势，除开它在战时可说必能夺得的空中的霸权，除开它那非常便利的战略的铁路网，以及除开它那有利的战略的空旷的地位之外，远东的红军现在还可以确信地预期着它未来的敌人，在整个政治的和经济的形势上，将有更进一步的衰败。因此，好像一切预备的条件目下都已完成，而只等着枯约特教授所预言的结果似的：

“假如日苏两国发生战争，日本一定要被击败，而且非常迅速地被击败。”[1]

十一　德日同盟是无效的

德日同盟是不会达到它的目的的。德日军力的联合，

[1] 见巴黎 *Vu*，一四三二页，一九三六年十一月二十五日。

在军事上还不能占苏联的优势。苏联即使分出了足够的兵力以对付日本的进攻，它还可以保持着优于纳粹德国的军力；同样，即使它集中了大半的军力以对抗纳粹德国，它仍然在军事上占日本的上风。在一九三〇——三八年这决定的年头，苏联军需生产的成绩，比德日两国合计的还要巨大。德日同盟甚至还不能达到它的另一个目的：即在两面战争中分裂苏联的战斗部队，迫它在两面改取守势，或至少在一面取着守势。红军在东西两战线是决不会被迫采取消极的防御的；苏联当前唯一的问题，乃是如何在完全独立的基础上，把它的军力恰当地分派至东西两线。德国与日本缔盟，并不能使它在欧战中得到解救，因为无论如何，苏联全部军力至少将有五分之四用以对抗德国。设若发生两面战争，何处是主要的焦点，苏联军事当局从未有过怀疑。而日本与德国订盟，也一样得不到什么援助，因为苏联在远东的部队早已派定，而且比日本的为优。一支精锐而又完全独立的陆军，正随时准备对付日本在远东的攻击。

在供给的问题上，德日同盟对于盟国相互间也是毫无帮助的。平常的军火供给，只有沿着相接的国境或是安全的海道输送。但德日远处东西，虽然军火可以沿着辽远的航路送达，却都有轻易截断的可能。而且在第一等的大战中，军火的耗费非常浩大，决没有一个大国能够希望倚赖外国军火来满足它的需要。其次，德国专家在日本军需工业再组织上所予的帮助，决难立刻奏效，即使它毕竟结了果实，但为时已太晚了。

日本在苏联远东前线的不断的威胁，结果对于德日两方都是不利和危险的。这不断的威胁已激励苏联成为一个强大的军事国家，驱策它在建设上作巨大的努力，并加速这些的完成。而对这威胁的特殊的回答，是苏维埃远东的惊人的发展，它已成为世界上最坚强的军事阵地之一，而且是一个强大的亚洲的势力，它拥有雄视全亚的最强的陆军和空军。

由军事的观点上看，日本在远东的支配权现在完全是建筑在虚构的优势之上，这优势曾有一度是真的，但现在业已丧失，而一个空有外貌的国家，决不能长远保持着控制半个亚洲大陆的霸权。

第十五章　美国，欧洲和太平洋

一　一九一四——三八年的美国

美国参与世界性的备战竞赛，比任何别的强国都要缓，它的第一个大规模整军法案，直到一九三七年的下半年方才开始。

美国今日的政治—军事形势，跟它在上次世界大战时的情形有很大的差异。当时它所应考虑的，只有欧洲的战场，只有陆战的问题。现在它却有着从事两面战争的可能性：即欧洲的陆战和太平洋的海战，但实际上美国今日真正的和直接的作战区域，已是太平洋而非欧洲。它应该在太平洋上保护和防卫它本身直接的利益（这利益已受到日本的威胁），而它在欧洲却只能间接地通过英国以与敌人作战。太平洋的现势已驱使美国趋向同盟的政策，趋向联盟关系的建立，而它在太平洋上与英苏两国的关系，也比在欧洲的密切。

此外，还有一点，也跟上次世界大战时的形势大不相同，那就是战争技术的问题。当上次世界大战开始的时候，美国的战争技术是很幼稚的，而现在美国的战争技术却已是一个重要的军事因素了。美国现在拥有高度发展的战争技术的一切要素，而且是一个第一等的大海军国。究竟美国在下次的世界大战中，将在什么地方，什么时候，和什么程度下作为一个决定的要素，这个问题，必须依据这新的情报和考虑列强的国际军事关系之后，才能加以解答。

二　美国与欧洲的战场

假如大战爆发，美国对于欧洲的重要性，特别是对于西欧各国的重要性，是三方面的。

第一，它成了英法两国经济上的腹地；它是西欧食物和原料供给的最重要的来源。英法没有美国经济上的援助，实际上决没有获胜的可能。现在美国之于西欧，比一九一四——一八年还要重要，因为第一，在未来的大战中，原料的需要势必比上一次大战还要浩大；其次就环境上说，地中海可能禁止商轮的通行。美国是一个出产大量油类的国家，它控制了最重要的军需品的主要来源。据传英国政府一九三七年已开始在美国蓄积油类和麦类，以供战时之用（它之购买美国各油公司的大批股票，也是为着这个目的），这是很可相信的。[1]

第二，美国在军用品的供应上，对于西欧两国的重要性，比上次大战时尤为巨大。当时，特别是在一九一七年，美国运送至英法的武器非常之少，例如，第一架美国制的飞机在西线出现时，已是一九一八年的八月，而第一尊美国制的大炮，甚至比这还要迟。当大战结束的时候，美国制造的坦克车已运至法国的，只有十六辆而已。[2]美国在一九一四——一七年的确只有很微小的军需工业，它甚至连当时很普通的军火生产的技术也无法控制，同时在进攻的武器上，它本身又没有第一等的式样。但是现在，美国的军需工业在质一方面已是举

[1] 见《爱森国民日报》，一九三八年正月二十六日。

[2] 见《知识与国防》，一九三三年三月号，一六六页。

世无双，若干重要的军备的样式，事实上都是它最先采用的，它在军需生产的某些部门，始终居于权威的地位。美国的陆军最先采用轻的和中型的坦克车，而它的坦克车也是世界中最优秀的。

由军事的立场上说，美国飞机生产的高超的品质是特别重要的。在一九三〇——三五年，美国的飞机工业无疑握着世界的霸权，苏联、德国、英国和日本的飞机工业全都领受它的指导，而它的影响在苏联和德国更特别的重大。美国的飞机工业，出产最强有力的飞机引擎，装配普通引擎的飞机创造了速率的世界纪录，并且打破了长途飞行的世界纪录，因此在空军方面也获得了新的可能性。一九三七年美国若干战斗机的速率，每小时已达三百哩以上，另一种即 Bell XFM1 式每小时甚至达到三百七十五哩。最先出产武装强大的双引擎飞机的，也是美国的航空工业，这种飞机可容五个驾驶员，六支机关枪，和大量的轻炸弹，确实是一只空中的巡舰。论型式，它差不多跟法国的“Multiplane de Combat”（复叶式战斗机）同型，但速率较它为优；它也跟荷兰的 Fokker G1 式飞机相似。一九三五——三六年的美国战斗机如 Grumann G22，Curtiss，Chance-VoughtV143 和 NA16（全能机）等的速率，每小时都在二百五十哩至三百哩之间，而 Curtiss fighter 36，Curtiss fighter 37 和 Seversky fighter 35 的速率，每小时都在三百哩以上。至于美国中型的轰炸机，一个苏维埃空军专家曾说："美国在各式中型轰炸机的生产上，胜过别的一切资本主义国家。"[1] 甚至在一九三五——三六年，美国中型轰炸机 Glenn-Martin Boeing，Douglas 和 Curtiss Wright Condor 等，其速率都在每小时二百二十五哩至二百五十哩之间，重轰炸机 Boeing YB 17 的速率，每小时则为二百五十哩。而美国海军机在质量两方面都居世界第一，这更是毫无疑义的事情。因此一九三八年春间，英法与美国间最先确立的真正军事接触，便是购买美国的军用飞机，这决不是一件偶然的事。

然而美国的军需工业，还是到了一九三八年的下半年，方才认真地提出了大量生产的问题，据最新的德国的调查，美国军需工业的特征是：

---

[1] A. 阿加辛（A. Algasis）：*Aviation is Modern Warfare*，俄文版，一〇四页，一九三六年。

“比较有限制的经济的效能（如军需工业的工厂和堆栈等）配合着高水准的军事—经济潜在力。”[1]

在一九三六年，甚至在一九三七年，美国的军需工业都依着平时的水准工作。一九三六年，美国出产了一千零二十四架飞机，这数字远落在苏德两国各自的生产额的后面。[2]坦克车的生产每年也只有几百辆而已。自然所有这些，并不能表示美国在战时的生产可能性。一九一九年，当美国强大工业全部动员之后，它的军需生产据说可以大大地超越过英法两国。它的军需工业每月可出产大炮二千尊，而坦克的生产每年可达二万辆。[3]这些数字已多少给我们指出美国在下次大战中能生产多少的军用品。现在问题不仅是英法在大战时能从美国得到各种的供给，而且是究竟要经过多少时间，美国才能开始作有效的供给。在上次世界大战中，美国要经过十八个月到二年之久的时间，才能够使它的军需工业达到真正有效的顶点，才能够组织大量的生产，和控制新式

[1] Gerold von Minden：*Wirtschaftliche Mobilmachung der U. S. A.*，汉堡，一九三七年。

[2] 见 *Air Service*，一九三七年。

[3] 见《知识与国防》，一六六页，一九三三年三月。

武器的生产技术。现在美国工业的动员可以在有利得多的条件下实行，现在，甚至就是在平时，美国的军需生产一切都已具备。它们生产所有一切型式的军火，而它们的质也达到极高的技术的水准。而自一九三六年之后，工业总动员的计划业已订立，它规定物质需求的精确调查，全国经济资源的统制，工业的军事化，和实施经济动员的行政机构的扩张。[1]一九三八年年初，美国总参谋部已决定举行常年的试验动员，一切可能在战时被派定作军用品生产的工厂（共计一万二千家），都须参加。[2]因此在技术上和组织上，美国工业的军需生产的准备，比一九一七——一八年的来得周密完善，虽然现代重武器的生产，实际上已是更加复杂，而且需要较多的时间。

直到一九三八年下半年，美国采用了新的整军计划的时候，它至少还需要一年的工夫，方才能够以相当的军火供给英法两国，但在两年之内，它一定可以作极大量的供应。

[1] 见华盛顿的 *The Industuial Mobiliation Plan Revised*，一九三六年。

[2] 见柏林《交易所日报》，一九三八年正月十五日。

一九三八年下半年所计划的，而且有一部分业已采用的整军方案，是颇为重要的。巨额的新增的军费已拨付了，大规模的海军造舰计划已拟妥了，而军备生产也有了极大的扩充。例如航空工业即将完全改组，俾使大量生产各种标准化的飞机，政府也正考虑创建一队拥有七千架到九千架军用机的庞大的航空机队。如果这计划在相当短暂的时间内居然完成的话，那么结果不唯大大增强了美国的空军，而且大大提高了美国军需工业的生产力。而在后这一种情形下，美国也可以大大地缩短它可能以军火供给英法所必需的时间。

第三，美国能够影响欧洲陆战过程的直接的方式，就是和一九一七——一八年一样，由派出一支远征军直接参加欧战。现在我们要检讨的就是假如美国直接参加欧战，这支美国远征军的军事技术的质，和它可能的实力究竟如何。世界大战之后，美国的军事技术已凌驾了欧洲一切的陆军。远在一九二四年，它已拥有大量的自动武器，水陆两用的坦克，以及坦克的无线电配备与摩托化的炮队。[1] 自此之后，美国的军事技术仍然继续

[1] 贝克上校（Colonel G. Becker）: *Le Modernisme Américain*，巴黎，一九二四年。

迈进，现在美国陆军的特点，就是自动武器量的高度饱和和一个强大的摩托炮队。美国步兵总司令林区将军（General Lynch）近顷已宣布决定有计划的采用在必要时可代替轻机关枪之用的半自动步枪。美国步兵中已有十二个联队完全摩托化，有十六个联队已部分的摩托化。[1]一九三八年上半年，据传美国陆军将有第一个完全摩托化的师团出现，现在又传说陆军即将着手改编，师团战时的实力决定减至三个联队，俾师团在作战时的流动性可以增加。因此美国远征军很可能比英国的早抵西线，而作为摩托—机械化突击部队的一个核心，与其盟国共同作战。

另一方面是量的问题。美国建立一支大军究竟需要多少时候呢？上次世界大战的经验可以帮助我们解决这个问题。在一九一八年九月初，西线的美国远征军总数约达一百四十万人，其中大概有一百万人曾亲临某些战事。同年十一月一日，美国已有军官一八一〇九五名，士兵三四八三四四四名，其中有二百万名业已开赴欧

[1] 见 *Infantry Journal*，一九三八年二月。

洲。[1]美国负责当局（指美国陆军部的约翰逊上校）曾经宣言，今日美国的动员已可能加速。另一位负责人则说，在四个月之内，美国一六五〇〇〇名的基干部队，可以扩充成为一百二十万人的大军。[2]

因此动员美国战时配备的工业所需要的时间，大概与创立一支强大陆军所需要的时间相等。而这两方面的动员过程，都可能比上次世界大战时加快。然而，无论如何，一支实力充分和配备完全的美国远征军，恐怕要在开战后第二年的下半年，或甚至第三年的上半年，方才能够开到欧洲的战场。自然，像上面所说的一样，如果平时的常备军能有大量的同时是迅速的增加，那么这时间当然可以缩短。因此，在未来欧洲大战的第一阶段中，和平阵线的重心还偏于东欧的红军，这事实并未因美国的参加大战而有所改变。

[1] 见 Lieulenant-colonel de Chambrun 与 Capitaine de Merencher 合作的 *L'armée americaine dan le conflit européen*，巴黎，一九一九年。

[2] 见 *Coast Artillery Journal*，一九三八年正月。

三　日本与美国的对立

政治的条件注定了日本是美国在太平洋的敌人。日美两国竞夺霸权的斗争，不过是太平洋和远东整个的巨大斗争的一面，但这大概是太平洋海战中最重要的一部分，因为两个巨大的海军国，正各挟其整个海军力在此地互相对峙。

世界大战之后，日本海军军备的扩充，比别的任何强国更积极和更奏效。它审慎地使它的海军造舰计划，与日本舰队未来作战区域的海上特殊情况相适合，并且按照它恰切需要的部分，依循有效的战略的方式，而发展了它的各种形式的海军。日本海军在一九二〇——三八年间，已有了极大规模的增强和刷新，这是其他各国所莫及的，日本舰队中新舰的百分比，是今日世界各国海军中最高的百分比了。

日本海军中的各种战舰，技术的素质都很高。日本主力舰“长门”和“陆奥”，是世界上最先装备十六吋重炮的战舰，而日本的战斗巡洋舰“金刚”，则为今日海军中最强大的舰型。日本海军当局也已完成了主力舰彻底现代化的工作，所以目前日本主力舰的速率却较美国的为高。日本那些装有十尊八吋口径大炮的重巡洋舰，其装甲的坚厚与速率的高度，都比当代各国的重巡洋舰为强，而且都是火力与流动性的无敌的结合。日本八千五百吨式的轻巡洋舰，其武装的强大，与美国一万吨的新式巡洋舰相同：都装有十五尊六吋的大炮，而水雷管的装备还要比美国的为多。一个苏维埃海军专家，曾指出日本轻巡洋舰的特点：即威力强大的炮，抗力极大的厚装甲，和优越的航行的性能。[1]就海军的建造而论，日本在时间的因素上占了美国的上风，因此在质地上也一样的占了上风。这一点，更特别明确地表现在如下的事实上：日本现在正在建造四只新的主力舰，这些都是四万三千吨，各装有十二尊十六吋的重炮，大概都在一九三七年初动工，但美国到了一九三八年，方才考虑建造这同型的主力舰。美国在总吨量上，在主力舰的数量上（美国十五，日本九），在重巡洋舰的数量上（十七与十二），在驱逐舰的数量上（二〇六与一〇五），都

[1] E. Schwede：*The Japanese Nary*，俄文版，三十一——二页，莫斯科，一九三六年。

比日本为优，但在技术上却并不见得比日本为高，同时在负有重要作用的轻巡洋舰上，数量（日本二十二，美国十四）与质地两方面都是日本占居优势。

日本战略的形势，从下面二点上看来是有利的。第一，它有北自千岛列岛南迄台湾的海战的内线。日本海军利用了介于中国大陆和台湾之间的澎湖群岛之后，实际上已可以把整个东中国海作为日本的内湖，而切断了上海与香港间的航路。日本在日美海战之间，已有一个紧闭的，美国海军不易到达的广海可以供其使用。其次，日本在太平洋的中部，有着一个朝着对面和右面的，强大的海军战略地位。从前德领的各个群岛，如马里亚纳群岛、皮卢群岛、加罗林群岛和马萨尔群岛等，给予日本海军和日本海军机以无数的作战根据地，再加上琉球群岛和小笠原群岛，便形成了一个贯通整个西南太平洋，由新几内亚到日本本部的绝好的屏障。而这绵长的帷幔，阻碍了美国海军在西南太平洋的行动的自由，并切断了美国的泛太平洋航空线（由旧金山经过关岛、菲律滨而至香港）的交通。总之，美国本部与它在太平洋上的最遥远的哨岗——关岛与菲律滨——之间的交通，都已受到威胁。但是，设若美国与日本作战，可以作为西南太平洋的前卫的战略根据的，也只有关岛与菲律滨而已。

英国著名海军专家白华脱（Hector Bywater）曾这样说：

“要是说关岛与菲律滨的关系，跟黑里兰（Heliguland）与德国的比特（Bight）的关系，和马尔太与保卫英国在地中海利益的关系等相同，不唯没有夸张这一事实，而且可以说是看轻了它。真的，我们可以进一步的说，美日战争的关键，主要是由关岛的命运所决定。”[1]

然而，关岛四面都受日本小岛的包围，而这些小岛都已成了海军机的根据地。日本的海军防御组织，早已伸展到太平洋的远处了。

此后可用以对抗日本的美国海军，其真正实力如何，现在还不能确定，因为美国的海军造舰计划仍在不断增修中，甚至它的海军战略的观念，目下也在改变。直至一九三〇年的时候，它的海军建造计划，在倾向上，还是绝对保守的。美国著名海军专家玛格鲁德少将

[1] 见白华脱所著 *Sea Power in the Pacific*，二六四——五页，一九三四年。

（Rear-Admiral Magruder）在一九二八年曾这样写道：

“自从一八一二年大战时，美国装有较重的大炮的战舰，一致击败了英国的战舰之后，美国的海军政策始终以最大可能的大炮武装它的战舰。让这政策继续下去，那么美国是可以得到和平的。”[1]

这是事实，在一九一五——三〇年中，美国海军只顾到大炮，而牺牲了流动性和运动的能力。然而，较重的炮并不能使美国免受日本海军的威胁，希克罗·白华脱这样写道：

“现代美国海军中，重武装的军舰格外的多，而巡游速的军舰格外的少，这是显而易见的。它有很多然而并不过量的驱逐舰，少数可航大洋的潜艇，和许多备用的辅助舰，这些辅助舰虽然足以适应本国领海的需要，但完全不能满足远离根据地而作战的舰队的些微的需求。因此直到现在为止，美国的海军政策，好像主要的还是从注重大西洋和加勒比海的战略出发，而简直从未有过预防太平洋上万一爆发的战争的企图，因为太平洋

[1] 见白华脱所作 *The United States Navy*，费城，一九二八年。

的作战条件，根本是完全不同的。”[1]

白华脱氏关于美国海军政策一向只偏重重武装的主力舰，而忽视了它的速率这一点，又作如下的评论：

“虽然，依照英国海军部的意见说来，主力舰还是‘海军力所赖以建立的单位’，但它决不是海军力唯一的要素；一个单由主力舰组成的舰队，要是遇到一队包括数只主力舰，以及相当数量的二级舰和辅助舰的舰队时，它一定陷于极不幸的劣势。”[2]

自从一九三二年之后，美国的海军政策已有了某种的改变，而既经冒险改变，便热烈地加以推行。从一九三七年起，美国的造舰计划，屡屡变更，而每一次的变更，都比前一次来得进步，甚至现在，我们还不能把目前的计划当作是最后的决定。美国的海军整军计划，不管它愿意与否，现在已被迫决定了它的目标，即建造有着充分的攻击力和流动性，能在太平洋的广大区域中有效地作战的战斗舰队，同时这舰队还要比整个日本海军——以它最近的和最大的造舰计划为准则的整个日

[1] 见上引白氏所作 *Sea Power in the Pacific*，一二九页及一一七页。

[2] 见上引白氏所作 *Sea Power in the Pacific*，一二九页及一一七页。

本海军强大得多。要达到这个目的，美国海军在数量上的增加，要到前此所未梦想的程度，同时还须在素质上作一次彻底的革新。现在让我们谈谈主力舰的问题。到一九四二年，日本将拥有十三只主力舰，因此美国到那时候，至少须有十八至二十艘新的主力舰。然而到了一九四二年，它目下的主力舰中，已有七艘业已陈旧，因此美国由现在起，到那时候止，必须建造十艘至十二艘的新主力舰，这就是说，它甚至必需越过英国的新海军造舰计划。在巡洋舰、驱逐舰和潜水艇各方面，它也要负起与这相应的巨大的任务。依据华盛顿方面未证实的报告，美国海军部已决定建造十艘至十五艘新的万吨巡洋舰。

此外，还有质的改良的问题。所有新建各舰，将能够在远离根据地的西太平洋上作战。为了这个理由，一队强大的辅助舰队也将着手建造，俾美国海军可以在太平洋的彼端作战，并不用倚靠它的根据地。在一九三八年一月初，即已开始建造十二艘各重一万六千吨的，并附有装甲甲板与军火库等的油船，究竟美国造船厂的生产力，是否能充分担负这么巨大的海军建造计划，尚是一个疑问。不过从现时起，我们已不能不把美国海军当作一个动力的和在剧变中的巨物了。

不用说，美国必定要使它的海军的战略形势与它的海军造舰计划相适应。美国在太平洋的战略形势，主要是适于采取守势的。美国在太平洋最重要的海空军根据地，是亚留西安群岛（Aleutian Islands）的荷兰港，和夏威夷群岛的防御坚强的珍珠港。这两个根据地距离日本都在三七五〇哩以上。因此德国陆军部的机关报颇为满意地论到这一点。

“从陆军和海军的立场上看来显然是不利的地理条件，以及在交战时可能遭遇的极大危险，使美国在远东采用和睦的谅解的政策。”[1]

然而美国还拥有许多有价值的岛屿，可作为在太平洋对日作战的前卫的根据地，不过所有这些，目前还是散处各方未加修整。在西南一方面，在西南太平洋，沿着美国泛太平洋航空线的地方，尚有许多的据点，如由夏威夷岛到密克威岛（中途岛），威克岛，关岛以至菲

[1] 布罗上校：*Luftpolitik und Luftkrieg führung im Stillen Ozean*，见《军事学评论》，一九三七年九月。

律滨。关岛与菲律滨的距离是一七八〇哩，而菲律滨距日本在极西南的大占领地台湾仅二五〇哩。在东北一方面，亚留西安群岛极西之其斯加岛（Kiska Island），距离日本最近的领土仅只六八七哩。然而这些地方，唯有经过充分的设防和彻底的发展之后，方能对于美国海军有用。太平洋各战略地位的设防，现在正是美国动力的新海军计划的重要部分。美国海军战略的困难，就是在它不唯应当考虑，由这些远离的海军根据地进攻敌人是可能，而且还应当考虑防御强大敌人向这些根据地进攻的可能性。这些根据地使美国获得了处于日本的极北和南部的可能的侧翼地位，同时也使它与北部苏联坚固的滨海区，与英国在西太平洋南部的根据地相联系。亚留西安群岛可作为通达堪察加半岛的彼特罗巴夫洛夫斯克（Petropavlovsk）的桥梁而台湾又处于环绕南中国海，并拥有香港与新加坡两个极坚固据点的英—法—荷防御线的末端。就美日两国在太平洋的海军力而论，可说是势均力敌。两方都有坚强的防御据点，而假如他们要实行进攻，两方也都遇到极大的困难。因此，一个独立的日美两国之间的海战，就是说未有他方参加，不论在何种环境之下，必然是一个长期的战争。两交战国中，那一方实行进攻，那一方就须作强大的努力和须冒巨大的危险。

四　太平洋的反日联盟

然而，所谓孤立的日美战争，只是理论上的抽象产物。美国单独在太平洋作战，这在理论上是可能的，但要是它与日本发生战争，苏联和西欧列强竟然始终袖手旁观，那是完全不可能的。只要美国一旦在太平洋进行海战，这战争一定不可免地要发展成为反日的同盟战争。

目下在太平洋上，正存在着一个绝对的强制力，迫使美国和西欧列强，首先是英国，其次是法国、荷兰以及澳大利亚，同样也迫使苏联，组成一个广泛的反日同盟。这强制力是由军事的、地理的和政治的条件造成的。

在这样的反日同盟中，美国的重要性，就是它是一个强国，在某种环境之下，可能在海上击败日本。别的强国不能负起这一任务，同时在别的任何列强的同盟中，例如苏一法一英的同盟，美国也不是一个盟员。由这一点着眼，不论是苏联或是西欧列强，断不能在美国与日作战时背弃它，要是如此，它们便会失去一个唯一的、可以击溃它们都受其威胁的敌人的海军力的机会了。

另一方面，美国也迫切需要一个反日的海军同盟，因为就现时说，假如它独自对日作战。它在海军的数量上，在技术的与战略的速率和运动上，都没有足以保证其必胜的优势，特别是它没有进行海战所必需的前方作战根据地。目前它在菲律滨与亚留西安群岛一带，虽有一些可作为作战根据地的海岛，但既分处各方，又未加以充分的设防和发展。纵然这些根据地已有了充分的发展和设防，但两处相距几达一万哩，只能威胁日本的侧翼，而不能威胁日本的海岸或是其重要的海军根据地。如果美国与日本卷入战争的漩涡中，而未得到他国的援助，那么它至少要在开头采取防守的策略，白华脱氏甚至说美国开头不可免地要受到挫折。美国只有在长期的战争中，采取海军消耗战的战术，然后才能缓缓地谨慎地转采进攻的行动。

沙皇军队中两个有权威的海陆军专家，高洛文和鲍诺夫（Bubnoff），几年之前，曾合著了一部书，对美国在太平洋的海军力，作了如下的判断：

“太平洋上各种业已形成的战略条件，使美国不能单靠它自己的武力，来保护它在远东的领土和在中国的利益。”[1]

这判断在今日还是正确的。

现在，让我们来小心考察一下，究竟各个必然参加太平洋防御同盟的海军，有着何种的实力和可能性呢？一个盎格罗撒克逊的联盟，决不是任何这类同盟的主力。英美的海军同盟并不能迅速地击破日本的海军力。英国在远东的海军力和海军根据地并不坚强，还不足使美国获得目下所无的对日的优势。老实说，英国在远东的海军实在太薄弱，而它的根据地距离决定的战场又太遥远。关于英国在太平洋的地位，白华脱曾作这样的论述：

“就战略上言，我们的地位已降落至可怕的程度。

[1] 高洛文（Golovin）和鲍诺夫（Bubnoff）合著：《二十世纪之太平洋问题》（*The Pacific Problem in the Twentieth Century*），二〇二页，普拉格，一九二四年。

目前我们已无法保卫我们在太平洋上那些散漫的和毫无价值的利益，这话虽然难听，但却是真理。最近十三年来，我们在太平洋上的海军力，已经减缩至无足重轻的地步，而且一时也没有恢复的希望。”[1]

英国在太平洋上与美国结盟，也一样不能使它得到速胜与必胜的保证，因为美国的海军进攻尚有上述的各种困难。高洛文和鲍诺夫对这一点这样写道：

“英国的参加，也不会使英美联合舰队在对日作战时，获得决定的和有力的战略机会。”[2]

但英国作为太平洋上巨大的反日同盟的一员，是优劣兼有的。它在太平洋的舰队绝对薄弱；没有主力舰，只有六只巡洋舰，对于海军的进攻并不能发生作用，同时它在太平洋上的海军根据地，其战略的重要性也甚有限，因为它只能在南面威胁日本，其距离又极遥远，因此它主要的作用还是防守的。香港是英国在远东的极北的海军根据地，但它距离日本最南的重要海港长崎，却在一千五百哩以上。

---

[1] 白华脱：*Sea Power in the Pacific*，十七——十八页。

[2] 高洛文和鲍诺夫合著：《二十世纪之太平洋问题》。

然而英国在西南太平洋却有强大的地位。英国的海军设防系统，即香港—新加坡—婆罗乃（婆罗洲）至澳大利亚的达尔文港，在南部切断了日本的海道，并保证防御同盟在远东海战的巨大区域的南翼，占有战略上的优势，同时，它还可以在南面海上实施对日严密的封锁。其次，在这区域内建立并领导一个广泛的，可说是局部的反日同盟，也是英国的任务。在这区域之内，英国海军及其根据地，与法国、荷兰、澳大利亚的防军之间，可以建立相互的联系。所有这些国家，在南太平洋上都很薄弱。如越南的法国实力，一个法国专家[1]曾说，与其把它们看作是真正力量的因素，还不如把它们看作是威信的因素。另一个法国专家[2]又说，不论是法国或是荷兰，如果它们单独对日作战，两国都无力保卫它们在远东的领土，这是显而易见的事情。不用说，这些国家也被环境所迫，而找求一个太平洋上的联盟。如果它们跟英国合作，是可能结成一个有相当力量的同盟的。它在英国领导之下，可以凑成十五只巡洋舰，三十到四

[1] 见一九三七年十二月廿四日 A. Thomazi 在 *Figaro* 上所作一文。

[2] 见一九三八年一月十四日 A. Maine 在 *Paris-Soir* 上所作一文。

十只驱逐舰和三十到四十只潜水艇以对抗日本。荷兰在东印度的领土也已设防。这南太平洋联防的准备，再加上苏联和美国的整军方案，足使日本感到政治包围的威胁。一家著名的德国报纸，对这一点这样写道：

“在从前是一片空旷的，任何强国都可以在当地任所欲为而不至受到抵抗的地方（指南太平洋），现在我们却看到许多国家，正在迅速地充实它们的武装，加强它们的地位，而且全体为保卫它们的领土和势力范围这共同的利益而活动。”[1]

这集团在英国领导之下，能给美国以相当的援助，因为菲律滨也可以是这防御集团中的一员。然而，甚至就是这个南太平洋的同盟，也不能增加美国海军的进攻力量至任何显著的程度。

五　苏美联盟的可能性

美国在太平洋上最重要的战略盟国，将是苏联，因此任何防御同盟的重心，是在苏美同盟方面。有远见的

[1] 见柏林《交易所日报》，一九三七年五月廿一日。

军事专家在多年以前，已经认识了这一同盟的重要性。高洛文和鲍诺夫在一九二四年这样写道：

“美国只有在坚强的俄罗斯援助之下，才能击败日本。”[1]

白华脱氏的意见与这相同，但说法两样：

“在考察太平洋上的政治、海军关系时，一个全新的因素是必须加以考虑的。这因素就是苏联。不错，苏联的海军力现时还不足重视，但因为它至今尚有无限的军力和地理的资产（即海参崴），苏联对于任何一个与日作战或将与日本作战的国家，正是一个最有价值的盟邦。就是关于这一事实，许多观察家辨识了莫斯科与华盛顿最近的接近的真正意义。”

自从白华脱写下了这样的话之后，作为美国一个可能的盟国的苏联的重要性，已越发增大了。

如果对日战争爆发，苏联可以给美国四种的援助。第一，苏联在陆地上的优于日本，将大有助于美国。在日苏陆战中，日本必然要失去它在亚洲大陆上的整个根据地，因此它本来可以进行海战的各种条件，已经大大

[1] 高洛文和鲍诺夫合著：《二十世纪之太平洋问题》，俄文版，二五〇页。

的毁损，而充分的海军封锁的可能性，也便发生。日本陆战上的失败，很可能是在海战失败之前，而一个在陆战上失败的国家，究竟能否鼓起精神以进行海战，那是一个极大的疑问。远东特别红军的迅速而胜利的进攻，可以减轻美国在海战上的极大的努力。

其次，苏联可以把美国在日美海战上所缺乏的一个决定的要素，——前方作战根据地，供给美国。我们可以说，苏联享有一切邻近日本海岸的海军根据地的政治的独占权。海参崴是一个第一等的海军港和强大的海军要塞。它离日本的海岸只五百哩，离东京也只六百八十哩强。如果美国海军出现于海参崴湾，日本海军的战略地位的优势便完全失却。然而苏联占有的，不仅海参崴而已。在海参崴之北，从阿穆尔河（黑龙江）口的尼古拉埃夫斯克（Nikolaievsk）到堪察加的彼特罗巴夫洛夫斯克（Petropavlovsk），连着一长串强固的海军据点，遮盖着日本整个的中部和北部。美国海军如果运用这些接近日本各主要中心的根据地，那就等于美国海军力的战略上的重新估价。只有在这种情形下，美国海军才能够加以充分的利用，才能够最有效地发挥它的力量。

第三，苏联的海军可以非常有效地补充美国的海军。美国的主力舰与巡洋舰，苏联的各种轻舰，如潜水艇，驱逐舰与水雷艇等，可以在日本海上组成一个同盟的舰队。苏联所能供给的轻舰，比美国能够派到太平洋来对日作战的轻舰，要多得多。苏维埃潜艇舰队尤其特别重要，在太平洋上大概是在六十至七十艘之间。在战争中，它的任务是保卫苏联的海岸，而在对日的同盟战争中，这就等于保卫美国的作战根据地。此外，苏维埃潜艇队，在对日的海军封锁中，可以发生决定的作用。一个目下侨居国外的旧派俄国海军官员，对这一点曾这样写：

"苏联在四海共有一五一只潜水艇，要集中一队拥有一百只至一百只以上的潜艇的舰队于太平洋，在它毫无困难。而这个有着防备坚强的作战根据地（如海参崴，阿穆尔河口的尼古拉埃夫斯克，堪察加的彼特罗巴夫洛夫斯克）的巨大潜艇队，再加以强大的空军，可以使日本海军完全无法对苏联的海岸作任何剧烈的进攻，至于强行登陆，更是绝对的不可能。此外，苏维埃的潜艇队不仅可以防卫海岸，而且可以在日本的各海路上执行非常有效的战斗。它甚至还可以封锁日本。假如苏维埃潜艇队再加上几十只美国的潜艇，那么，这封锁给予日本的严重威胁，将使日本被迫退却。”[1]

因此，在反日的同盟海战中，苏联的轻舰足使日本处于劣势。

最后，即第四，在这远东的同盟战争中，苏联的强大空军，确是一个非常重要的因素。它跟世界上最强最好的美国海军机共同作战，可以威胁日本的海军和日本军事的和经济的中心，还可以进一步使日本在海战中陷于不利的形势。白华脱氏曾说道：军用航空技术上的进展，已削弱了日本的战略地位，首先是由于日本空军的技术的落后；其次是由于日本特别易遭空袭的损害。白氏在他的作品中曾引了中村（Nakamura）如下的叙述，日本当局对这一点所感到的焦虑，在这里暴露无余：

“我们许多巨大的商港和军港，都易遭遇攻袭，而我们的敌人既洞悉了我们资源的所在，自然晓得应向那一方面集中他们的力量。在太平洋的沿岸，首都东京，

[1] 见旧俄海军上校鲁金（Lukin）在巴黎俄文日报 *Posledni Novosti*（一九三七年十二月）上所发表的 *On the Events in China* 一文。

大商港横滨，军港横须贺，全都毫无遮栏，易遭敌机的光顾。我国工业中心的大阪，也并非在敌机航程之外，而九州那密如蜂窝的工厂，也将与敌方无数的目标。”[1]

德国空战问题主要的权威，也表示同样的意见：

“空袭对于日本的危险，目下正在不断增加中。航空武器的发展，已使日本的地位与英国相似：海军已不能再保护它免受敌方的攻击。虽然苏维埃空军距离日本远在六百哩以上，但它对于日本的危险，却比整个美国舰队要大得多。”[2]

苏美联合的空军，可以由苏联的边海区和美国的航空母舰出发攻击日本。他们可以获得日本海的上空的霸权，因此美国海军对日作战时的形势，也将大见改善。

由于它的陆军，它的海军根据地，它的轻舰和它的空军，苏联可给予美国的援助，比美国别的任何盟国都要多。美国是认清了这一事实的，这可以由下列各点表现出来：美国在苏联建造强大的海洋舰队，特别是建造

[1] 见白华脱氏前引书，三〇五——六页。

[2] 布罗上校：*Luftpolitik und Luftkrieg führung im Stillen Ozean*，见《军事学评论》，一九三七年第四卷。

新式的主力舰时，给予了技术上的援助；美国海军战略的显明的趋向，是北太平洋而非南太平洋，对亚留西安群岛的发展，比对菲律滨的积极；以及与苏联作战根据地联合的趋向比与英国联合的趋向有力，也就是说它宁要海参崴，而不要香港。

苏联《消息报》曾这样写：

“太平洋的北部，也即由美国的西海岸，夏威夷岛与亚留西安群岛，所构成的三角形地区，对于今日美国的战略尤为重要。”[1]

这一部分，是由北部通海参崴的海路，而一九三五年之后，美国各次海军大演习，都在这地带举行。

美国与苏联和与英国的结盟，将把日美在太平洋上原来的那种比较的均势，变为美国的优势。由这个同盟美国可以转守为攻，可以由海军消耗战的战略转为海军歼灭战的战略。

十年之前，一个美国专家，曾带着明显的不安，谈到日本已兼有了霍恩索伦德国的陆军，大不列颠的海军

[1] 见一九三七年六月十一日该报。

以及美国光荣的海军的孤立。[1]然而，从此之后，苏联军力在远东的崛起，太平洋普遍的防御的准备，以及巨大的反日同盟的发展，已把日本这些狡狯的骗局完全揭穿。日本在西太平洋的海上霸权，犹如它在亚洲大陆的陆上霸权一样，是不会维持多久的。

[1] 乔斐逊中校：*Japan*：*The Air Menace of the Pacific*，纽约，一九二八年。

译后小记

近年以来，我们看到了不少关于国际军事的著作，如英国李德尔·哈特（Liddell Hart）的《武装的欧洲》（*Europe in Arms*），如美国杜布衣少校和伊里奥特少校（Major R. E. Dupuy and G.F. Eliot）的《假如大战爆发》（*If War Comes*），出版后都曾风行一时，在我国也有着译本，但这两者多半偏重于军事的专门叙述，许多读者也许不甚感兴味。如果有人要想从国际军事的探究中去认识世界政治的动向，我们却愿意推荐这本《列强军力论》。我们的迻译本书的动机，也就在此。

本书作者马克斯·威纳尔（Max Werner）系一位德国的军事专家的化名，他经了多年的研究，才写成这本书，书中有许多材料都为外间所从未知道。作者以他丰富的材料，锐利的目光，正确地分析世界各国的军事现势。目前国际政治的发展，有许多可以从本书中得到印证。譬如说，今年九月，《德苏互不侵犯公约》的签订，以及苏联的进兵波兰，曾引起了有些人“哗然”的反应；其实这正是英法苏谈判失败，波兰拒绝苏联援助的必然结果，本书作者很早就指出：

“波兰的军略地位可能是决定的，但必须以加入欧洲反侵略阵线反抗德国为前提。在地理上军略上波兰必须参加反侵略阵线的。波兰要充分利用它战略的地位，又只有跟苏联密切合作才可能。法国对于波兰的援助是很小的，至多也只能限于平时的军需和经济的支持。在战时，波兰在经济上军事上必须获得苏联的合作。它要考虑对德作战，首先必须取得苏联原料的供给，和红军的援助。波兰站在德国那边打苏联，是不能获胜的。它如果没有苏联的援助，也断不能战胜德国。它只有在苏联合作之下才能战胜德国。因此，欧洲反侵略阵线的奠立，实是它维持生存的唯一希望。”（第十三章第六节）

然而半法西斯化的华沙当局，却终于拿他们国家的命运，寄托于张伯伦辈的身上，寄托于促成反苏战争的幻想上。在英国唆使之下，波兰干脆拒绝了苏联的军事援助。这竟不出本书作者的所料，结果终于铸成了“亡国”的大错！本书作者又说：

“波兰政府如果骄傲地决定独自抵御德国的进攻而不接受红军的援助，那等于自杀；……一旦德国向波兰进攻以后，就可以很迅速地把波兰完全占领。……照苏联的利益看来，也是要求干涉政策的。苏联不能坐视强大的德国军队，压倒了波兰的抵抗，破坏了波兰的军队，并占领了波兰的土地，而越过了波苏的边界，去进攻苏联。”（第四章第五节）

作者的预见，现在都已成了事实，这不能不说他观察的深刻。因为本书全稿于一九三八年十二月完成，去德波战争的发生有九个月之久呢。单从这一点看来，就足为本书价值的证明了。

本书系根据斐茨吉拉尔（E. Fitzgerald）的英译本重译，附此声明。

宾符

一九三九年十一月

三联经典文库第二辑简目

《游击战教程》　明凡 / 著

《游击战术纲要》　陶剑青 / 编著

《汪精卫卖国的理论与实践》　钱俊瑞 / 著

《抗战以来》　韬奋 / 著

《陕行纪实》　楚云 / 著

《随军散记》　沙汀 / 著

《被日寇囚系半载记》　王研石 / 著

《倭营历险记》　房沧浪 / 著

《活跃的新西北》　田影 / 编著

《保卫华北的游击战》　刘清扬　陈北鸥等 / 著

《徐州突围》　《徐州突围》编委会 / 编

《沦亡的平津》　长江　小方等 / 著

《淞沪火线上》　胡兰畦等 / 著

《瞻回东战场》　长江　罗平 / 著

《东线的撤退》　胡兰畦等 / 著

《抗战中的西北》　徐盈 / 著

《鲁闽风云》　徐盈等 / 著

《西线生活》　西北战地服务团集体创作

《中国解放区见闻》　［美］福尔曼著 / 朱进译

《全面抗战论》　潘汉年 / 著

《日本的间谍》　范士白自述 / 尊闻译

《日本大陆政策的真面目》　国难资料编辑社 / 编

《民众动员论》　李公朴 / 著

《中国外交史》　钱亦石 / 编著

《太平洋军事地理》　蒋震华 / 著

《世界经济地理讲话》　思慕 / 著

《列强军力论》　［德］马克斯 · 威纳尔著 / 宾符　仲持　梅益等译

《近代国际关系史》　张铁生 / 著

《太平洋现势手册》　沈志远　石啸冲 / 编著

《近代世界政治史》　钱亦石 / 著

《从战争到和平——一九四五年的世界政治》　乔木 / 著

《战后日本问题》　思慕 / 著

《最近一年间的国际动态（1946.7–1947.6）》　《东北日报》社 / 编

《论政党》　翟放 / 著

《法与宪法》　韩幽桐 / 编著

《中华民国宪法刍议》　罗家衡 / 著

《民主 · 宪法 · 人权——作之民》　费孝通 / 著

《宪法论初步》　潘念之 / 著

《对反民主的抗争》　韬奋 / 著

《农村改进的理论与实际》　江恒源 / 著

《上海产业与上海职工》（上下）　朱邦兴　胡林阁　徐声 / 合编

《陶行知教育论文选辑》　陶行知著 / 方与严编

《中国通货膨胀论》　杨培新 / 著

《中国及其未完成的革命》　H・普拉特著 / 蒋天佐译

《中国的建设问题与人的训练》　卢作孚 / 著

《论中国特殊性及其他》　艾思奇 / 著

《中国经济问题讲话》　钱俊瑞　徐雪寒　王渔邨　姜君辰　骆耕漠 / 合著

《中国经济的道路》　许涤新 / 著

《中国财政之病态及其批判》　孙怀仁 / 著

《官僚资本论》　许涤新 / 著

《五四运动之史的评价》　陈端志 / 著

《中国通史简编》（上下）　中国历史研究会　范文澜 / 主编

《论文学的工农兵方向——读〈在延安文艺座谈会上的讲话〉》　雪苇 / 著

《中国近代史（上编　第一分册）》　武波 / 编著

《文学百题》　傅东华 / 编

《中国史学之进化》　周谷城 / 著

《论民族形式问题》　胡风 / 著

《论批评》　荃麟等 / 著

《中国史纲》（第一卷上下、第二卷上下）　翦伯赞 / 著

《近代中国思想学说史》（1–4）　侯外庐 / 著

《中国政治思想史》（上下）　吕振羽 / 著

《中国哲学史纲要》　向林冰 / 著

《中国政治史讲话》　钱亦石 / 著

《中国社会经济史纲》　王渔邨 / 著

《新财政学大纲》　千家驹 / 著

《太平天国革命运动论文集——金田起义百周年纪念》

华北大学历史研究室 / 编

《理性与自由——文化思想批评论文集》　胡绳 / 著

《战斗者的诗人》　黄药眠 / 著

《国语文法》　曹朴 / 著

《教育哲学》　张栗原 / 著

《妇女问题讲话》　杜君慧 / 著

《婚姻 · 子女 · 继承》　沙千里 / 著

《性教育新论》　布士克　雅各生合著 / 董秋斯译

《狱中杂感》　杜重远 / 著

《七人之狱》　沙千里 / 著

《爱迪生传》　伍况甫 / 译

《歌德自传》（上下）　歌德著 / 思慕译

《尼赫鲁自传》　［印度］尼赫鲁著 / 毕来译

《列宁传》　［苏］凯尔任采夫著 / 企程　朔望译

《罗斯福总统传》　C. Mackenzie 著 / 张尚之译

《托尔斯泰传》（1–3）　［英］阿尔麦 · 莫德著 / 徐迟译

《革命文豪高尔基》　［美］亚历山大·康恩著／韬奋编译

《鲁迅纪念特辑》　新中国文艺社／编

《回忆鲁迅先生》　萧红／著

《人民文豪鲁迅》　平心／著

《亡友鲁迅印象记》　许寿裳／著

《鲁迅思想研究》　何干之／著

《鲁迅研究》　夏征农／编

《过来的时代：鲁迅论及其他》　雪峰／著

《电影戏剧表演术》　洪深／著

《日常心理漫谈》　［美］约瑟夫·查斯特罗著／曾宝葹译

《心理常识漫话》　朱智贤　杨云美／著

《读书的方法与经验》　王任叔／著

《美国黑人生活纪实》　［美］加德维尔　斯坦倍克著／董秋斯译

《初访美国》　费孝通／著

《事业与成功》　［美］马尔腾著／汪原放译

《萍踪寄语（初集）》　韬奋／著

《一生的幸福前途——〈生活周刊〉信箱选集》　生活书店／编选

《深刻的印象》　生活周刊社／编

《海外的感受》　生活书店编译所／编

ISBN 978-7-108-04652-9

定价：61.00元